LA COMMUNAUTÉ

lieu du pardon et de la fête

JEAN VANIER

LA COMMUNAUTÉ
lieu du pardon et de la fête

Editions Fleurus, 31, rue de Fleurus, Paris 6e

Editions Bellarmin, 8100, boulevard Saint-Laurent,
Montréal, Canada

Du même auteur :

aux Editions Fleurus
31, rue de Fleurus, Paris :

Ton silence m'appelle
Ouvre mes bras

aux Editions Bellarmin
8100, bd St-Laurent, Montréal :

Ma faiblesse, c'est ma force
Larmes de silence

coédition Fleurus-Bellarmin :

Disciple de Jésus
Ne crains pas

ISBN 2-215-00256-5
Dépôt légal 1er trimestre 1979

ISBN 2-89007-000-X
Dépôt légal 1er trimestre 1979
Bibliothèque Nationale du Québec
Bibliothèque Nationale du Canada

Au Père Thomas Philippe
auprès de qui j'ai fait mes premiers pas
dans la vie communautaire

« Comme le Père m'a aimé
Moi aussi je vous ai aimés
Demeurez en mon amour.
Voici mon commandement :
Aimez-vous les uns les autres
comme je vous ai aimés.
Il n'y a pas de plus grand amour
que de donner sa vie pour ses amis. »

Jean 15, 9 ; 12 ; 13.

INTRODUCTION

Autrefois les hommes vivaient en groupes homogènes, tous issus plus ou moins de la même famille, ayant les mêmes racines. Dans ces groupes, la tribu, le village, ils parlaient la même langue, vivaient des mêmes rites et traditions, avaient le même mode de vie et acceptaient la même autorité. Ils étaient solidaires entre eux. Cette solidarité venait à la fois de leur chair et de leur sang, et de la nécessité d'une collaboration pour se procurer les biens de la vie et pour se défendre contre les attaques des ennemis voisins et les dangers naturels. Il y avait entre les gens du même groupe une unité qui s'enracinait dans les profondeurs de l'inconscient.

Les temps ont changé. La société moderne est issue de la désintégration de ces groupements plus ou moins naturels ou familiaux. Ceux qui maintenant vivent dans la même localité ne font plus partie d'un groupe homogène. Les villes et bientôt les campagnes sont faites de voisins qui s'ignorent. Chacun s'enferme, par peur, derrière les murs de sa maison. La communauté humaine n'est plus au niveau de la rue, du quartier ou du village. Il y a un brassage de peuples, de religions et de philosophies, dû à la mobilité.

Cet état de choses engendre une solitude plus ou moins bien supportée. La famille, parfois réduite au couple et ses enfants, n'arrive plus à se suffire à elle-même. On part alors à la recherche d'amis. La personne humaine ne peut vivre comme sur une île déserte ; elle a besoin de compagnons, d'amis qui participent à une même vision, un même idéal, avec qui elle puisse partager. C'est ainsi que certaines personnes se regroupent, non par quartier ni même par famille (frères et sœurs, oncles et tantes), mais par sympathie ou autour d'idées, autour d'une vision de l'homme et de la société ou de centres d'intérêt. Certaines d'entre elles se retrouvent occasionnellement, d'autres vivent sous le même toit. Elles quittent leurs lieux naturels, leurs parents, leur travail peut-être, pour vivre avec d'autres, en communauté, selon ces nouveaux critères et cette nouvelle vision.

En même temps, elles veulent témoigner de ces valeurs face à la société ; elles estiment avoir une bonne nouvelle à annoncer au monde, qui apporte un bonheur, une vérité et une plénitude de vie plus grands. Elles désirent devenir le levain dans la pâte de la société humaine. Elles veulent œuvrer pour la paix et la justice entre tous les hommes et toutes les nations.

Certains de ces regroupements sont plus orientés vers l'action, un travail ou une lutte. On vit avec l'autre non comme avec un frère, mais comme avec un camarade, un compagnon de travail et de lutte. On unit des capacités d'action.

D'autres regroupements insistent plus sur la façon de vivre, sur la qualité des relations entre les membres et sur l'accueil, que sur les choses à faire. Leur action, si on peut dire, est leur témoignage de vie et leur accueil.

Nous avons là les deux pôles de la communauté : le but qui attire et unifie, le centre d'intérêt, le pourquoi de cette vie ensemble ; et l'amitié qui lie les personnes entre elles, le sentiment d'appartenance à un groupe, la solidarité, les relations interpersonnelles.

De fait, dans tout regroupement il y a une multiplicité de buts comme il y a de multiples façons d'envisager la solidarité, le sentiment d'appartenance. Dans ce livre, le terme « communauté » est essentiellement réservé à ces regroupements de personnes qui ont quitté leurs lieux habituels pour vivre avec d'autres sous un même toit, créer entre elles des relations interpersonnelles, vivre et travailler selon une vision nouvelle de la personne humaine et de ses relations avec ses semblables et avec Dieu. C'est un sens très restrictif. D'autres pourront donner au mot « communauté » un sens plus large.

Ce livre s'adresse surtout à ceux qui vivent ou veulent vivre en communauté mais beaucoup de choses s'appliquent également à la vie familiale. Les deux éléments essentiels de la vie communautaire se retrouvent en effet dans celle-ci : les relations interpersonnelles, un sentiment d'appartenance, et le fait d'être orientés ensemble vers un but et un témoignage de vie.

De la même façon, certaines de ces pages peuvent s'appliquer à des personnes qui, tout en ne vivant pas ensemble, se retrouvent régulièrement pour partager leur idéal, prier ou agir ; et entre lesquelles des liens profonds se créent.

Il est bien évident que presque tout ce que je dis ici est issu de mon expérience quotidienne à l'Arche, la communauté où je vis depuis quatorze ans. Mais j'ai aussi énormément appris en visitant les communautés de l'Arche à travers le monde et en écoutant d'autres personnes qui vivent en communauté.

Les communautés de l'Arche sont particulières dans le sens où nous nous efforçons de vivre avec des personnes handicapées mentales. On veut certes les aider à croître et à devenir le plus autonomes possible, mais avant de « faire pour », on voudrait « être avec ». La souffrance particulière de la personne handicapée mentale, comme de toute personne marginale, est de se sentir exclue, sans valeur, pas aimée. C'est à travers le quotidien de la vie communautaire et l'amour qui doit s'y incarner, qu'elle commence peu à peu à découvrir qu'elle a une valeur, qu'elle est aimée et donc aimable.

J'ai commencé l'Arche en 1964, dans un désir de vivre l'Evangile et de mieux suivre Jésus-Christ. Chaque jour me fait découvrir davantage combien la vie chrétienne doit s'épanouir dans l'engagement d'une vie communautaire et combien la vie communautaire a besoin de la foi, de l'amour de Jésus et de la présence de l'Esprit Saint pour pouvoir s'approfondir. Tout ce que je dis dans ces pages sur la vie communautaire est inspiré par ma foi en Jésus.

Cela ne veut pas dire qu'il n'y ait pas de vie communautaire en dehors du christianisme. Loin de là ! Ce serait contre toute expérience humaine et même contre tout bon sens. Dès que les hommes se regroupent, pour quelque cause que ce soit, une forme de communauté est créée. Mais le message de Jésus invite ses disciples à s'aimer et à vivre de quelque façon la communauté.

Etant proche de beaucoup de personnes attirées par la communauté, par de nouveaux modes de vie, je réalise la grande ignorance qui existe concernant la vie communautaire. Beaucoup semblent croire qu'il s'agit de mettre sous le même toit quelques personnes qui s'entendent « à peu près » ou qui soient engagées par rapport à un même idéal, pour qu'il y ait communauté. Le résultat est parfois désastreux ! La vie communautaire n'est pas simplement faite de spontanéité ni de lois. Il y a des conditions précises, nécessaires, pour que cette vie communautaire puisse s'approfondir et s'épanouir à travers les crises, les tensions et les « bons moments ». Si ces conditions ne sont pas là, toutes les déviations sont possibles, qui amèneront progressivement la mort de la communauté ou sa mort spirituelle, « l'esclavage » de ses membres.

Ces pages voudraient clarifier les conditions nécessaires à une vie communautaire. Elles ont été écrites non comme une thèse, ou un traité de vie communautaire, mais sous la forme de flashes. Ce sont des pistes de réflexion, que j'ai découvertes non pas dans des livres mais dans le quotidien, à travers mes erreurs, mes échecs, mes fautes même, à travers les inspirations de Dieu et celles de mes frères et sœurs, à travers des moments d'unité entre nous et aussi à travers des tensions et des souffrances. La vie communautaire est une merveilleuse aventure. Je souhaite que beaucoup puissent vivre cette aventure qui est finalement celle de la libération intérieure : la liberté d'aimer et d'être aimé.

Chapitre 1

UN CŒUR, UNE AME, UN ESPRIT

A notre époque où les villes sont dépersonnalisées et dépersonnalisantes beaucoup recherchent la communauté, surtout quand ils se sentent seuls, fatigués, faibles et tristes. Pour certains être seul est insupportable ; c'est un avant-goût de la mort. La communauté paraît alors merveilleuse comme lieu d'accueil et de partage.

Mais, sous d'autres angles, la communauté est un lieu terrible. C'est le lieu de la révélation de nos limites et de nos égoïsmes. Quand je commence à vivre tout le temps avec d'autres personnes, je découvre ma pauvreté et mes faiblesses, mes incapacités à m'entendre avec certains, mes blocages, mon affectivité ou ma sexualité perturbées, mes désirs qui semblent insatiables, mes frustrations, mes jalousies, mes haines et mes envies de détruire. Tant que j'étais seul, je pouvais croire que j'aimais tout le monde ; étant maintenant avec d'autres je réalise combien je suis incapable d'aimer, combien je refuse la vie aux autres. Et si je suis incapable d'aimer, que reste-il de bon en moi ? Il n'y a plus que ténèbres, désespoir et angoisse. L'amour est une illusion. Je suis condamné à la solitude et à la mort.

La vie communautaire est la révélation bien pénible des limites, des faiblesses et des ténèbres de mon être ; elle est la révélation souvent inattendue des monstres cachés en moi. Or cette révélation est difficile à assumer. Très vite on cherche à écarter ces monstres, ou à les recacher, à prétendre qu'ils n'existent pas ; ou on fuit la vie communautaire et la relation avec les autres ; ou encore on les accuse, eux et les monstres qui sont en eux.

Mais si on accepte que ces monstres soient là, on peut les laisser sortir et apprendre à les dompter. C'est la croissance vers la libération.

Si nous sommes accueillis avec nos limites, avec nos capacités aussi, la communauté devient peu à peu le lieu de la libération ; découvrant qu'on est accepté et aimé par les autres, on s'accepte et s'aime mieux. La communauté est alors le lieu où on peut être soi-même — sans peur ni contrainte. Ainsi la vie communautaire s'approfondit dans la confiance mutuelle entre tous les membres.

C'est alors que ce lieu terrible devient lieu de vie et de croissance. Il n'y a rien de plus beau qu'une communauté où l'on commence à s'aimer réellement et à avoir confiance les uns dans les autres. « Qu'il est bon, qu'il est doux pour des frères de vivre ensemble ; c'est comme de l'huile qui coule sur la barbe d'Aaron » (Psaume 133).

Je n'ai jamais très bien compris cette référence à la barbe d'Aaron, sans doute parce que je n'ai jamais porté de barbe. Mais si l'huile qui coule sur une barbe est une sensation aussi étonnante que la vie communautaire, cela doit être merveilleux !

***

La vie communautaire est le lieu où on découvre la blessure profonde de son être et où on apprend à l'assumer. On peut alors commencer à renaître. Oui, nous sommes nés à partir de cette blessure.

***

Le sentiment d'appartenance

Quand je vois les villages africains, je réalise qu'à travers leurs rites et leurs traditions, ils vivent profondément la vie communautaire. Chacun a le sentiment d'appartenir aux autres : celui qui est de la même ethnie ou du même village est vraiment un frère. Je me rappelle Monseigneur Agré, évêque de Man, rencontrant un douanier à l'aéroport d'Abidjan ; ils se sont embrassés comme des frères car ils étaient du même village. Ils s'appartenaient en quelque sorte l'un l'autre. Les Africains n'ont pas besoin de parler de la communauté, ils la vivent intensément.

On m'a dit que les aborigènes d'Australie n'achètent aucun bien matériel, sauf des voitures qui leur permettent d'aller visiter des frères. La seule chose importante pour eux, ce sont ces liens de fraternité qu'ils nourrissent. Il y a, paraît-il, une telle unité entre eux qu'ils savent quand l'un meurt ; ils le sentent dans leurs entrailles.

René Lenoir dans son livre *Les Exclus* [1] parle des Indiens du Canada : si on promet devant un groupe d'enfants un prix à celui qui donnera le premier la réponse à une question, ils se mettent tous ensemble à chercher puis, s'étant mis d'accord, tous d'une même voix crient la réponse. Pour eux, il serait intolérable que l'un gagne et que la majorité perde ; celui qui gagnerait se séparerait du reste de ses frères. Il aurait gagné le prix mais il aurait perdu la solidarité.

Notre civilisation occidentale est une civilisation de compétition. Dès l'école l'enfant apprend à « gagner » ; ses parents sont ravis quand il est le premier. C'est ainsi que le progrès matériel individualiste et le désir de monter en grade pour un prestige plus grand ont pris le pas sur le sens de la communion, de la compassion, de la communauté. Il s'agit maintenant de vivre plus ou moins seul dans sa petite maison, gardant jalousement ses biens et cherchant à en acquérir d'autres, avec à la porte un écriteau « chien méchant ». C'est parce que l'Occident a perdu le sens de la communauté qu'ici et là

1. Le Seuil, Paris, 1974.

de petits groupes jaillissent qui essaient de retrouver ce qui a été perdu.

Nous avons beaucoup à apprendre de l'Africain et de l'Indien. Ils nous rappellent que l'essentiel de la communauté, c'est un sentiment d'appartenance. Certes, il arrive que le sens de leur propre communauté les empêche de regarder avec amour et objectivité les autres communautés. C'est alors la guerre entre tribus. Parfois aussi la vie communautaire africaine reste basée sur la peur. Le groupe, la tribu donnent la vie et un sentiment de solidarité, ils protègent et sécurisent mais ne sont pas vraiment libérants. Si on se coupe d'eux, on est seul avec ses peurs et sa propre blessure, face aux forces adverses, aux mauvais génies et à la mort. Ces peurs se concrétisent autour des rites ou des fétiches qui ont un pouvoir de cohésion. La vraie communauté, elle, est libérante.

*
**

J'aime ce passage de l'Ecriture : Je lui dirai : « Tu es mon peuple » et lui me dira : « Mon Dieu ! ». (Osée 2, 25)

Je me rappelle toujours Jessie Jackson, un des disciples de Martin Luther King, disant à une assemblée de plusieurs milliers de noirs : « Mon peuple est humilié ». Mère Térésa dit : « Mon peuple a faim ».

Mon peuple, c'est ma communauté, la petite communauté de ceux qui vivent ensemble mais aussi la communauté plus grande qui est autour et pour laquelle on est là. Ce sont ceux qui sont inscrits dans ma chair comme je suis inscrit dans la leur. Que nous soyons loin ou proches, mon frère, ma sœur restent inscrits à l'intérieur de moi. Je les porte et ils me portent, et quand on se retrouve, on se reconnaît. Nous sommes faits les uns pour les autres, faits de la même terre, membres d'un même corps. Le terme « mon peuple » ne veut pas dire que je suis dans un état de supériorité à leur égard, que je suis leur berger et que je m'occupe d'eux. Cela veut dire qu'ils sont à moi comme je suis à eux. Nous sommes tous solidaires. Ce qui les touche me touche. Le terme « mon peuple » n'implique pas qu'il y en ait d'autres que je rejette. Non, « mon peuple » est ma communauté constituée par ceux qui me connaissent et qui me portent. Il peut et doit être un tremplin vers l'humanité tout entière. Je ne peux pas être un frère universel si je n'aime pas d'abord « mon peuple » et, à partir de lui, tous les autres peuples.

***

Plus on chemine personnellement vers l'unité intérieure, plus ce sentiment d'appartenance grandit et s'approfondit. Et pas seulement l'appartenance à une communauté mais à l'univers, à la terre, à l'air, à l'eau, à tous les vivants, à toute l'humanité. Si la communauté donne à la personne un sentiment d'appartenance, elle l'aide aussi à assumer sa solitude dans une rencontre personnelle avec Dieu. Par là encore, la communauté est ouverte à l'univers et à tous les hommes.

***

Tendre vers les buts de la communauté

Une communauté doit avoir un projet quelconque. Si des personnes décident de vivre ensemble sans spécifier leurs buts ni être claires sur le pourquoi de leur vie ensemble, il y aura très vite des conflits et tout s'écroulera. Les tensions dans la communauté viennent souvent de ce que les personnes ont des attentes très différentes et qu'elles ne les verbalisent pas. On découvre vite que ce que voulaient les unes et les autres était bien différent. J'imagine que c'est la même chose dans le mariage. Il ne s'agit pas simplement de vouloir vivre ensemble. Si on veut que cela dure, il faut savoir ce qu'on veut faire ensemble, ce qu'on veut être ensemble.

Cela implique que toute communauté doit avoir une charte ou un projet de vie qui spécifie clairement pourquoi on vit ensemble et ce qu'on attend de chacun. Cela implique aussi qu'avant de se fonder, une communauté ait un temps plus ou moins long pour préparer cette vie en commun et clarifier ses options.

Bruno Bettelheim dit dans *« Un lieu où renaître »* [2] : « Je suis convaincu que la vie communautaire ne peut fleurir que si elle existe pour un but en dehors d'elle-même. Elle n'est possible que comme conséquence d'un engagement profond vers une autre réalité au-delà de celle d'être une communauté. »

⁂

Plus une communauté est authentique et créative dans sa recherche de l'essentiel, plus ses membres appelés à se dépasser tendent à s'unir. A l'inverse, plus une communauté devient tiède par rapport à son but initial, plus l'unité entre ses membres risque de s'effriter et des tensions peuvent apparaître. Les membres ne parlent plus de comment mieux répondre à l'appel de Dieu et des pauvres mais d'eux-mêmes, de leurs problèmes, de leurs structures, de leur richesse et pauvreté, etc. Il y a un lien intime entre les deux pôles de la communauté : son but et l'unité entre ses membres.

⁂

Une communauté devient vraiment une et rayonnante quand tous ses membres ont un sentiment d'urgence. Il y a dans le monde trop de gens sans espérance, trop de cris laissés sans réponse, trop de personnes mourant dans leur solitude. C'est quand les membres d'une communauté réalisent qu'ils ne sont pas là pour eux-mêmes ni pour leur propre petite sanctification mais pour accueillir le don de Dieu et pour que Dieu vienne désaltérer les cœurs desséchés, qu'ils vivent pleinement communauté. Une communauté doit être une lumière dans un monde de ténèbres, une source dans l'Eglise et pour tous les hommes. On n'a pas le droit d'être tiède.

⁂

---

2. R. Laffont, Paris, 1975.

De « la communauté pour moi » à « moi pour la communauté »

Une communauté n'est une communauté que quand la majorité des membres est en train de faire le passage de « la communauté pour moi » à « moi pour la communauté », c'est-à-dire que le cœur de chacun est en train de s'ouvrir à chaque membre, sans exclure personne. C'est le passage de l'égoïsme à l'amour, de la mort à la résurrection : c'est la pâque, le passage du Seigneur, mais aussi le passage d'une terre d'esclavage à une terre promise, celle de la libération intérieure.

La communauté n'est pas cohabitation, cela, c'est une caserne ou un hôtel. Elle n'est pas une équipe de travail et encore moins un nid de vipères ! C'est ce lieu où chacun, ou plutôt la majorité, (il faut être réaliste !) est en train d'émerger des ténèbres de l'égocentrisme à la lumière de l'amour véritable. « N'accordez rien à l'esprit de parti, rien à la vaine gloire, mais que chacun par humilité estime les autres supérieurs à soi ; ne recherchez pas chacun vos propres intérêts, mais plutôt que chacun songe à ceux des autres. » (Philippiens 2, 3-4)

L'amour n'est ni sentimental ni une émotion transitoire. C'est une attention à l'autre qui devient peu à peu engagement, reconnaissance d'une alliance, d'une appartenance mutuelle. C'est l'écouter, se mettre à sa place, le comprendre, être concerné par lui. C'est répondre à son appel et à ses besoins les plus profonds. C'est compatir, souffrir avec lui, pleurer quand il pleure, se réjouir quand il se réjouit. Aimer c'est aussi être heureux quand il est là, triste quand il est absent ; c'est demeurer mutuellement l'un dans l'autre, prenant refuge l'un dans l'autre. « L'amour est une puissance unificatrice » dit Denys l'Aréopage.

Si l'amour est être tendu l'un vers l'autre, c'est aussi et surtout tendre tous les deux vers les mêmes réalités ; c'est espérer et vouloir les mêmes choses ; c'est communier à la même vision, au même idéal. Et par là, c'est vouloir que l'autre se réalise pleinement selon les voies de Dieu et au service des autres ; c'est vouloir qu'il soit fidèle à son appel, libre d'aimer dans toutes les dimensions de son être.

Nous avons là les deux pôles de la communauté : un sentiment d'appartenance l'un à l'autre mais aussi un désir que l'autre aille plus loin dans son don à Dieu et aux autres, qu'il soit plus lumineux, plus profondément dans la vérité et la paix. « L'amour est longanime ; l'amour est serviable ; il n'est pas envieux ; l'amour ne fanfaronne pas, ne se rengorge pas ; il ne fait rien d'inconvenant, ne cherche pas son intérêt, ne s'irrite pas, ne tient pas compte du mal ; il ne se réjouit pas de l'injustice, mais il met sa joie dans la vérité. Il excuse tout, croit tout, espère tout, supporte tout. » (1 Corinthiens 13, 4-7)

⁂

Pour qu'un cœur fasse ce passage de l'égoïsme à l'amour, de « la communauté pour moi » à « moi pour la communauté », et la communauté pour Dieu et pour ceux qui sont dans le besoin, il faut du temps et de multiples purifications, des morts constantes pour des résurrections nouvelles. Pour aimer, il faut sans cesse mourir à ses idées, ses susceptibilités, ses conforts. Le chemin de l'amour est tissé de sacrifices. Les racines de l'égoïsme sont profondes dans notre inconscient ; elles constituent souvent nos premières réactions de défense, d'agressivité, de recherche de plaisir personnel.

Aimer n'est pas seulement un acte volontaire où on prend sur soi pour contrôler et dépasser sa sensibilité, (c'est un début), mais c'est une sensibilité et un cœur purifiés qui se portent spontanément vers l'autre. Et ces purifications profondes ne se réalisent que par un don de Dieu, une grâce jaillie du plus profond de nous-mêmes, là où réside l'Esprit. « J'ôterai de votre chair le cœur de pierre et je vous donnerai un cœur de chair, et je mettrai en vous mon esprit. » (Ez. 36, 26). Jésus nous a promis de nous envoyer l'Esprit Saint, le Paraclet, pour nous communiquer cette énergie nouvelle, cette force, cette qualité du cœur qui font qu'on peut accueillir vraiment l'autre – même l'ennemi – tel qu'il est : supporter tout, croire tout, espérer tout. Apprendre à aimer demande toute une vie, car il faut que l'Esprit Saint pénètre tous les coins et recoins de notre être, toutes ces parties où il y a des peurs, des craintes, des défenses, des jalousies.

La communauté commence à se former quand chacun fait un effort pour accueillir et aimer chacun des autres tel qu'il est. « Accueillez-vous les uns les autres tout comme le Christ vous a accueillis. » (Romains 15, 7)

***

Sympathies et antipathies

Les deux grands dangers d'une communauté sont les « amis » et les « ennemis ». Très vite les gens qui se ressemblent s'assemblent ; on aime bien être à côté de quelqu'un qui nous plaît, qui a les mêmes idées que nous, les mêmes façons de concevoir la vie, le même type d'humour. On se nourrit l'un de l'autre ; on se flatte : « tu es merveilleux », « toi aussi, tu es merveilleux », « nous sommes merveilleux car nous sommes les intelligents, les malins. » Les amitiés humaines peuvent très vite tomber dans un club de médiocres où on se ferme les uns sur les autres ; on se flatte mutuellement et on se fait croire qu'on est les intelligents. L'amitié n'est plus alors un encouragement à aller plus loin, à mieux servir nos frères et sœurs, à être plus fidèles au don qui nous a été donné, plus attentifs à l'Esprit et à continuer à marcher à travers le désert vers la terre promise de la libération. Elle devient étouffante et constitue un barrage qui empêche d'aller vers d'autres, attentifs à leurs besoins. A la longue, certaines amitiés se transforment en une dépendance affective qui est une forme d'esclavage.

***

Dans une communauté il y a aussi des « antipathies ». Il y a toujours des personnes avec qui je ne m'entends pas, qui me bloquent, qui me contredisent et étouffent l'essor de ma vie et de ma liberté. Leur présence semble me menacer et provoque en moi des agressivités ou une forme de régression servile. En leur présence, je suis incapable de m'exprimer et de vivre. D'autres font naître en moi des sentiments d'envie et de jalousie ; ils sont tout ce que je voudrais être et leur présence me rappelle que je ne le suis pas. Leur rayonnement et leur intelligence me renvoient à ma propre indigence. D'autres me demandent trop. Je ne peux pas répondre à leur quête affective incessante. Je suis obligé de les repousser. Ces personnes sont mes « ennemis » ; elles me mettent en danger ; et même si je n'ose pas l'admettre, je les hais. Certes, cette haine n'est que psychologique, elle n'est pas encore morale, c'est-à-dire voulue. Mais quand même, j'aurais aimé que ces personnes n'existent pas ! Leur disparition, leur mort m'apparaîtraient comme une libération.

C'est naturel que dans une communauté il y ait ces rapprochements de sensibilités comme ces blocages entre sensibilités différentes. Ceux-ci viennent de l'immaturité de la vie active et d'une quantité d'éléments de notre petite enfance sur lesquels nous n'avons aucun contrôle. Il ne s'agit pas de les nier.

Si nous nous laissons guider par nos émotions, très vite des clans vont se constituer à l'intérieur de la communauté. Ce ne sera plus alors une communauté mais des groupes de personnes plus ou moins fermés sur eux-mêmes et bloqués par rapport aux autres. Quand on entre dans certaines communautés, on sent vite ces tensions et ces guerres souterraines. Les personnes ne se regardent pas en face. Quand elles se croisent dans les couloirs, c'est comme des bateaux dans la nuit. Une communauté n'est une communauté que quand la majorité des membres ont décidé consciemment de briser ces barrières et de sortir du cocon des « amitiés » pour tendre la main à « l'ennemi ».

Mais c'est un long chemin. Une communauté ne se fait pas en un jour. En réalité, elle n'est jamais faite ! Elle est toujours soit en progression vers un amour plus grand, soit en régression.

*
**

L'ennemi me fait peur. Je suis incapable d'écouter son cri, de répondre à ses besoins ; ses attitudes agressives et dominatrices m'étouffent. Je le fuis ou je voudrais qu'il disparaisse.

En réalité, il me fait prendre conscience d'une faiblesse, d'un manque de maturité, d'une pauvreté à l'intérieur de moi. Et c'est peut-être cela que je refuse de regarder. Les défauts que je critique chez les autres sont souvent mes propres défauts que je refuse de regarder en face. Ceux qui critiquent les autres et la communauté, et cherchent la communauté idéale, sont souvent en train de fuir leurs propres défauts et faiblesses. Ils refusent leur sentiment d'insatisfaction, leur blessure.

Le message de Jésus est clair : « Moi je vous dis : aimez vos ennemis ; faites du bien à ceux qui vous haïssent, bénissez ceux qui vous maudissent, priez pour ceux qui vous maltraitent. A qui te frappe sur une joue, présente encore l'autre... Si vous n'aimez que ceux qui vous aiment, quel gré vous en saura-t-on ? Car même les pécheurs aiment ceux qui les aiment. » (Luc 6, 27 et suivants).

Le « faux ami » est celui en qui je ne vois que des « soi-disant » qualités. Il suscite en moi une certaine vitalité, un bien-être. Il me révèle à moi-même et me stimule. C'est pour cela que je l'aime.

L'« ennemi » par contre stimule en moi des émotions que je ne désire pas regarder : agressivité, jalousie, peur, fausse dépendance, haine, tout ce monde de ténèbres qui existe en moi.

Tant que je n'accepte pas d'être un mélange de lumière et de ténèbres, de qualités et de défauts, d'amour et de haine, d'altruisme et d'égocentrisme, de maturité et d'immaturité, je continue à diviser le monde en « ennemis » (les « mauvais ») et en « amis » (les « bons ») ; je continue à dresser des barrières en moi et à l'extérieur de moi, à répandre des préjugés.

Quand j'accepte d'avoir des faiblesses et des défauts mais aussi de pouvoir progresser vers la liberté intérieure et un amour plus vrai, alors je peux accepter les défauts et faiblesses des autres ; eux aussi peuvent progresser vers la liberté de l'amour. Je peux regarder tous les hommes avec réalisme et amour. Nous sommes tous des personnes mortelles et fragiles mais nous avons une espérance, car il est possible de grandir.

***

Le pardon au cœur de la communauté

Mais est-il possible de s'accepter soi-même avec ses ténèbres, ses faiblesses, ses fautes même, ses peurs, sans la révélation que Dieu nous aime ? Quand on découvre que le Père a envoyé son fils unique et bien-aimé non pour nous juger ni nous condamner mais pour nous guérir, nous sauver et nous guider sur les chemins de l'amour ; quand on découvre qu'il est venu pour nous pardonner parce qu'il nous aime dans les profondeurs de notre être, alors on peut s'accepter soi-même. Il y a une espérance. Nous ne sommes pas enfermés pour toujours dans une prison d'égoïsmes et de ténèbres. Il est possible d'aimer. Ainsi il devient possible d'accepter les autres et de pardonner.

***

Tant que je ne vois en l'autre que des qualités qui reflètent les miennes, il n'y a pas de croissance possible ; la relation reste statique et cassera tôt ou tard. Une relation entre personnes n'est authentique et stable que quand elle est fondée sur l'acceptation des faiblesses, le pardon et l'espérance d'une croissance.

Si le sommet de la vie communautaire est dans la célébration, son cœur est le pardon.

***

La communauté est le lieu du pardon. Malgré toute la confiance qu'on peut avoir les uns dans les autres, il y a toujours des paroles qui blessent, des attitudes où l'on se met en avant, des situations où les susceptibilités se heurtent. C'est pour cela que vivre ensemble implique une certaine croix, un effort constant et une acceptation qui est un pardon mutuel de chaque jour. Saint Paul dit : « Vous donc, les élus de Dieu, ses saints et ses biens-aimés, revêtez des sentiments de tendre compassion, de bienveillance, d'humilité, de douceur, de patience ; supportez-vous les uns les autres et pardonnez-vous mutuellement, si l'un a contre l'autre quelque sujet de plainte ; le Seigneur vous a pardonné, faites de même à votre tour. Et puis, par dessus tout, la charité, en laquelle se noue la perfection. Avec cela, que la paix du Christ règne dans vos cœurs : tel est bien le terme de l'appel qui vous a rassemblés en un même corps. Enfin, vivez dans l'action de grâces ! » (Colossiens 3, 12)

⁂

Trop de personnes viennent en communauté pour trouver quelque chose, appartenir à un groupe dynamique, avoir un style de vie proche d'un idéal.

Si on entre dans une communauté sans savoir qu'on y entre pour découvrir le mystère du pardon, on sera vite déçu.

⁂

Sois patient

Nous ne sommes pas maîtres de nos sensibilités, de nos attractions et de nos répulsions qui viennent de ces profondeurs de notre être dont nous avons plus ou moins le contrôle. Tout ce que nous pouvons faire, c'est nous efforcer de ne pas suivre ces penchants qui constituent des barrières à l'intérieur de la communauté. Il nous faut espérer que l'Esprit Saint vienne pardonner, purifier et tailler les branches un peu tordues de notre être. Notre sensibilité a été constituée par mille peurs et égoïsmes depuis notre petite enfance ; comme elle est constituée par les gestes d'amour et le don de Dieu.

Elle est un mélange de ténèbres et de lumière. Et ce n'est pas en un jour que cette sensibilité sera rectifiée. Cela demandera mille purifications et pardons, des efforts quotidiens, et surtout un don de l'Esprit Saint nous renouvelant de l'intérieur.

⁂

Transformer peu à peu notre sensibilité, pour pouvoir commencer à aimer réellement l'ennemi, est un travail de longue haleine. Il nous faut être patients avec nos sensibilités et nos peurs, miséricordieux envers nous-mêmes. Pour faire ce passage vers l'acceptation et l'amour de l'autre, de tous les autres, il faut commencer tout simplement par reconnaître nos blocages, nos jalousies, notre façon de nous comparer, nos préjugés et nos haines plus ou moins conscients, reconnaître que nous sommes de pauvres types, que nous sommes ce que nous sommes. Et demander pardon à notre Père. Et puis il est bon d'en parler à un prêtre ou à un homme de Dieu qui pourra peut-être nous faire comprendre ce qui est en train de se passer, nous confirmer dans nos efforts de rectitude et nous aider à découvrir le pardon de Dieu.

Une fois que nous avons reconnu que la branche est tordue, que nous avons ces blocages d'antipathie, il s'agit de faire porter nos efforts sur la langue, en évitant de laisser libre cours à cette langue qui sème vite la zizanie, qui aime faire connaître les fautes et les erreurs des autres et se réjouit quand elle peut trouver qu'ils ont tort. La langue est un des organes les plus petits, mais elle peut semer la mort. Pour cacher nos propres défauts, on grossit si vite les défauts des autres ! « Ils » ont tort. Quand on a accepté ses propres défauts, c'est plus facile d'accepter ceux des autres.

⁂

En même temps, il faut essayer loyalement de voir les qualités de l'« ennemi ». Il doit bien en avoir quand même quelques-unes ! Mais parce que j'ai peur de lui, il a peut-être peur de moi. Si j'ai des blocages, lui aussi doit en avoir. Il est difficile à deux personnes qui ont peur l'une de l'autre de découvrir leurs qualités mutuelles. Il faut un médiateur, un réconciliateur, un artisan de paix, une personne en qui j'ai confiance et qui, je le sais, s'entende avec l'ennemi. Si j'avoue à cette tierce personne mes difficultés, elle pourra peut-être m'aider à découvrir les qualités de « l'ennemi » ou du moins à comprendre mes attitudes et mes blocages. Et puis ayant vu ses qualités, je pourrai un jour utiliser ma langue pour dire du bien de lui. C'est un long cheminement qui aboutira, à un moment, au geste final, celui ou je demanderai à l'ancien ennemi un conseil ou un service. Le fait qu'on vous demande de l'aide ou un service quelconque touche beaucoup plus que le fait de vouloir vous rendre service ou vous faire du bien.

Et durant tout ce temps, l'Esprit Saint peut nous aider à prier pour « l'ennemi », pour que lui aussi grandisse comme Dieu le veut, afin qu'un jour le geste de réconciliation puisse se réaliser.

L'Esprit Saint viendra un jour me libérer de ce blocage d'antipathie ou peut-être me laissera-t-il cheminer avec cette écharde dans ma chair qui m'humilie et m'oblige à faire chaque jour de nouveaux efforts. Il ne s'agit pas de s'inquiéter de ses mauvais sentiments et encore moins de se sentir coupables. Il s'agit de demander pardon à Dieu comme des petits enfants et de continuer à marcher. Si le chemin est long, il ne faut pas se décourager. Un des rôles de la vie communautaire est justement de nous aider à continuer la route dans l'espérance, à nous accepter tels que nous sommes et à accepter les autres tels qu'ils sont.

La patience, comme le pardon, est au cœur de la vie communautaire : patience envers nous-même et les lois de notre propre croissance, et patience envers les autres. L'espérance communautaire est fondée sur l'acceptation et l'amour de la réalité de notre être et de celle des autres, et sur la patience et la confiance nécessaires à la croissance.

*
**

La confiance mutuelle

Au cœur de la communauté il y a cette confiance mutuelle les uns dans les autres, née du pardon quotidien et de l'acceptation de nos faiblesses et pauvretés. Mais cette confiance ne naît pas en un jour. C'est pour cela qu'il faut du temps pour former une vrai communauté. Quand quelqu'un entre dans une communauté, il joue toujours un certain personnage parce qu'il veut être conforme à ce que les autres attendent de lui. Peu à peu il découvre que les autres l'aiment tel qu'il est et ont confiance en lui. Mais la confiance est une chose qui doit être éprouvée et toujours grandir.

Les jeunes mariés s'aiment peut-être beaucoup, mais cet amour a parfois un élément superficiel et excitant lié à la découverte qu'on vient d'en faire. L'amour est sans doute plus profond entre de vieux époux qui ont vécu des épreuves ensemble et savent que l'autre sera fidèle jusqu'à la mort. Ils savent que rien ne peut briser leur union.

C'est la même chose dans nos communautés : c'est souvent après des souffrances, des difficultés très grandes, des tensions qui ont mis à l'épreuve la fidélité que la confiance grandit. Une communauté où il y a une vraie confiance mutuelle est une communauté inébranlable.

⁂

La communauté n'est donc pas simplement un groupe de gens qui vivent ensemble et s'aiment ; c'est un courant de vie, un cœur, une âme, un esprit. Ce sont des personnes qui s'aiment beaucoup les unes les autres et qui sont toutes tendues vers la même espérance. C'est cette atmosphère particulière de joie et d'accueil qui caractérise la vraie communauté. « Aussi je vous en conjure par tout ce qu'il peut y avoir d'appel pressant dans le Christ, de persuasion dans l'Amour, de communion dans l'Esprit, de tendresse compatissante, mettez le comble à ma joie par l'accord de vos sentiments : ayez le même amour, une seule âme, un seul sentiment » (Philippiens 2, 1-2). « La multitude des croyants n'avait qu'un cœur et qu'une âme. Nul ne disait sien ce qui lui appartenait, mais entre eux tout était en commun » (Actes 4, 32).

Cette atmosphère de joie vient du fait que chacun se sent libre d'être lui-même dans ce qu'il a de plus profond. Il n'a pas besoin de jouer un personnage, de prétendre être mieux que les autres, d'essayer de faire des prouesses, pour être aimé. Il a découvert qu'il est aimé pour lui-même et non pour ses capacités intellectuelles ou manuelles.

Quand quelqu'un commence à enlever les barrières et les peurs qui l'empêchent d'être lui-même, il se simplifie. La simplicité, c'est précisément d'être soi-même en sachant que les autres nous aiment tels que nous sommes. C'est se savoir accepté avec ses qualités, ses défauts, dans sa personne profonde.

***

Je découvre de plus en plus que la grande difficulté pour beaucoup d'entre nous qui vivons en communauté est le manque de confiance en nous-mêmes. Nous avons l'impression que nous ne sommes pas aimables au fond de notre être, et que si les autres nous voyaient tels que nous sommes, ils nous rejetteraient. On a peur de tout ce qui en nous est ténébreux, de nos difficultés sur le plan de la vie affective ou de la sexualité. On a peur de ne pas pouvoir aimer vraiment. On passe si vite de l'exaltation à la dépression, mais ni l'une ni l'autre ne sont l'expression de ce que nous sommes vraiment. Comment être convaincus que nous sommes aimés dans notre pauvreté et nos faiblesses et que nous sommes capables nous aussi d'aimer ?

C'est là le secret de la croissance en communauté. Ne vient-il pas d'un don de Dieu qui passe peut-être à travers d'autres ? Quand peu à peu on découvre que Dieu et les autres ont confiance en nous, il est plus facile d'avoir confiance en soi, et notre confiance dans les autres peut grandir.

***

Vivre en communauté, c'est découvrir et aimer le secret de sa personne dans ce qu'elle a d'unique. C'est ainsi qu'on devient libre. On ne vit plus alors selon les désirs des autres ou selon un personnage, mais à partir de l'appel profond de sa personne, et on devient libre de découvrir la personne profonde de l'autre.

*
**

Le droit d'être soi-même

J'ai toujours voulu écrire un livre qui s'appellerait : « Le droit d'être moche ». Il serait peut-être plus juste de dire : « Le droit d'être soi-même ». Une des grandes difficultés de la vie communautaire est qu'on oblige parfois les gens à être autres qu'ils ne sont ; on plaque sur eux un idéal auquel ils doivent se conformer. S'ils n'arrivent pas à s'identifier à l'image qu'on se fait d'eux, ils craignent de n'être pas aimés ou du moins de décevoir. S'ils y arrivent, ils croient être parfaits. Or, dans une communauté, il ne s'agit pas d'avoir des gens parfaits. Une communauté est faite de personnes liées les unes aux autres, chacune faite de ce mélange de bien et de mal, de ténèbres et de lumière, d'amour et de haine. Et la communauté n'est que la terre où chacun peut croître sans peur vers la libération des formes d'amour qui sont cachées en lui. Mais il ne peut y avoir de croissance que si on reconnaît qu'il y a possibilité de progrès et donc qu'il y a encore plein de choses à l'intérieur de nous à purifier, des ténèbres à transformer en lumière, de peurs à transformer en confiance.

Souvent dans la vie communautaire on attend trop des personnes, et on les empêche de se reconnaître et de s'accepter telles qu'elles sont. Très vite on les juge ou on les classe dans des catégories. Elles sont alors obligées de se cacher derrière un certain masque. Mais elles ont le droit d'être moches, et d'avoir plein de ténèbres à l'intérieur d'elles, de coins encore endurcis dans leur cœur où se cache la jalousie et même la haine ! Ces jalousies, ces insécurités sont naturelles ; ce ne sont pas des « maladies honteuses ». Elles appartiennent à notre nature blessée. C'est notre réalité. Il faut apprendre à les accepter, à vivre avec elles sans drame, et peu à peu, se sachant pardonné, à marcher vers la libération.

Je vois dans des communautés certaines personnes vivre une sorte de culpabilité inconsciente ; elles ont l'impression qu'elles ne sont pas ce qu'elles devraient être. Elles ont besoin d'être confirmées et encouragées à la confiance. Il leur faut sentir qu'elles peuvent partager même leur faiblesse sans être rejetées.

⁂

Il y a en chacun de nous une partie qui est déjà lumineuse, convertie. Et puis il y a cette partie qui est encore ténèbres. Une communauté n'est pas faite seulement de convertis. Elle est faite de tous ces éléments qui en nous ont besoin d'être transformés, purifiés, taillés. Elle est faite aussi de « non-convertis ».

⁂

Il y a des gens en communauté, psychologiquement très blessés, qui portent en eux de vrais blocages et des névroses profondes. Terriblement meurtris durant leur enfance, ils ont dû construire, à cause de leur vulnérabilité, des barrières énormes.

Il ne s'agit pas toujours de les envoyer chez un psychiatre, ni de leur faire faire des psychothérapies. Beaucoup de personnes sont appelées à vivre toute leur vie avec ces blocages et ces barrières. Elles aussi sont des enfants de Dieu et Dieu peut agir par elles, avec elles et leurs névroses, pour le bien de la communauté. Elles aussi ont à exercer leur don. Ne psychiatrisons pas trop les choses et à travers le pardon de chaque jour, aidons-nous les uns les autres à accepter ces névroses et ces barrières.

C'est la meilleure façon d'ailleurs de les faire fondre !

⁂

Appelés ensemble tels que nous sommes

Dans les communautés chrétiennes, Dieu semble se plaire à appeler dans la même communauté des personnes humainement très différentes, venant de cultures, de classes ou de pays très différents. Les plus belles communautés viennent justement de cette grande diversité de personnes et de tempéraments. Cela oblige chacun à dépasser ses sympathies et antipathies pour aimer l'autre avec ses différences.

Ces personnes n'auraient jamais choisi de vivre avec les autres. Humainement cela paraît un défi impossible, mais c'est parce que précisément c'est impossible qu'elles ont la certitude intérieure que c'est Dieu qui les a choisies pour vivre dans cette communauté. Et alors l'impossible devient possible. Elles ne s'appuient plus sur leurs propres capacités humaines ou sur leurs sympathies, mais sur leur Père qui les appelées à vivre ensemble. Il leur donnera peu à peu ce cœur nouveau et cet esprit nouveau pour qu'elles deviennent toutes témoins de l'amour. En effet, plus c'est humainement impossible, plus c'est là un signe que leur amour vient de Dieu et que Jésus est vivant : « Tous reconnaîtront que vous êtes mes disciples à l'amour que vous aurez les uns pour les autres » (Jean 13, 35).

Jésus a choisi pour vivre avec lui, dans la première communauté des apôtres, des hommes profondément différents : Pierre, Mathieu (le publicain), Simon (le zélote), Judas... Ils n'auraient jamais marché ensemble si le Maître ne les avait pas appelés.

⁂

Il ne faut pas chercher la communauté idéale. Il s'agit d'aimer ceux que Dieu a mis à nos côtés aujourd'hui. Ils sont signes de la présence de Dieu pour nous. Nous aurions peut-être voulu des personnes différentes, plus gaies et plus intelligentes. Mais ce sont eux que Dieu nous a donnés, qu'il a choisis pour nous. C'est avec eux que nous devons créer l'unité et vivre l'alliance.

⁂

Je suis de plus en plus frappé par les gens insatisfaits en communauté. Quand ils sont dans de petites communautés, ils en voudraient de plus grandes où on est mieux soutenu, où il y a davantage d'activités communautaires, où l'on célèbre des liturgies plus belles et mieux préparées. Et quand ils sont dans de grandes communautés, ils rêvent de ces petites communautés idéales. Ceux qui ont beaucoup à faire rêvent d'avoir de longs moments de prière ; ceux qui ont beaucoup de temps à eux semblent s'ennuyer et cherchent éperdument une activité quelconque qui donne un sens à leur vie. Est-ce qu'on ne rêve pas tous de cette communauté idéale, parfaite, où l'on serait pleinement en paix, parfaitement en harmonie, ayant trouvé cet équilibre entre l'extériorité et l'intériorité, où tout serait dans la joie ?

Il est difficile de faire comprendre aux gens que l'idéal n'existe pas, que l'équilibre personnel et cette harmonie rêvée ne viennent qu'après des années et des années de luttes et de souffrances et que même là, ils ne viennent que comme des touches de grâce et de paix. Si on cherche toujours son équilibre, je dirais même si on cherche trop sa propre paix, on n'y arrivera jamais car la paix est un fruit de l'amour et donc du service des autres. A beaucoup de communautaires qui cherchent cet idéal inaccessible, je voudrais dire : « Ne cherche plus la paix, mais là où tu es, donne-toi ; arrête de te regarder mais regarde tes frères et sœurs qui sont dans le besoin. Sois proche de ceux que Dieu t'a donnés aujourd'hui. Demande-toi plutôt comment aujourd'hui tu peux aimer davantage tes sœurs et tes frères. Alors tu trouveras la paix : tu trouveras le repos et ce fameux équilibre que tu cherches entre l'intériorité et l'extériorité, entre la prière et l'activité, entre le temps pour toi et le temps pour les autres. Tout se résoudra dans l'amour. Il ne faut plus perdre de temps à courir après la communauté parfaite. Vis pleinement dans ta communauté aujourd'hui. Arrête de voir les défauts qu'elle a (et heureusement qu'elle en a) ; regarde plutôt tes propres défauts et sache que tu es pardonné, que tu peux à ton tour pardonner aux autres et entrer aujourd'hui dans cette conversion de l'amour ».

⁂

Il est quelquefois plus facile d'entendre les cris des pauvres qui sont loin, que d'entendre ceux des frères et sœurs dans la communauté. Il n'y a rien de très glorieux à répondre au cri de celui qui est à côté de moi jour après jour, et qui m'agace.

⁂

Peut-être ne peut-on répondre aux cris des autres que quand on a reconnu et assumé le cri de sa propre blessure.

⁂

Partage ta faiblesse

L'autre jour, Colleen, qui vit en communauté depuis plus de 25 ans, me disait : « J'ai toujours voulu être transparente dans la vie communautaire. Je voulais surtout éviter d'être un obstacle à l'amour de Dieu pour les autres. Maintenant je commence à découvrir autre chose : je suis un obstacle et je le serai toujours. Mais la vie communautaire n'est-elle pas de reconnaître que je suis un obstacle, de partager cela avec mes frères et sœurs et d'en demander pardon ? »

Il n'y a pas de communauté idéale. La communauté est faite de gens avec leurs richesses, mais aussi avec leurs faiblesses et leur pauvreté, qui s'acceptent mutuellement et se pardonnent. Plus que la perfection et le dévouement, l'humilité et la confiance sont le fondement de la vie communautaire.

⁂

Accepter nos faiblesses et celles des autres est tout le contraire de la mièvrerie. Ce n'est pas une acceptation fataliste, sans espérance. C'est essentiellement un souci de vérité pour ne pas être dans l'illusion et pouvoir croître à partir de ce qu'on est et non de ce qu'on voudrait être, ou de ce que d'autres voudraient qu'on soit. Ce n'est que quand on est conscient de ce qu'on est et de ce que sont les autres, avec nos richesses et nos faiblesses, de l'appel de Dieu et de la vie qu'il nous donne, que nous pouvons construire quelque chose ensemble. La puissance de la vie doit jaillir de la réalité de ce que nous sommes.

⁂

Plus une communauté s'approfondit, plus ses membres deviennent fragiles et sensibles. Quelquefois on pourrait croire le contraire : parce que les membres ont une telle confiance les uns dans les autres, ils deviendraient de plus en plus forts. C'est vrai mais cela n'écarte pas cette fragilité et cette sensibilité qui sont à la racine d'une grâce nouvelle et qui font qu'on devient en quelque sorte dépendant les uns des autres. Aimer c'est devenir faible et vulnérable ; c'est lever les barrières, et briser ses carapaces par rapport aux autres ; c'est laisser les autres entrer en soi, et se faire délicat pour entrer en eux. Le ciment de l'unité, c'est l'interdépendance.

L'autre jour, Didier expliquait cela à sa manière, lors d'une rencontre communautaire : « Une communauté, ça se bâtit comme une maison, avec des pierres de toutes sortes. Mais ce qui tient les pierres ensemble, c'est le ciment. Et le ciment, lui, est fait de sable et de chaux, qui sont des matériaux si fragiles ! Un coup de vent et ils s'envolent, deviennent poussière. De même, dans la communauté, ce qui nous unit, notre ciment, est fait de ce qui en nous est le plus fragile et le plus pauvre ».

⁂

La communauté est faite de délicatesse entre personnes dans le quotidien. Elle est faite de petits gestes, de services et de sacrifices qui sont des signes constants de « je t'aime » et « je suis heureux d'être avec toi ». C'est laisser l'autre passer devant, ne pas essayer dans une discussion de prouver que l'on a raison ; c'est prendre sur soi les petits fardeaux pour en décharger le voisin.

*
**

Si vivre en communauté consiste à renverser les barrières protégeant notre vulnérabilité pour reconnaître et accueillir nos faiblesses afin de mieux grandir, il est normal que des membres séparés de leur communauté se sentent terriblement vulnérables. Les personnes qui vivent tout le temps dans les luttes de la société sont obligées de créer autour d'elles des carapaces pour cacher leur vulnérabilité.

Il est parfois arrivé que des personnes qui avaient longtemps séjourné à l'Arche, rentrent dans leur famille, découvrent en elles quantité d'éléments d'agressivité qu'elles ont beaucoup de mal à supporter. Elles croyaient qu'ils n'existaient plus. Elles commencent alors à douter de leur appel et de leur vraie personne profonde. Ces agressivités sont normales. Ces personnes avaient supprimé certaines barrières mais on ne peut pas vivre vulnérable avec des personnes qui ne respectent pas cette vulnérabilité.

*
**

La communauté est un corps vivant

Saint Paul parle de l'Eglise, la communauté des fidèles, comme d'un corps : le corps mystique. Toute communauté est un corps et nous appartenons tous les uns aux autres. Ce sentiment d'appartenance vient non de la chair et du sang, mais d'un appel de Dieu : nous sommes appelés chacun personnellement à vivre ensemble, à faire partie de la même communauté, du même corps. Cet appel est le fondement de notre décision de nous engager les uns avec les autres et pour les autres, devenant responsables les uns des autres. « De même qu'en un seul corps nous avons plusieurs membres et que ces membres n'ont pas tous les mêmes fonctions, ainsi à plusieurs nous sommes un seul corps en Christ, étant tous et chacun membres les uns des autres. » (Romains 12, 4 ; 5)

Et dans ce corps, chacun a un rôle à jouer : « le pied a besoin de la main », dit Saint Paul ; l'ouïe et l'œil complètent l'odorat... « Et les membres du corps qui semblent être les plus faibles sont nécessaires. Dieu a disposé le corps de manière à donner davantage d'honneur à ce qui en manque pour qu'il n'y ait point de division dans le corps mais que tous les membres aient un égal souci les uns des autres. Un membre souffre-t-il ? Tous les membres souffrent avec lui. Un membre est-il glorifié ? Tous les membres se réjouissent avec lui. » (I Corinthiens 12, 22 ; 26)

Et dans ce corps, chacun a un don différent à exercer « selon la grâce qui nous a été donnée : est-ce la prophétie ? Qu'on l'exerce en proportion de notre foi. Est-ce le service ? Qu'on serve. Quelqu'un a-t-il le don d'enseignement ? Qu'il enseigne ; celui de l'exhortation ? qu'il exhorte ; que celui qui donne le fasse avec générosité ; celui qui préside avec zèle ; celui qui exerce la miséricorde avec joie ». (Romains 12, 6-8)

Ce corps qu'est la communauté doit agir et rayonner pour l'œuvre de l'amour, l'œuvre du Père, il doit être à la fois un corps qui prie et un corps de miséricorde pour guérir et donner la vie à ceux qui sont dans la détresse, sans espérance.

***

Exercer son don

Utiliser son don, c'est construire la communauté. Ne pas être fidèle à son don, c'est nuire à toute la communauté et à chacun de ses membres. Il est donc important que chaque membre connaisse son don, l'exerce et se sente responsable de sa croissance ; qu'il soit reconnu dans son don par les autres et qu'il leur rende compte de l'utilisation qu'il en fait. Les autres ont besoin de ce don, ils ont donc le droit de savoir comment il est exercé et ils doivent encourager son possesseur à le faire grandir et à y être fidèle. Chacun suivant son don trouve sa place dans la communauté. Il devient non seulement utile mais unique et nécessaire aux autres. De cette façon-là seulement les rivalités et les jalousies s'évanouissent.

⁂

Elizabeth O'Connor, dans son livre *Eigt Day of Creation* [3], donne des exemples frappants de cette doctrine de Saint Paul. Elle raconte l'histoire d'une vieille dame qui était entrée dans sa communauté. Un groupe de personnes essayait avec elle de discerner quel était son don. Elle croyait n'en avoir aucun. Les uns et les autres insistaient pour la réconforter : « Ta présence est ton don ». Mais elle n'était pas satisfaite. Quelques mois plus tard, elle a découvert son don : c'était de porter nominalement devant Dieu dans une prière d'intercession chaque membre de la communauté. Quand elle fit part de cette découverte aux autres, elle trouva sa place vitale dans la communauté. Les autres savaient qu'en quelque sorte ils avaient besoin d'elle et de sa prière pour mieux exercer leurs propres dons.

En lisant ce livre, j'ai réalisé combien peu, à l'Arche, nous partageons sur nos dons pour nous entraider à construire la communauté, combien peu nous avons conscience de vraiment dépendre les uns des autres et combien peu nous nous encourageons à être fidèles à nos dons.

⁂

La jalousie est un des fléaux qui détruisent la communauté. Elle provient de ce qu'on ignore son propre don ou qu'on n'y croit pas assez. Si on était assez convaincu de son propre don, on ne jalouserait pas celui des autres, qui apparaît toujours plus beau.

⁂

Trop de communautés forment (déforment ?) leurs membres pour qu'ils se ressemblent tous, comme si c'était une qualité, basée sur l'abnégation. Elles sont alors fondées sur la

---

3. Word Books Editor, Waco, Texas.

loi, le règlement. Il faut au contraire que chacun grandisse dans l'exercice de son don pour construire la communauté, la rendre plus belle et rayonnante, davantage signe du Royaume.

Et il ne faut pas regarder uniquement le don plus extérieur, le talent. Il y a des dons cachés, latents, beaucoup plus profonds, liés aux dons de l'Esprit Saint et à l'amour qui sont appelés à fleurir.

*
**

Certaines personnes ont des talents exceptionnels : elles sont écrivains, artistes, administrateurs compétents. Ces talents peuvent devenir des dons. Mais parfois la personnalité de la personne est tellement impliquée dans son activité que des mauvais plis sont pris et que ces talents sont exercés plus ou moins pour sa gloire ou dans un désir de se prouver ou de dominer. Dans ce cas-là, mieux vaut que la personne n'exerce pas ses talents en communauté. Elle aurait trop de mal à les exercer vraiment pour le bien des autres. Il faut qu'elle découvre un don plus profond. D'autres par contre sont suffisamment souples et ouvertes, ou leur personnalité est moins formée ou figée. Elles peuvent utiliser leur compétence comme un don au service de la communauté.

*
**

« Tout le problème, dans une communauté chrétienne, c'est que chacun devienne un anneau indispensable de la même chaîne : c'est seulement lorsque tous les anneaux tiennent, jusqu'au plus petit, qu'une chaîne ne peut être brisée. Une communauté qui tolère des membres inutiles prépare de ce fait sa ruine. C'est pourquoi elle sera avisée d'assigner à chacun une tâche spéciale, afin qu'aux heures de doute, personne ne puisse se sentir inutile. Toute communauté chrétienne doit savoir que ce ne sont pas seulement les membres faibles qui ont besoin des forts, mais que même les forts ne sauraient vivre sans les faibles. L'élimination des faibles signifie la mort de la communauté. »[4]

***

Le don est ce qu'on apporte à la communauté pour l'édifier, la construire. Si on n'y est pas fidèle, il y aura un manque dans la construction.

***

Saint Paul insiste sur la place des dons charismatiques dans cette édification. Mais il y en a bien d'autres liés plus directement à une qualité de l'amour. Bonhoeffer dans son livre intitulé *Vivre ensemble*[5] parle de différents ministères nécessaires à la communauté : celui de tenir sa langue, celui de l'humilité et de la douceur, celui de savoir se taire quand on vous critique, celui de l'écoute, celui d'être toujours prêt à rendre service dans les petites choses de la vie, celui de porter et supporter les frères, celui de pardonner, celui de proclamer la parole, de dire la vérité et finalement le ministère de l'autorité.

***

Le don n'est pas nécessairement lié à une fonction. Il peut être la qualité d'amour animant une fonction ; comme il peut être une qualité d'amour manifestée dans la communauté hors de toute fonction. Il y a ceux qui ont le don de sentir immédiatement et même de vivre la souffrance d'un autre, c'est le don de compassion ; d'autres ont le don de sentir quand quelque chose va mal et ils peuvent mettre rapidement le doigt sur la cause, ils ont le don de discernement ; d'autres ont le don de la lumière, ils voient clair dans ce qui touche les options fondamentales de la communauté ; d'autres ont le don

---

4. Dietrich Bonhoeffer, *De la Vie Communautaire,* p. 95. Foi Vivante, n° 83.
5. *Ibid.* p. 91.

d'animer et de créer une atmosphère propice à la joie, à la détente et à la croissance profonde de chacun ; d'autres ont le don de discerner le bien des personnes et de les soutenir ; d'autres ont le don de l'accueil. Chacun a son don et doit pouvoir l'exercer pour le bien et la croissance de tous.

Mais il y a aussi au cœur du cœur de la personne son union profonde et secrète avec son Dieu, son Epoux, qui correspond à son nom secret et éternel. Nous sommes certes faits pour être nourriture les uns pour les autres (et chacun est une forme différente de nourriture) mais nous sommes surtout faits pour vivre cette relation unique avec notre Père en son fils Jésus. Le don est comme le rayonnement sur la communauté de cette union secrète ; il en découle et la prolonge.

*
**

La communauté est le lieu où chaque personne se sent libre d'être elle-même et de s'exprimer, de dire en toute confiance ce qu'elle vit et pense. Certes toutes les communautés n'arrivent pas parfaitement à ce point mais il faut qu'elles y tendent. Tant que certains ont peur de s'exprimer, peur d'être jugés ou considérés comme « idiots », peur d'être rejetés, c'est signe qu'il y a des progrès à faire. Au cœur de la communauté il doit y avoir une écoute pleine de respect et de tendresse qui appelle ce qu'il y a dc plus beau, de plus vrai dans l'autre.

S'exprimer n'est pas simplement dire ce qui va mal, ses frustrations, ses colères – parfois c'est bon de les dire – mais c'est dire ses motivations profondes et ce qu'on vit. C'est souvent une façon d'exercer son don pour nourrir les autres et les aider à grandir.

*
**

Le secret de la personne

La communauté est le lieu de la croissance vers la libération intérieure de chaque personne, du développement de sa conscience personnelle, de son union à Dieu, de sa conscience d'amour et de sa capacité de don et de gratuité. Elle ne peut jamais prendre le primat sur les personnes. Au contraire, la beauté et l'unité d'une communauté viennent du rayonnement de chaque conscience personnelle lumineuse, vraie, aimante et librement unie aux autres.

Certaines communautés (qui ne sont pas vraiment des communautés mais plutôt des regroupements ou des sectes) tendent à supprimer la conscience personnelle pour qu'il y ait une soi-disant unité plus grande. Elles tendent à empêcher les gens de penser, d'avoir une conscience personnelle ; elles tendent à supprimer le secret et l'intimité de la personne comme si tout ce qui s'apparente à la liberté personnelle allait à l'encontre de la conscience d'unité du groupe et constituait une trahison. Tout le monde doit penser la même chose ; on manipule alors les intelligences ; c'est un lavage de cerveau. Les personnes deviennent des automates. Cette unité se fonde sur la peur : peur d'être soi-même ou de se trouver seul si on se sépare des autres, peur de l'autorité tyrannique, peur de forces occultes et des représailles (si jamais on se sépare du groupe). La séduction des sociétés secrètes et de certaines sectes est très grande ; pour des gens qui manquent de confiance en eux-mêmes et qui ont de faibles personnalités, il est parfois plus sécurisant d'être totalement liés aux autres, de ne penser que ce qu'ils pensent, d'obéir sans réfléchir et d'être manipulés. Le sentiment de solidarité en est d'autant plus grand. La personne profonde démissionne face à la puissance du groupe dont il devient quasiment impossible de sortir. Il y a comme un chantage latent ; on compromet les gens de telle façon qu'ils ne peuvent plus partir.

Dans une vraie communauté, chaque personne doit pouvoir préserver le secret profond de son être qu'elle ne doit pas nécessairement livrer aux autres ni même partager. Il y a certains dons de Dieu, certaines souffrances, certaines sources d'inspiration qui ne doivent pas être livrés à toute la communauté. Et chacun doit pouvoir s'approfondir dans sa conscience personnelle. C'est précisément là la faiblesse et la force de la communauté : faiblesse car il y a un inconnu, l'inconnu de la conscience personnelle de chacun qui, de par sa liberté, peut s'approfondir dans la gratuité et le don et par là construire la communauté ; ou au contraire, être infidèle à l'amour, devenir plus égoïste, démissionner et nuire ainsi à la communauté ; faiblesse aussi car s'il y a primat total de la personne et de son union à Dieu et à la vérité, celle-ci peut, par un nouvel appel de Dieu, trouver une autre place dans la communauté, ne plus assumer la fonction que la communauté pouvait trouver la plus utile, ou même la quitter physiquement. Les voies de Dieu sur une personne ne sont pas toujours les voies des hommes et des responsables. Mais cette primauté de la personne est également une force car il n'y a rien de plus fort qu'un cœur qui aime et qui se donne gratuitement à Dieu et aux autres. L'amour est plus fort que la peur.

***

Par trois fois dans son dernier discours aux apôtres, Jésus prie pour qu'ils soient un comme lui et le Père sont Un, « qu'ils soient consumés dans l'unité ». Ces paroles sont parfois appliquées à l'unité entre chrétiens de différentes églises, mais elles s'appliquent d'abord et avant tout à l'unité à l'intérieur des communautés. C'est vers cette unité-là que doivent tendre les communautés : « un même cœur, une même âme, un même esprit ».

Il me semble qu'il y a un don spécial qu'il faut demander à l'Esprit Saint, le don de l'unité dans toute sa profondeur et toutes ses implications. Et c'est vraiment un don de Dieu auquel on a le droit et le devoir d'aspirer.

Et ce don de la communauté, ce don de l'unité, vient de ce que chaque membre est pleinement lui-même, vit totalement l'amour et exerce son don unique et différent de celui des autres. La communauté est alors une, car pleinement sous l'action de l'Esprit.

La prière de Jésus est étonnante. Sa vision va bien plus loin que les hommes ne peuvent imaginer ou souhaiter. L'unité du Père et du Fils est totale, substantielle. Chaque communauté doit tendre vers cette unité mais elle ne peut se réaliser que dans l'ordre mystique, par et dans l'Esprit Saint. Quand on est sur la terre, tout ce qu'on peut faire, c'est de marcher humblement vers elle.

*
**

Quand deux ou trois se réunissent en son nom, Jésus est présent. La communauté est signe de cette présence, elle est signe d'Eglise. Beaucoup de ceux qui croient en Jésus vivent plus ou moins dans la détresse : la femme battue par son mari, le malade dans l'hôpital psychiatrique, la personne qui vit seule, trop fragile pour vivre avec d'autres. Toutes ces personnes peuvent mettre leur espérance en Jésus. Leurs souffrances sont en quelque sorte signe de sa croix, signe d'une Eglise souffrante. Mais la communauté priante et aimante est signe de la résurrection.

*
**

Tant qu'il y aura des peurs et des préjugés dans les cœurs des hommes, il y aura des guerres et des inégalités criantes. Pour résoudre les grands problèmes politiques il faut d'abord changer les cœurs. La communauté est le lieu de vie qui permet aux hommes d'être des personnes, de guérir et grandir dans leur affectivité profonde, marchant vers l'unité et la libération intérieure. Les peurs et les préjugés diminuant, la confiance en Dieu et dans les autres augmente, et la communauté peut rayonner et témoigner d'un style et d'une qualité de vie qui apporteront une solution aux troubles de notre monde. La réponse à la guerre est de vivre en frères et sœurs ; la réponse aux inégalités est le partage ; la réponse aux désespoirs est une confiance et une espérance sans borne ; la réponse aux préjugés et à la haine est le pardon.

Oui, œuvrer pour la communauté c'est œuvrer pour l'humanité. La paix, c'est œuvrer pour une solution politique vraie, c'est œuvrer pour le Royaume de Dieu ; c'est œuvrer pour que chaque personne puisse goûter et vivre les joies secrètes de l'union à l'éternel.

Chapitre 2

« ENTRE DANS L'ALLIANCE »

Reconnaître les liens créés

Certains entrent dans la vie communautaire attirés par un style de vie simple et pauvre, où il y a partage, accueil et primauté d'une vie relationnelle. Quelquefois aussi ils ont peur des exigences de la vie en société. Ils espèrent trouver leur épanouissement dans une vie de spontanéité et de célébration. Mais peu à peu ils découvrent que la vie communautaire n'est pas que cela. Pour y rester fidèle il faut accepter une certaine discipline, certaines structures et il faut faire chaque jour des efforts pour sortir de la coquille de son égoïsme. Ils découvrent aussi que la vie communautaire n'est pas d'abord un style de vie – celui-ci n'est qu'un moyen pour autre chose – mais qu'ils ont été appelés par Dieu pour porter les autres dans leurs peines et leur croissance vers la libération, pour les prendre en charge. Et cela est exigeant. De plus, il ne s'agit pas simplement de les prendre en charge et de s'engager à leur égard, mais d'accepter aussi d'être pris en charge soi-même, d'accepter d'être porté et aimé par les autres, d'entrer dans une relation d'interdépendance, d'entrer dans une alliance. Et ceci est encore plus difficile, plus exigeant, car cela implique la révélation de ses propres faiblesses.

Cette évolution vers une prise en charge réelle des autres, une responsabilité vis-à-vis d'eux, est parfois bloquée par la peur. Il est plus simple de rester au niveau d'un style de vie sympathique où on garde sa liberté et ses distances. On s'arrête alors de grandir, on s'enferme dans ses petites affaires, dans ses aises.

*
**

On entre dans une communauté pour être heureux.
On y reste pour rendre les autres heureux.

*
**

Pour ceux qui viennent vivre dans une communauté le premier temps est presque toujours un temps idyllique : tout est parfait. Ils semblent incapables de voir les défauts ; ils ne voient que les qualités. Tout est merveilleux ; tout est beau ; ils ont l'impression d'être entourés de saints, de héros ou d'êtres exceptionnels qui sont tout ce qu'ils voudraient être.

Puis vient le temps de la déception, généralement lié à une période de fatigue, à un sentiment de solitude, au mal du pays, à un échec quelque part, à une frustration par rapport à l'autorité. Durant ce temps de « dépression » tout devient ténébreux ; ils ne voient plus alors que les défauts des autres et de la communauté ; tout les agace. Ils ont l'impression d'être entourés d'hypocrites qui ne pensent qu'à la loi, au règlement, aux structures ou qui, au contraire, sont totalement désorganisés et incompétents. La vie devient insupportable.

Plus ils ont, dans un premier temps, idéalisé la communauté et mis les responsables sur un piédestal, plus le désenchantement est grand. Des hauteurs on tombe dans les précipices. S'ils arrivent à passer ce deuxième temps, ils entrent dans le troisième, celui du réalisme et de l'engagement vrai, *celui de l'alliance*. Les membres de la communauté ne sont ni des saints ni des diables, mais des personnes, chacune étant un mélange de bien et de mal, de ténèbres et de lumière, mais chacune étant aussi en train de grandir, chacune vivant une espérance. C'est à ce moment-là qu'ils s'enracinent. La communauté n'est ni dans les hauteurs ni dans les bas-fonds mais elle est là sur la terre et ils sont prêts à marcher avec elle et en elle. Ils acceptent les autres et la communauté tels qu'ils sont ; ils ont confiance que tous ensemble ils peuvent grandir vers quelque chose de plus beau.

L'engagement dans une communauté n'est pas d'abord une chose active, comme on s'engage dans un parti politique ou dans un syndicat. Ceux-ci ont besoin de militants prêts à lutter, qui donnent de leur temps et de leurs énergies.

Une communauté est bien autre chose. Elle est la reconnaissance par ses membres d'un appel de Dieu à vivre, à s'aimer, à prier, à œuvrer ensemble, et à répondre aux cris du pauvre. Et cela se passe plus au niveau de l'être que du faire. L'engagement actif dans une communauté est plus ou moins précédé par la reconnaissance qu'on est déjà « chez soi », qu'on fait partie d'un même corps, qu'on est entré ensemble dans une alliance entre nous, avec Dieu et avec les pauvres qui attendent les fruits de la communauté. C'est un peu la même chose dans le mariage : les fiancés reconnaissent que quelque chose est né entre eux et qu'ils sont faits l'un pour l'autre avant même qu'ils ne s'engagent. Ce n'est qu'une fois cette reconnaissance faite qu'ils prennent la décision active de s'engager dans le mariage et d'y rester fidèles.

Ainsi dans la communauté, tout commence par cette reconnaissance que l'on est fait pour être ensemble. On se réveille un matin en découvrant que des liens ont été tissés ; intervient alors la décision active de s'engager et de promettre fidélité, décision qui doit être elle-même confirmée par la communauté.

Il faut faire attention à ne pas laisser s'écouler trop de temps entre la reconnaissance des liens ou de l'alliance et la décision. Ce serait la meilleure façon de rater le virage et d'aller dans le décor !

⁂

Henri Nouwen [1] dit que la vraie solitude, loin de s'opposer à la vie communautaire, est le lieu par excellence où nous prenons conscience que nous étions unis avant de vivre ensemble et que la communauté n'est pas la création d'une volonté humaine mais une réponse chrétienne à la réalité de notre union. Les vieux communautaires savent qu'à travers les années et les moments difficiles en communauté, ce ne sont pas eux qui, par la force de leur volonté, ont tenu le coup, mais que c'est Dieu qui a gardé la communauté unie. En effet, on est une communauté ni parce qu'on a un projet commun, ni même parce qu'on s'aime mais parce qu'on a été appelés ensemble par Dieu.

***

Tu es responsable de ta communauté

J'ai assisté l'autre jour à la profession solennelle des sœurs diaconesses de Rueil. La mère Prieure disait à chacune des sœurs qui se consacrait à Dieu, en lui mettant autour du cou une croix, ces paroles qui m'ont touché : « Reçois maintenant cette croix. Elle est signe de ton appartenance à Dieu au sein de notre communauté. Cette communauté est désormais tienne. Et tu es responsable avec nous de sa fidélité ».

Oui, chaque personne est responsable de la fidélité de la communauté ; pas seulement « les responsables ».

***

Le sentiment d'appartenance à un peuple, l'alliance avec la promesse qu'elle implique, sont au cœur de la vie communautaire. Mais reste la question : qui est mon peuple ? Mon peuple est-il seulement ceux avec qui je vis et qui ont les mêmes options que moi, ou est-il ceux pour lesquels la communauté a été créée ? Je m'explique. Trois personnes mènent une vie communautaire dans un bidonville, essayant

1. « Solitude and Community », *Worship*, January, 1978.

de vivre l'accueil et une présence discrète et aimante. Elles y sont venues inspirées par un amour universel, l'amour de Jésus ; elles ont été envoyées, elles veulent témoigner de l'amour du Père, annonçant par leur présence et leur vie la bonne nouvelle de l'Evangile. Est-ce que leur peuple est le groupe auquel elles appartiennent et qui les soutient spirituellement, et peut-être matériellement, ou est-ce ceux de leur bidonville, les voisins ? Pour qui sont-elles prêtes à donner leur vie ?

La même question se pose à l'Arche. La communauté est-elle composée surtout d'assistants qui sont venus librement, avec plus ou moins les mêmes motivations, ou surtout des personnes handicapées qui n'ont pas choisi de venir ; elles y ont été placées ? Assistants et assistés, on voudrait créer une communauté et non deux. Cela est vrai en théorie mais en réalité n'y a-t-il pas une tendance chez les assistants à faire davantage communauté entre eux et à s'en satisfaire ? Il est plus difficile, et cela demande certaines morts à soi-même, de vraiment faire communauté avec les plus pauvres et de s'identifier à eux. Plus on est proche affectivement des assistants, plus on risque de s'éloigner des pauvres. On ne peut pas mettre son cœur partout en même temps.

Mais on peut aller encore plus loin. Faut-il limiter la communauté, « mon peuple », à ceux — assistants et personnes handicapées — qui vivent ensemble sous le même toit ? Ne comprend-elle pas aussi les voisins, les personnes du quartier, les amis ?

Au fur et à mesure qu'une personne grandit dans l'amour, que son cœur s'élargit, et que la communauté dans son sens le plus restreint arrive à une certaine maturité, la réalité de la communauté, de « mon peuple », s'élargit.

Mais il reste que chaque personne vivant en communauté doit fixer clairement ses priorités. Où doit-elle mettre ses énergies ? Pour qui doit-elle donner sa vie ?

Dans le cas cité plus haut, des trois personnes vivant dans le bidonville, ne faut-il pas que le groupe auquel elles appartiennent soit comme une source, une racine qui leur permette d'être plus à « leur peuple » dans le bidonville ? Il n'y a pas alors de lutte d'influence ou d'appartenance. Les racines sont là pour que les fleurs et les fruits apparaissent, et dans les fruits se trouvent les semences de demain. De même à l'Arche, l'unité des assistants n'est-elle pas pour aider et encourager chacun à être plus proche des personnes handicapées et à créer cette communauté une avec tous ? Une appartenance ne supprime pas l'autre, elles sont l'une pour l'autre. Elles ne font qu'un car l'amour est essentiellement don et non possession.

⁂

On entre en communauté pour vivre avec les autres mais aussi et surtout pour vivre avec eux les buts de la communauté, pour répondre à un appel de Dieu, pour répondre au cri des pauvres. La communauté apparaît alors comme un milieu de vie où l'on peut grandir et ensemble répondre à l'appel.

⁂

Une communauté n'est jamais pour elle-même. Elle appartient à quelque chose qui la dépasse, elle appartient aux pauvres, à l'humanité, à l'Eglise, à l'univers. Elle est un don, un témoignage à offrir à tous les hommes.

La communauté, ceux et celles avec qui on vit, n'est qu'un point de départ, pour permettre l'élargissement du cœur à cette dimension universelle. Elle n'a de sens que si on la voit avec ses racines et ses prolongements.

⁂

Parfois certaines communautés sont trop éloignées de leurs buts. Leurs membres ne savent pas clairement qui est « leur peuple » ; ils ne savent pas à quels cris répondre. Ils ne savent pas pourquoi ils doivent grandir dans la lumière, la paix et la sainteté. Ils ne savent pas qu'ils sont appelés à devenir source de vie pour « leur peuple » souffrant.

Certaines personnes ont peur de s'approcher des personnes en détresse ; elles ne veulent pas risquer d'être blessées dans leur cœur, car accepter d'être blessé, c'est accepter un lien, une alliance. Le pauvre devient alors un berger qui les conduit. En disant « oui » aux crucifiés de ce monde, on dit « oui » au Crucifié. En disant « oui » au Crucifié, on dit « oui » aux crucifiés de ce monde. Jésus se cache dans le visage du pauvre. Ce qu'on fait, le moindre geste d'amour, au plus insignifiant de ses frères, c'est à Lui qu'on le fait. Jésus est l'affamé, l'assoiffé, le prisonnier, l'étranger, celui qui est nu, malade, mourant. Jésus est l'opprimé, le pauvre. Vivre avec Jésus, c'est vivre avec le pauvre. Vivre avec le pauvre, c'est vivre avec Jésus.

***

Je suis frappé par le nombre de personnes qui font le projet d'entrer en communauté. Leurs énergies sont tellement galvanisées par ce projet qu'elles ne voient plus ni la réalité ni les personnes à côté d'elles qui ont besoin de leurs regards et de leurs mains. Parfois un projet aveugle. La meilleure façon d'entrer en communauté, c'est de ne pas avoir de projet et de vivre intensément la vie quotidienne avec tout ce qu'elle implique de travail, de disponibilité, d'écoute et d'accueil. Le passage vers la vie communautaire se fait alors tout naturellement.

***

Une communauté qui est trop éloignée de ses buts se replie sur elle-même. Elle ne vit plus pour répondre à un appel qui l'incite à un dépassement. La communauté se refermant sur elle-même, des tensions apparaissent jusqu'à ce qu'elle se disloque ou retrouve l'appel.

***

Quand on entre dans une communauté, on entre dans l'alliance avec des frères et des sœurs membres de la communauté mais aussi et surtout avec ce peuple qui crie et qui souffre ; ces pauvres qui sont opprimés et qui attendent la bonne nouvelle.

Jésus a lu dans le temple ce passage d'Isaïe : « L'Esprit du Seigneur est sur moi, parce qu'Il m'a oint. Il m'a envoyé annoncer la bonne nouvelle aux pauvres, proclamer aux captifs la liberté, aux aveugles le retour à la vue, renvoyer libres les opprimés et annoncer une année de grâce du Seigneur ».

Et Jésus ajouta : « Aujourd'hui s'accomplit à vos oreilles ce passage de l'Ecriture ». (Luc 4.)

Une communauté est pour la croissance de ses membres mais elle est aussi pour la croissance de ce peuple auquel elle est destinée.

Quand on connaît son peuple, quand on a pris conscience de ses souffrances, quand on réalise qu'on en est responsable, alors, on est davantage capable de se dépasser.

***

Quand on connaît son peuple, on réalise aussi qu'on a besoin de lui ; on est interdépendant les uns des autres. On n'est pas mieux qu'eux. Non, on est là tous ensemble, les uns pour les autres. Nous sommes unis dans une même alliance qui découle de l'alliance entre Dieu et son peuple, Dieu et les plus pauvres.

***

Entrer dans l'alliance c'est découvrir qu'il y a des liens entre moi et mon Dieu, que je suis fait pour être son enfant, pour vivre de sa lumière. Je suis appelé aux épousailles divines.

Entrer dans l'alliance c'est aussi entrer dans le cœur de Dieu et découvrir que je suis fait pour mes frères et sœurs, surtout les plus pauvres qui sont sans espérance.

Il y a ceux qui découvrent d'abord l'alliance avec Dieu et qui découvrent ensuite l'alliance avec leur peuple.

Il y a ceux qui découvrent d'abord l'alliance avec leur peuple et qui découvrent ensuite la source de cette alliance dans le cœur de Dieu.

*
**

Certaines personnes n'arrivent pas à s'engager auprès de gens en détresse car elles sont trop aveuglées par leurs propres larmes ; elles n'entendent pas le cri du pauvre car elles se sont rendues sourdes par le bruit de leurs propres désirs, de leurs propres projets. On entre dans l'alliance avec le pauvre quand on fait l'effort de ne plus s'écouter, de ne plus s'affliger sur ses petites souffrances et inquiétudes.

*
**

Parfois aussi certains ne veulent pas connaître qui est « leur peuple » car alors apparaît une exigence terrible. On devient responsable de son peuple souffrant et angoissé, obligé de répondre à son cri et de se dépasser pour lui. Il faut grandir en sagesse, en amour et en humilité pour pouvoir mieux le servir et exercer pleinement son don afin qu'il ait davantage la vie. On sait désormais pour qui donner sa vie.

*
**

Dans le cœur du pauvre, il y a un mystère. Jésus dit que tout ce qu'on fait à l'affamé, à celui qui a soif, qui est nu, malade, en prison, étranger, c'est à Lui qu'on le fait : « Tout ce que tu fais au plus insignifiant de mes frères, c'est à moi que tu le fais ». Le pauvre, dans son insécurité totale, son angoisse et son abandon, s'identifie à Jésus. Dans sa pauvreté radicale, dans sa blessure évidente, se trouve caché le mystère de la présence de Dieu.

Celui qui est insécurisé et angoissé a certes besoin de pain mais, à travers ce pain, il a surtout besoin d'une présence, d'un autre cœur humain qui lui dise : « Aie courage ; tu es important à mes yeux et je t'aime ; tu as une valeur ; il y a une espérance ». Il a besoin d'une présence qui lui révèle la miséricorde de Dieu, Dieu qui est un Père qui aime et donne la vie.

Entre Jésus et le pauvre il y a une alliance. Ce mystère est grand.

*
**

Il est dit dans le livre de l'Exode (2, 23 — 3,8) : «Les fils d'Israël gémirent au fond de la servitude ; ils crièrent et leur cri au secours monta vers Dieu du fond de leur oppression. Dieu entendit leurs gémissements et *Dieu se souvint de son alliance.* » Yahvé se révéla alors à Moïse et lui dit : « J'ai vu, j'ai vu la misère de mon peuple qui est en Egypte et j'ai entendu sa clameur devant ses surveillants ; oui, je connais ses douleurs. Je suis descendu pour le délivrer des mains des Egyptiens et pour le faire monter de ce pays vers un pays bon et vaste, vers un pays ruisselant de lait et de miel. »

*
**

Les communautés chrétiennes continuent l'œuvre de Jésus. Elles sont envoyées pour être cette présence auprès des pauvres qui vivent dans les ténèbres et le désespoir.

Ceux qui entrent dans ces communautés répondent aussi à l'appel et aux cris des faibles et des opprimés. Ils entrent dans cette alliance entre Jésus et le pauvre. Ils rencontrent Jésus dans le pauvre.

*
**

Ceux qui s'approchent du pauvre le font d'abord dans un désir de générosité, pour l'aider et le secourir ; ils se prennent pour des sauveurs et souvent se mettent sur un piédestal. Mais en touchant le pauvre, en l'atteignant, en établissant une relation aimante et confiante avec lui, le mystère se dévoile. Au cœur de l'insécurité du pauvre il y a une présence de Jésus. C'est alors qu'ils découvrent le sacrement du pauvre et qu'ils touchent au mystère de la compassion. Le pauvre semble briser les barrières de la puissance, de la richesse, de la capacité et de l'orgueil ; il fait fondre ces carapaces que le cœur humain met autour de lui pour se protéger. Le pauvre révèle Jésus-Christ. Il fait découvrir à celui qui est venu pour « l'aider », sa propre pauvreté et sa propre vulnérabilité ; il lui fait découvrir aussi sa capacité d'aimer, les puissances aimantes de son cœur. Le pauvre a un pouvoir mystérieux : dans sa faiblesse, il devient capable de toucher les cœurs endurcis et de leur révéler les sources d'eau vive cachées en eux. C'est la toute petite main de l'enfant dont on n'a pas peur et qui se glisse à travers les barreaux de notre prison d'égoïsme. Il arrive à ouvrir la serrure. Il libère. Et Dieu se cache dans l'enfant.

Les pauvres nous évangélisent. C'est pour cela qu'ils sont les trésors de l'Eglise.

*
**

Quand je suis venu à Trosly-Breuil, ce petit village au nord de Paris, j'ai accueilli Raphaël et Philippe. Je les ai invités à venir avec moi à cause de Jésus et de l'Evangile. C'est ainsi que l'Arche fut fondée. En les sortant d'un asile, je savais que c'était pour la vie ; il était impossible de créer des liens avec eux et puis, après un temps, de les remettre à l'hôpital ou ailleurs. Mon but, en créant l'Arche, était de fonder une famille, une communauté pour et avec ceux qui sont faibles et pauvres à cause d'un handicap mental et qui se sentent seuls et abandonnés.

Progressivement j'ai découvert leur don. Au début je pouvais me croire généreux. Mais en vivant avec Raphaël et ses frères et sœurs, j'ai commencé à saisir mes propres limites et mes motivations mélangées. Pour entrer en relation avec eux, il fallait que je me découvre pauvre, que j'arrête « mes projets » pour découvrir l'enfant en moi, l'enfant de Dieu.

C'est ainsi que j'ai découvert l'alliance qui m'unit aux plus faibles et aux plus pauvres ; Jésus m'a invité à entrer dans l'alliance qu'Il a établi avec le pauvre.

Maintenant avec ceux qui sont venus m'aider et qui ont découvert comme moi la grâce au cœur du pauvre et les pauvres eux-mêmes, nous constituons un peuple, une grande famille, une communauté. Et il m'est impossible d'imaginer pouvoir rompre les liens de cette alliance. Ce serait la plus grande infidélité.

Au fil des années, je découvre qu'il n'y a pas d'opposition entre ma vie avec les pauvres et ma vie de prière et d'union à Dieu. Certes Jésus se révèle à moi dans l'Eucharistie et j'ai besoin de passer du temps avec Lui dans la prière silencieuse. Mais il se révèle aussi dans cette vie avec mes frères et sœurs. Ma fidélité à Jésus se réalise dans ma fidélité à mes frères et sœurs de l'Arche, spécialement les plus pauvres.

Si je prêche des retraites et si j'assume le rôle de directeur, c'est à cause de cette alliance ; c'est elle qui fait le fond de ma vie. Le reste n'est que service.

Je m'émerveille dans l'Eglise de ceux qui se consacrent à Dieu dans une vie de prière et d'adoration. D'autres ont pour mission d'annoncer la bonne nouvelle ou d'accomplir des gestes de miséricorde au nom de l'Eglise. Je sens que ma place dans l'Eglise et dans la société humaine est de cheminer avec les pauvres et les faibles ; de faire que chacun de nous, nous grandissions ensemble, que nous nous soutenions les uns les autres pour être fidèles à notre croissance profonde, à notre cheminement vers une liberté intérieure et parfois une autonomie extérieure plus grandes.

Notre communauté ne peut être une communauté religieuse ni même chrétienne dans le sens où tout l'ensemble serait lié à l'Eglise et où tous seraient des chrétiens. Les pauvres, dans notre communauté, ne sont pas accueillis parce que nécessairement chrétiens ; ils sont accueillis parce que ce sont des personnes handicapées en détresse. Et ceux qui viennent librement vivre avec nous, d'abord pour aider puis simplement parce qu'ils reconnaissent les liens qui nous unissent, même s'ils ne partagent pas la même foi en Jésus ne peuvent-ils pas dire ce « oui » à l'alliance ? Moi, je sais que mon alliance avec le pauvre est liée à l'alliance avec le Pauvre qu'est Jésus. C'est Jésus qui m'a attiré vers lui ; c'est uniquement par un don de l'Esprit Saint que j'ai pu répondre à son cri d'angoisse. Pour d'autres, cette foi peut être moins explicite.

Mais nous sommes tous appelés à la même fidélité. Je veux rester fidèle à cette alliance avec mes frères et sœurs de l'Arche, vivre et mourir avec eux.

***

Le premier appel : une expérience de paix

Si quelqu'un commence le voyage vers l'unité, le pèlerinage vers la terre promise, c'est qu'il y a eu un moment où son être profond a été touché. Il a fait une expérience fondamentale, comme si la pierre de son égoïsme avait été frappée par le bâton de Moïse et que l'eau avait jailli, ou comme si la pierre qui fermait le tombeau avait été enlevée et que l'être profond avait pu sortir. C'est une expérience — peut-être encore bien faible — de renaissance, de libération, d'émerveillement, un temps de fiançailles avec l'univers, avec la lumière, avec les autres et avec Dieu. C'est une expérience de vie où l'on se perçoit fondamentalement un avec l'univers et avec Dieu, tout en étant totalement soi-même dans ce qu'on a de plus vivant, de plus lumineux, de plus profond. C'est la découverte qu'on est une source jaillissante en vie éternelle.

Cette expérience, au début de notre pèlerinage, est comme un avant-goût de son but final, un baiser qui est un avant-goût des noces. Elle constitue l'appel. Elle oriente nos pas en révélant notre destinée finale. Ce moment d'émerveillement est la réalité la plus personnelle qui soit. Mais il se réalise très souvent dans un contexte donné : ce peut être la rencontre avec un pauvre. Son appel éveille en moi une réponse et je découvre des sources vives cachées dans le fond de mon être. Cet appel peut se révéler aussi dans la rencontre avec un modèle ou des modèles dans une communauté. En les regardant, en les écoutant, je découvre ce que je voudrais être. Ces modèles deviennent alors comme un miroir de ma personne profonde et je suis mystérieusement attiré vers eux. Ou bien l'appel est encore plus secret, caché au fond du cœur, suscité peut-être par l'Evangile lu ou annoncé. Il fait sentir qu'on a entrevu la terre promise, qu'on a trouvé un « chez soi », « son lieu ». C'est souvent une telle expérience qui fait que quelqu'un entre en communauté, ou prend une nouvelle orientation de vie.

Cette expérience peut être comme une explosion de vie, un moment lumineux, inondé de paix, de tranquilité, ou elle peut être plus humble, une touche de paix, un sentiment de bien-être, celui d'être dans « son lieu » et avec les personnes pour qui on est fait. Cette expérience donne une espérance nouvelle : il est possible de marcher car on a entrevu quelque chose au-delà des réalités matérielles et des limites humaines ; on a entrevu que le bonheur est possible ; on a entrevu « le ciel ».

Par cette expérience l'être profond a été ouvert. Une fois qu'on est entré en communauté et qu'on s'est mis en marche, il se peut que des nuages viennent obscurcir le soleil et que l'être profond apparemment se referme. Mais cette expérience demeure néanmoins cachée dans la mémoire du cœur. On sait désormais que la vie la plus profonde en nous est lumière et amour et qu'il faut continuer à marcher dans le désert et la nuit de la foi, car on a eu, à un moment donné, la révélation profonde de notre vocation.

*
**

Quand quelqu'un en arrivant dans une communauté se sent totalement chez lui, en parfaite harmonie avec les autres et avec la communauté, c'est un signe qu'il est peut-être appelé à y rester. Ce sentiment constitue souvent un appel de Dieu, qui doit être confirmé par l'appel de la communauté. L'alliance est la rencontre de deux appels qui se confirment mutuellement.

*
**

Quand on est attiré très profondément par des personnes vivant en communauté c'est un signe que peut-être soi-même on est appelé à entrer dans la même forme d'alliance. Aristote dit que si on veut connaître quelqu'un il faut lui demander qui sont ses amis.

*
**

Il semble que beaucoup de jeunes ne réalisent pas suffisamment l'importance et la profondeur de ce sentiment de « bien-être », quand ils rencontrent une communauté et que cette rencontre constitue comme un appel de Dieu.

Certes, après cette expérience fondamentale, on peut douter. Attiré par la séduction des richesses et les soucis du monde, par peur des critiques, des difficultés, des persécutions, ou par une incapacité psychologique à prendre une décision, on peut se détourner de cette révélation de la lumière. On cherche des excuses : « Je ne suis pas prêt ; il faut encore que je voyage, que je regarde, que j'expérimente le monde ; on verra bien dans quelques années ». Mais souvent, hélas, on ne verra rien ; on sera pris dans un engrenage ; on aura trouvé d'autres amis pour combler ce sentiment de solitude ; on n'aura plus l'occasion de vivre cette expérience fondamentale d'appartenance à une communauté d'espérance. On se mettra sur une autre route, et la rencontre avec Dieu et avec le pauvre se fera d'une autre manière, et à un autre moment.

*
**

Jésus regarda le jeune homme et l'aima. Il lui dit : « Une seule chose te manque ; va, vends ce que tu as, donne l'argent aux pauvres et puis viens avec moi ». (cf Mc 10, 17). Mais le jeune homme n'a pas eu confiance ; il a eu peur car il avait mis sa sécurité dans les richesses. Et parce qu'il en avait beaucoup, il est parti triste.

L'appel est une invitation : « viens avec moi ». Il n'est pas d'abord une invitation à la générosité mais à une rencontre d'amour.

*
**

Mon cœur pleure parfois quand je sens que certains ne prennent pas au sérieux cette expérience fondamentale de l'appel. C'est comme s'ils gâchaient un trésor ; ils vont perdre du temps et peut-être même se détourner totalement de la lumière. Et pourtant monte de notre terre le cri du désespoir, le cri des affamés, de ceux qui ont soif, le cri de Jésus : « J'ai soif ». Ils ne croient pas suffisamment en eux-mêmes ni dans cet appel ; ils ne savent pas qu'il y a en eux une source qui attend d'être libérée pour irriguer notre monde desséché. Tant de jeunes ne savent pas la beauté de la vie qui est en eux, prête à se répandre.

*
**

Tu es convié à entrer dans une alliance avec Dieu et avec tes frères et sœurs, spécialement les plus pauvres. Il ne faut pas tarder. « Je vous exhorte donc à mener une vie digne de l'appel que vous avez reçu, en toute humilité et douceur, avec patience, vous supportant les uns les autres par amour, vous efforçant de garder l'unité de l'esprit par le lien de la paix. Il n'y a qu'un corps et un esprit, puisque vous avez été appelés par votre appel à une seule espérance, un seul Seigneur, une seule foi, un seul baptême, un seul Dieu et Père de tous qui est au-dessus de tous, par tous et en tous. » (Ephésiens 4, 1-6.)

*
**

« Quitte ton père, ta mère, ta culture »

Pour entrer dans une alliance et appartenir à un nouveau peuple, une communauté avec des valeurs nouvelles, il faut quitter un autre peuple, ceux avec qui on vivait jusqu'alors selon d'autres valeurs et d'autres normes : valeurs familiales traditionnelles, richesses, possessions, prestige social, révolution, drogue, délinquance, peu importe. Ce passage d'un peuple à un autre peut être un arrachement qui implique bien des souffrances ; la plupart du temps, ce passage prend longtemps pour se réaliser. Et beaucoup n'arrivent pas à le faire, car ils ne veulent pas choisir ni trancher. Ils gardent un pied dans chaque camp et vivent de compromis, sans arriver à trouver leur propre identité. Ils restent seuls.

Pour entrer dans une alliance, pour suivre l'appel à vivre dans une communauté, il faut savoir choisir. L'expérience fondamentale est un don de Dieu qui parfois prend la personne par surprise. Mais cette expérience est bien fragile, comme une petite semence plantée dans la terre. Il faut savoir tirer les conséquences de cette expérience initiale et éliminer certaines valeurs pour en choisir de nouvelles. Ainsi, peu à peu, on s'oriente vers un choix positif et définitif de la communauté.

***

Certaines personnes n'osent pas faire ce passage car elles ont peur de trahir le premier « peuple », d'être infidèles ; elles ont peur de leur père et de leurs ancêtres, car les quitter, eux et leur façon de vivre, n'est-ce pas les juger ? Jésus disait : « Celui qui aime père, mère, frère ou sœur plus que moi ne peut être mon disciple ». Pour entrer dans la communauté chrétienne et l'amour universel, il faut préférer Jésus et les béatitudes à sa propre famille et à ses coutumes.

Il est vrai que parfois le père, ou les ancêtres exercent une telle pression basée sur la peur, qu'il semble impossible de couper avec eux.

Certains redoutent d'entrer dans l'alliance croyant y perdre leur identité. En faisant partie du groupe, en adoptant les principes de discernement communautaire, etc., ils craignent de disparaître, de perdre leur personnalité et leur richesse intérieure. Cette peur n'est pas entièrement fausse. En entrant en communauté, on laisse quelque chose de soi-même et les aspects rugueux de la personnalité, parfois l'agressivité, qui constituent toute une richesse personnelle, disparaissent pour une écoute plus grande. L'impatience cède le pas à la patience. Une force nouvelle naît et de nouveaux dons apparaissent. La communauté ne supprime pas l'identité de la personne, loin de là ; elle confirme son identité la plus profonde ; elle appelle les dons les plus personnels, ceux qui sont liés aux énergies de l'amour.

***

A la base de l'engagement communautaire, il y a souvent un acte de foi : celui d'une nouvelle naissance dans la communauté. En effet, vivant seul ou en famille, on construit son identité à travers les réussites professionnelles, la liberté des loisirs et les joies de la vie familiale. En communauté, on n'a pas toujours et sûrement pas tout de suite, un travail qui donne la même satisfaction et le même sentiment d'identité. On a alors l'impression d'avoir perdu un peu de soi-même. On ne peut accepter d'être amputé de cette façon que si on est porté par la communauté et par la prière. Il faut savoir attendre avec patience le moment de la renaissance. Il faut en effet que le grain de blé meure pour que la vie apparaisse. La route est parfois longue et les nuits sans beaucoup d'étoiles : l'aurore se fait attendre.

Entrer dans l'alliance, c'est s'abandonner avec confiance à une nouvelle vie qui est déjà cachée au plus profond de soi, qu'on pressent et qui – si on lui donne la terre, l'eau et le soleil – renaîtra avec une force nouvelle. Et viendra le temps de la récolte.

***

Je suis parfois étonné de l'inquiétude des parents quand ils voient leur fils ou leur fille venir comme assistant à l'Arche. Ils viennent me voir pour qu'à mon tour je persuade leur enfant de faire « quelque chose de sérieux ». Ces parents me semblent obnubilés par la sécurité d'un diplôme universitaire et d'un bon mariage. Leur enfant serait alors « casé ». Vivre en communauté, et spécialement avec des personnes handicapées, paraît comme une folie sans sécurité. Au fond d'eux-mêmes, ils se disent que c'est une idée d'adolescent, que ça passera.

C'est chez ces parents qu'on découvre le conflit entre les valeurs de la vie communautaire et les valeurs de notre société moderne. Parfois la pression des parents est telle que l'enfant n'ose plus continuer. Est-ce parce que les parents ont peur d'être jugés par leur enfant ? De toute façon, ça me fait mal de voir certains parents qui se disent « bons chrétiens » écraser les aspirations les plus belles de leurs enfants au nom d'une sacro-sainte sécurité.

Les parents ont peut-être aussi du mal à distinguer une secte qui séduirait leur enfant par des procédés psychologiques qui les rendraient esclaves, d'une communauté chrétienne qui les rend libres. Ils ne sont réconfortés que si leur enfant entre dans une communauté religieuse connue.

L'engagement

Certains fuient l'engagement parce qu'ils ont peur, en s'implantant dans une terre, de rétrécir leur liberté, de ne plus pouvoir s'implanter ailleurs. Il est vrai qu'en se mariant avec une femme, on renonce à des millions d'autres ! Cela rétrécit le champ de la liberté ! Mais notre liberté ne grandit pas d'une façon abstraite ; elle grandit dans une terre particulière avec des personnes précises. On ne peut croître intérieurement que si on s'engage avec et auprès d'autres.

*
**

A l'Arche, certaines personnes, quelques jours après leur arrivée, sont capables de dire qu'elles sont là pour la vie. Elles se sentent si à l'aise, si chez elles, qu'elles ont cette certitude d'avoir trouvé leur port. Pour d'autres, ça prend du temps ; c'est peu à peu qu'elles découvrent qu'elles sont « chez elles » et qu'elles n'ont plus besoin de chercher ailleurs. Le temps du « oui » définitif est différent pour chacun.

*
**

Je suis de plus en plus frappé par la souffrance des jeunes. Ce n'est pas étonnant que certains aient énormément de mal à s'engager. Beaucoup d'entre eux ont vécu une enfance plus ou moins malheureuse et instable. Beaucoup ont eu des expériences sexuelles très précoces et de telles expériences amènent par la suite des difficultés d'engagement. Et puis aujourd'hui on a tendance à tout mettre en doute. On a peur de la parole. On met vite l'autorité en cause. En même temps, on a l'impression que notre monde est en train de changer à une vitesse terrible ; tout bouge. Un jeune peut s'engager aujourd'hui, mais comment peut-il s'engager pour demain ? Il faut être très patient avec le jeune qui, sous bien des angles, peut être destructuré et incapable de dire un oui définitif. Il est dans un monde presque trop existentialiste. Mais s'il trouve une personne qui lui est fidèle, il découvrira peu à peu ce qu'est la fidélité et il pourra alors s'engager.

*
**

Il faut toujours se rappeler qu'il y a un temps pour tout : il y a un temps pour marcher et courir et un temps pour s'arrêter. Il y a un temps pour découvrir et un temps pour choisir. Il y a un temps d'adolescence et un temps de maturité. Et il ne faut jamais obliger la plante à croître plus vite que sa nature par des moyens artificiels ; c'est l'abîmer et la détruire. Une personne ne peut s'enraciner dans une communauté que si cela correspond à un désir secret et profond, à un choix libre. Car cet enracinement, comme tout engagement, implique une certaine mort.

Cette mort ne peut être accueillie librement que sous la poussée ou plutôt sous l'appel d'une vie nouvelle qui veut éclore à travers ce choix. Cet enracinement est un passage : le passage de l'adolescence à la maturité. C'est la Pâque : une mort pour une résurrection. Et nous ne pouvons nous déterminer que quand une certaine croissance s'est opérée à l'intérieur de nous et que, par la grâce de Dieu et par ce sentiment d'être pleinement « chez nous », nous sommes arrivés à dire « oui », « amen », « qu'il me soit fait selon ta parole », à l'appel de Dieu et de nos frères, à l'alliance. Roger Schutz dit que le « oui » à l'engagement est le pivot autour duquel tourne notre vie ; il est la source autour de laquelle nous dansons. Il constitue un palier important dans notre croissance vers la libération intérieure.

***

Si une communauté fait pression sur un de ses membres pour qu'il se détermine avant que son temps ne soit venu, c'est que la communauté elle-même n'a pas encore trouvé sa liberté, qu'elle est trop insécurisée ; elle s'accroche à des personnes. Peut-être a-t-elle grandi trop vite sous une poussée expansive d'orgueil. Si nos communautés sont nées d'un vouloir de Dieu, si c'est l'Esprit Saint qui en est l'origine, notre Père des Cieux nous enverra les personnes qu'il faut. Une communauté doit apprendre à laisser partir des personnes non seulement dans l'allégresse mais dans la confiance que Dieu lui enverra d'autres frères et sœurs : « Gens de peu de foi ! Cherchez d'abord le royaume de Dieu et tout le reste vous sera donné par surcroît ».

***

Notre monde a de plus en plus besoin de communautés intermédiaires, c'est-à-dire de ces lieux de vie où des personnes puissent demeurer et trouver une certaine libération intérieure avant de se déterminer. Elles ne peuvent ou ne veulent demeurer en famille, et ne sont pas satisfaites par une vie seule en appartement, à l'hôtel, ou dans un foyer de jeunes travailleurs. Elles ont besoin d'un lieu où elles puissent trouver cette libération intérieure à travers un réseau de relations et d'amitiés, être vraiment elles-mêmes sans chercher à apparaître ni prétendre être autres qu'elles ne sont. C'est dans ces communautés intermédiaires qu'elles arrivent à se dépouiller de ce qui les encombrent et les empêchent de découvrir leur être profond. Ce n'est que lorsqu'elles ont été « exposées » aux pauvres et à d'autres valeurs qu'elles sont libres de choisir et de formuler un projet réellement personnel qui ne soit ni le projet de leurs parents ou de leur entourage ni le contre-pied de ce projet, mais un projet né d'un véritable choix de vie, qui réponde à une aspiration ou un appel.

Pour qu'une communauté puisse être ce « lieu intermédiaire », il faut qu'elle comprenne un certain nombre de personnes pour qui elle est un lieu définitif. Beaucoup de jeunes viennent à l'Arche après avoir quitté l'école, l'université ou un travail qui ne leur suffisait plus. Ils sont en recherche. Après quelques années, ils découvrent qui ils sont vraiment et ce qu'ils désirent. Ils peuvent alors soit entrer dans une communauté plus spécifiquement religieuse, soit se marier, soit retourner à un travail ou à des études pour lesquelles ils sont désormais motivés.

D'autres choisissent de rester. La communauté n'est plus simplement le lieu de leur guérison, un lieu où ils se sentent bien et heureux, mais c'est le lieu où ils ont décidé de pousser leurs racines parce qu'ils ont découvert l'appel de Dieu et tout un sens à cette vie communautaire avec des personnes handicapées. Leur projet personnel se confond avec le projet de la communauté, et ils ne se sentent plus mis en cause par le projet d'autres personnes de quitter la communauté. Ils ont eux aussi leur projet personnel : demeurer dans la communauté.

⁂

Je réalise de plus en plus le nombre important de personnes vivant en communauté qui sont encore très immatures au plan affectif. Elles ont peut-être souffert du manque d'un milieu affectif chaleureux quand elles étaient petites et surtout de relations authentiques et confiantes avec leurs parents.

Elles sont en quête affective, préoccupées et dépendantes de leurs rapports avec des personnes de l'autre sexe.

Ces personnes ont besoin de la communauté pour grandir vers une plus grande maturité ; elles ont besoin d'un nid sécurisant, d'un milieu affectif chaleureux où elles puissent nouer des relations profondes sans danger et elles ont besoin d'anciens qui leur consacrent du temps pour les écouter.

*
**

Un des premiers rôles d'une communauté est d'être ce lieu sécurisant et aimant où des célibataires puissent trouver un équilibre affectif que les personnes mariées trouvent « chez elles ». Ceux qui ont accepté le célibat pour répondre à un appel de Jésus et des pauvres ont besoin de ce milieu de tendresse pour vivre dans la joie. Ils ont besoin d'un rythme de vie où ils puissent répondre à l'appel silencieux de Jésus et rencontrer paisiblement des frères et des sœurs.

Si on les oblige à être des « travailleurs » avant d'être des personnes avec un cœur et une vie émotionnelle, ils se durciront, ou chercheront à tout prix le mariage, ou partiront pour un lieu où ils puissent vivre leur célibat dans la vérité et la tendresse. Une communauté doit respecter le cœur et les besoins affectifs des personnes.

*
**

Couple et communauté

Je sens que beaucoup de gens ont peur de l'engagement dans la communauté et peut-être avec raison, car leur temps n'est pas encore venu ; ils n'ont pas encore résolu la question du célibat et du mariage. Tant qu'une personne est en quête de se marier ou qu'elle n'a pas résolu cette question, elle n'ose pas s'enraciner dans une communauté.

Il est bon qu'il y ait dans une communauté des gens qui se posent la question. Mais il est également bon et nécessaire que d'autres l'aient résolue. Pour certains, résoudre cette question signifie décider de rester célibataires leur vie durant à cause d'un appel de Jésus et des pauvres. Ils renoncent à la richesse d'une vie de famille dans l'espérance du don de Dieu et le désir d'être encore plus disponibles à Jésus, aux pauvres et à l'Evangile. Cela ne veut pas dire qu'ils ne souffriront pas de ce renoncement, au moins à certains moments ; mais ils mettent leur foi et leur espérance dans cet appel à vivre avec Jésus et en communauté avec le pauvre.

Pour d'autres, résoudre cette question signifie un abandon à l'évènement et à Dieu, une priorité donnée à leur foi et leur engagement envers Dieu et dans un style de vie. Ils ont accepté de vivre pleinement la vie communautaire, de s'engager auprès des pauvres, de mettre la prière au cœur de leur vie. Si le mariage vient, il ne viendra que dans ce contexte pour qu'à deux, puis avec des enfants, ils puissent vivre ces aspirations profondes.

Il est important que ceux qui ne s'engagent pas parce qu'ils se posent encore la question du mariage et se sentent « incomplets » tant qu'ils n'ont pas été choisis d'une façon unique, soient vrais et reconnaissent cette attente profonde de leur être. Il y a parfois des gens qui critiquent la communauté mais leurs critiques ne sont qu'un moyen de dire : « Je ne veux pas m'engager ». Elles font partie d'un système de défense. Il serait plus honnête de dire : « le temps n'est pas venu pour moi de m'engager car je veux essentiellement me marier et je mets mon mariage avant mon engagement dans un idéal ou dans une vie communautaire quelconque ». Il est important que les gens puissent partager à ce niveau et découvrir la vraie raison pour laquelle ils ne sont pas à l'aise dans la communauté. C'est pleinement leur droit de ne pas s'y sentir à l'aise si leur temps n'est pas encore venu. Mais il est important aussi que d'autres, écoutant l'appel de Dieu ou le cri des pauvres sans abri, entrent en communauté pour être signe du Royaume, signe que l'amour est possible, qu'il y a une espérance.

*
**

Sous bien des angles, la communauté ressemble à la famille. Mais ce sont deux réalités bien distinctes. Pour fonder une famille, deux personnes se choisissent et se promettent fidélité. Et c'est la fidélité et l'amour de ces deux personnes qui donnent paix, santé et croissance aux enfants issus de leur amour. Quand on entre en communauté, on ne promet pas fidélité à une personne. Les rôles parentaux (les responsables) changent avec les constitutions et on ne s'engage pas à vivre toujours avec les mêmes personnes. La communauté suppose la famille et la famille a besoin d'une communauté plus large. Mais ces deux réalités restent bien différentes.

Quand dans une communauté il y a des familles, celles-ci doivent être respectées dans leur dynamisme et leur originalité propres. Il faut qu'elles puissent forger leur unité. Un couple, ce n'est pas deux célibataires vivant côte à côte, mais ce sont deux personnes devenues une.

⁂

J'ai l'occasion de rencontrer des couples qui demandent à venir à l'Arche. Parfois le mari est enthousiaste et plein d'idéal, et je remarque que la femme est plus réservée. Je lui demande alors si elle aussi veut vraiment cette vie à l'Arche. Elle répond qu'elle aime beaucoup son mari et qu'elle est prête à faire ce qu'il désire. Une situation comme celle-là n'est pas bonne. Pour qu'un couple puisse s'engager dans une communauté, il faut que les deux le désirent réellement, sans aucune réticence de l'un ou de l'autre. Il faut qu'ils soient très unis entre eux et qu'ils aient dépassé les différentes crises qu'un couple peut connaître durant les premières années de mariage. Sinon, en entrant en communauté, ils pourront y trouver bien des prétextes pour ne pas les résoudre.

⁂

Une espérance est en train de naître

A notre époque monte une grande espérance. Je rencontre de plus en plus de jeunes et de jeunes ménages en particulier qui découvrent que leur vie actuelle de travail est inhumaine. Ils gagnent, certes, beaucoup d'argent mais ils le paient de leur vie familiale. Ils ne rentrent chez eux que tard le soir, leurs week-ends sont souvent occupés par des rencontres d'affaires, leurs esprits sont pris par ce monde de travail ; ils ont du mal à retrouver la tranquillité intérieure nécessaire pour vivre paisiblement en famille. Ils réalisent qu'en devenant hyper-actifs, ils sont en train de négliger ce qu'il y a de plus profond en eux.

Certains sont pris dans cet engrenage qui les conduit vers la promotion professionnelle ; ils ont peur de lâcher car ils risquent de ne plus trouver un travail adéquat et ils ne veulent pas perdre les avantages matériels. Mais d'autres réalisent la gravité de la situation ; leur amour familial et leur désir de Dieu sont plus grands que leur désir de posséder et d'avoir un prestige sur le plan professionnel. Ils cherchent une vie plus humaine et plus chrétienne. Ils rêvent de vivre en communauté.

Avant de s'y engager, cependant, il serait utile qu'ils examinent leurs motivations. Est-ce le travail inhumain qu'ils veulent quitter ? Est-ce une vie familiale plus chaude qu'ils désirent ? Ou est-ce vraiment la vie communautaire avec toutes ses exigences qu'ils recherchent ? Il vaudrait mieux qu'ils commencent par chercher un travail plus simple, moins payé, mais qui leur donne plus de loisir pour que, peu à peu, ils découvrent où est leur cœur. Peut-être pourraient-ils s'engager davantage dans la paroisse ou le quartier ! Une fois qu'ils auront trouvé un nouvel équilibre de vie, ils pourront alors songer à faire partie d'une communauté. Ce ne sera plus un rêve mais l'aboutissement d'un cheminement naturel.

***

Oui, aujourd'hui une nouvelle espérance est en train de naître. Certains rêvent d'une civilisation chrétienne comme autrefois ; ils rêvent de chevalerie ; ils sentent les puissances d'égoïsme, de haine et de violence qui pénètrent partout. D'autres veulent profiter de ces forces de violence pour casser totalement l'ancien monde, le monde de la propriété privée et des richesses dites bourgeoises. D'autres enfin voient dans les cassures de notre civilisation les semences d'un monde nouveau. L'individualisme et les techniques sont allés trop loin ; les illusions d'un monde meilleur basé sur l'économie et la technique s'évanouissent. A travers ces brisures, certains cœurs humains renaissent et découvrent qu'il y a en eux – non hors d'eux – une espérance, qu'ils peuvent aujourd'hui aimer et créer une communauté car ils croient en Jésus-Christ. Une renaissance se prépare. Bientôt vont naître une multitude de communautés fondées sur l'adoration et la présence aux pauvres, reliées entre elles et aux grandes communautés renouvelées qui cheminent depuis des années et parfois des siècles. Oui, une Eglise nouvelle est en train de naître.

***

A notre époque où il y a tant d'infidélités, de mariages brisés, de relation coupées, d'enfants en colère contre leurs parents, de personnes qui ont fait des vœux et n'ont pas été fidèles, il faut que de plus en plus naissent des communautés, signes de fidélité.

Des communautés provisoires, d'étudiants, d'amis, qui se regroupent pour un temps, sont importantes et peuvent être signes d'une espérance. Mais des communautés où les membres vivent une alliance avec Dieu, entre eux et surtout avec les pauvres qui les entourent, sont encore plus importantes. Elles deviennent signes de la fidélité de Dieu.

Le mot hébreu « héséd » exprime deux réalités : la fidélité et la tendresse. Dans notre civilisation nous pouvons être tendres mais infidèles comme nous pouvons être fidèles mais sans tendresse. L'amour de Dieu est à la fois tendresse et fidélité. Notre monde attend des communautés de tendresse et de fidélité. Elles sont en train de naître.

***

D'autres voies

Il y a des gens qui ont du mal à vivre avec d'autres. Ils ont besoin de beaucoup de solitude, d'un grand sentiment de liberté et surtout d'une absence de tensions. Il ne faut absolument pas qu'ils sentent de pression, sinon ils réagissent par la dépression ou l'agressivité. Ce sont souvent des personnes très sensibles et délicates, qui ont peut-être une trop grande richesse de cœur. Elles ne pourraient pas supporter les difficultés de la vie communautaire. Elles sont plutôt appelées à vivre seules ou avec quelques amis privilégiés. Elles ne doivent pas penser que, n'étant pas appelées à une vie communautaire, elles n'ont pas de place, de don ni de vocation. Leur don est autre. Elles sont appelées à être des témoins de l'amour d'une autre façon. Et elles vivent une certaine vie communautaire avec des amis ou des groupes qu'elles retrouvent régulièrement.

⁂

« Beaucoup recherchent la communauté par crainte de la solitude. Leur incapacité de s'isoler les pousse vers les autres. De même certains chrétiens, qui ne supportent pas d'être seuls par suite de mauvaises expériences avec eux-mêmes, espèrent trouver de l'aide dans la compagnie d'autres hommes. Le plus souvent ils sont déçus, et ils accusent la communauté alors qu'ils devraient s'accuser eux-mêmes. La communauté chrétienne n'est pas un sanatorium spirituel... Que celui qui ne sait pas être seul se garde de la vie communautaire... Mais l'inverse est aussi vrai : que celui qui ne sait pas vivre en communauté se garde de la solitude. » [2]

⁂

En écoutant Thérèse l'autre jour au cours d'une retraite, j'ai réalisé que la disponibilité de certains célibataires pouvait

2. Dietrich Bonhoeffer, *De la vie communautaire*, pp. 75-76, Foi vivante, N° 83.

être un engagement mystérieux. Elle a lu cette prière qu'elle avait écrite :

« Nous qui ne sommes pas engagés près de toi, Jésus, dans un célibat consacré ni dans le mariage, qui ne sommes pas engagés auprès de nos frères dans une communauté, nous venons renouveler notre alliance avec toi.

Nous continuons à suivre cette route sur laquelle tu nous as appelés mais dont tu ne nous donnes pas le nom, nous portons cette pauvreté de ne pas savoir où tu nous conduis.

Sur cette route il y a la blessure de n'être pas choisi, pas aimé, pas attendu, pas touché ; il y a la blessure de ne pas choisir, de ne pas aimer, attendre, toucher. Nous n'avons pas d'appartenance. Notre maison n'est pas un foyer : nous n'avons pas où reposer la tête.

S'il nous arrive devant les choix des autres, d'être impatients et dépressifs, malheureux devant leur efficacité, nous redisons cependant oui à ce chemin. Nous croyons qu'il est celui de notre fécondité, que c'est par lui qu'il faut passer pour grandir en toi. Parce que nos cœurs sont pauvres et vides, ils sont disponibles. Nous les faisons espace d'accueil pour nos frères. Parce que nos cœurs sont pauvres et vides, ils sont blessés. Nous laissons monter vers toi le cri de notre soif.

Et nous te rendons grâce, Seigneur, pour le chemin de fécondité que tu as choisi pour nous. »

⁂

Ceux qui ont des difficultés...

Je découvre de plus en plus combien il y a de gens seuls à qui leur solitude pèse. Ils entrent dans des communautés portant avec eux certains troubles émotifs et ce qu'on peut appeler un « mauvais caractère », qui est souvent le fruit de souffrances et d'incompréhensions. Il est bon que ces personnes puissent entrer dans une communauté qui sera pour elles un soutien, un lieu d'épanouissement et de croissance. Mais il est évident qu'elles vont y souffrir et faire souffrir. Elles ont besoin de communautés peut-être un peu plus structurées, où il n'y ait pas trop de partage ni de réunions d'écoute qui risqueraient de les faire exploser. Elles ont besoin de solitude et de travail. Il serait dommage que les communautés n'acceptent que des gens parfaitement équilibrés, souples, ouverts, disponibles, etc. Ceux qui ont des difficultés ont le droit d'avoir cette possibilité de vie communautaire. Mais ce n'est pas n'importe quelle communauté qui peut les accueillir. C'est pourquoi il faut des communautés avec des structures différentes pour accueillir des personnes ayant des besoins différents.

*
**

L'appartenance à deux communautés

A notre époque, de plus en plus de gens appartiennent à deux communautés. C'est le cas en particulier de religieuses qui ont passé parfois de longues années dans leur propre communauté et qui s'engagent dans une autre. Il se peut que cette double appartenance marche très bien. La première communauté est alors comme la communauté-mère avec qui la personne garde des liens profonds tout en s'épanouissant dans sa nouvelle communauté. Mais cette double appartenance présente des dangers et des risques, particulièrement quand la personne a quitté la « communauté-mère » avec un sentiment de déception, de colère, de frustration peut-être non exprimé et qu'elle a cherché alors un lieu où pouvoir mieux vivre et exprimer son idéal. Cette personne prend peu à peu ses distances par rapport à la communauté-mère, mais elle n'a souvent pas la liberté de cœur nécessaire pour s'engager pleinement dans sa nouvelle communauté. Parce qu'elle a peur d'être déçue une seconde fois, elle ne laisse pas son cœur être touché. Elle réserve une partie de son cœur et de son être pour elle-même afin de ne pas être trop vulnérable et de ne pas souffrir au cas où cela ne marcherait pas. Même dans les meilleurs cas, il y a une difficulté : quand son cœur est de plus en plus dans la deuxième communauté, la personne ne sait plus quels types de liens garder avec la communauté-mère.

*
**

Quand quelqu'un entre en communauté, il est généralement dans un état de disponibilité où on peut lui demander n'importe quoi. C'est vrai qu'en entrant en communauté, il y a comme une grâce d'enfant. On a lâché des responsabilités et des repères qui nous permettaient de juger et on entre dans un monde nouveau. C'est normal alors qu'on ait cette attitude d'ouverture. C'est comme une nouvelle naissance. Ce temps de l'enfance, où l'on est naïf, disponible et ouvert, dure plus ou moins longtemps. Après un certain temps on commence à porter des jugements et à se mettre sur la défensive. Le risque pour ceux qui quittent une communauté pour entrer dans une deuxième est d'arriver avec un esprit d'adulte et non un esprit d'enfant. Ils viennent pour rendre service. Ils savent déjà comment faire. Je me demande vraiment si on peut s'engager dans une communauté si on ne vit pas à nouveau une période d'enfance.

Chapitre 3

CROISSANCE

Une communauté grandit tout comme l'enfant

Nous sommes, chacun de nous, en voyage : le voyage de la vie. Chacun de nous est un pèlerin sur cette route. La croissance humaine, du petit enfant dans le sein de sa mère jusqu'au jour de la mort, est à la fois très longue et très courte. Et elle se situe entre deux faiblesses : la faiblesse du tout petit enfant et celle du mourant.

Sur le plan de l'activité, il y a croissance, puis décroissance. L'enfant, l'adolescent cheminent vers la maturité de l'adulte. Il leur faut de longues années pour arriver à cette maturité qui implique une certaine autonomie et une force. Puis arrivent les maladies et les fatigues et on devient de plus en plus dépendant jusqu'à cette dépendance totale où on redevient comme un petit enfant.

Si sur le plan de l'activité et de l'efficacité il y a croissance puis décroissance, sur le plan du cœur et de la sagesse il peut y avoir une croissance continuelle. Dans cette croissance du cœur, il y a des stades précis : le tout petit enfant vit de l'amour et de la présence, le temps de l'enfance est celui de la confiance ; l'adolescent vit de générosité, d'utopies et d'une espérance ; l'adulte réalise, s'engage, assume des responsabilités, c'est le temps de la fidélité. Finalement le vieillard retrouve le temps de la confiance qui est aussi sagesse. Le vieillard, incapable de grandes activités, a du temps pour regarder, contempler, pardonner. Il a le sens de ce qu'est la vie humaine, de l'acceptation de la réalité. Il sait que vivre ce n'est pas seulement faire et courir, mais que c'est aussi accueillir et aimer. Il a en quelque sorte dépassé le stade où on doit prouver par l'efficacité.

Entre chacun de ces stades, il y a des étapes à franchir ; chacune implique une préparation et une éducation, chacune se fait avec plus ou moins de souffrance.

La vie humaine est ce voyage, ce cheminement, cette croissance vers un amour plus réaliste et plus vrai ; elle est un voyage vers l'unité. En effet, si le tout petit enfant est unifié dans sa faiblesse et dans sa relation avec sa mère, plus il grandit, plus des divisions apparaissent en lui entre sa vie affective et sa vie relationnelle, entre son vouloir et ses tendances psychologiques ou ses pulsions, entre l'intériorité et l'extériorité, entre ce qu'il vit et ce qu'il dit, entre ses rêves et la réalité. Avec sa croissance vers l'autonomie, les peurs par rapport à sa faiblesse, à sa vulnérabilité et ses limites, à la souffrance et à la mort, deviennent plus conscientes tout comme les barrières autour de sa vulnérabilité. Le voyage de chacun de nous est un voyage vers l'intégration de notre être profond avec nos qualités et nos faiblesses, nos richesses et nos pauvretés, notre lumière et nos ténèbres.

*
**

Croître, c'est émerger peu à peu d'une terre où notre vision est limitée, où nous sommes gouvernés par une recherche de plaisir égoïste, par nos sympathies et antipathies, pour marcher vers des horizons illimités, vers un amour universel, où nous aimerons tous les hommes et désirerons leur bonheur.

*
**

De même que dans la vie humaine il y a des étapes successives à passer, de même dans la vie d'une communauté il y a des étapes qui demandent elles aussi chacune une préparation, une éducation, et qui se font avec plus ou moins de souffrance.

Il y a l'étape de la fondation, puis celle de la mise en orbite et du quotidien ; il y a le temps du vieillissement où on retrouve beaucoup d'anciens épris des valeurs du passé, il y a le temps de la fidélité. Ces étapes ne sont pas aussi claires que dans la vie humaine mais elles sont là néanmoins. Il y a différentes étapes dans la façon d'exercer l'autorité, dans l'évolution des structures de décision. La communauté et ses responsables doivent être vigilants pour bien faire ces passages.

Beaucoup de tensions en communauté viennent de ce que les uns ou les autres refusent de grandir, car la croissance d'une communauté implique la croissance de chaque personne. Il y en a toujours qui résistent aux changements ; ils refusent l'évolution. De même, dans la vie humaine, beaucoup refusent la croissance et les exigences d'une nouvelle étape ; ils veulent rester enfants ; ils demeurent adolescents ; ils refusent de vieillir.

La communauté est toujours en croissance.

***

Il n'est pas plus facile de vivre en communauté après vingt ans de vie communautaire qu'au début. Au contraire, celui qui entre en communauté est un peu naïf : il est plein d'illusions, il a la grâce nécessaire pour s'arracher à une vie individuelle et égoïste.

Celui qui marche depuis vingt ans en communauté sait que ce n'est pas facile. Il est très conscient de ses propres limites et de celles des autres. Il sait tout le poids de son propre égoïsme.

La vie communautaire est un peu cette marche dans le désert vers la terre promise, vers la libération intérieure. Le peuple juif n'a commencé à murmurer contre Dieu qu'après le passage de la Mer Rouge. Avant, il était pris par les aspects extraordinaires ; il était réveillé par l'aventure, le goût du risque et tout semblait préférable au fardeau de l'esclavage.

C'est seulement plus tard, quand il eut oublié ce que c'était que d'être tyrannisé par les Egyptiens et quand l'extraordinaire eut fait place à un quotidien ordinaire et régulier, qu'il a murmuré contre Moïse. Il en avait assez.

C'est facile de maintenir la flamme de l'héroïsme au moment de la fondation d'une communauté ; la dialectique avec l'environnement stimule les cœurs généreux. On ne veut pas se laisser abattre.

C'est bien plus difficile quand les mois et les années ont passé et qu'on se trouve confronté à ses propres limites. L'imagination n'est plus stimulée par des aspects héroïques et le quotidien apparaît si fade. Très vite les choses dont on se croyait détaché reviennent comme des séductrices : le confort, la loi du moindre effort, le besoin de sécurité, la peur d'être dérangé. Et on n'a plus la force de résister : on a moins de force pour contrôler sa langue et pour pardonner ; des barrières se dressent et on s'isole.

Des mauvaises langues disent que la communauté commence dans le mystère et se termine dans l'administration. Ce n'est peut-être pas entièrement faux, hélas ! Tout le défi d'une communauté qui grandit est d'adapter ses structures pour qu'elles soient toujours au service de la croissance des personnes, des buts essentiels de la communauté et non à celui d'une tradition à conserver ou encore moins d'une autorité ou d'un prestige à préserver.

De nos jours, on oppose esprit et structures. Oui, le défi est de créer des structures en fonction de l'esprit, qui soient nourrissantes en elles-mêmes. Il y a une façon d'exercer l'autorité, de discerner et même d'administrer des finances qui sont selon l'Evangile et les béatitudes et par là, sources de vie.

Communauté veut dire communion de cœur et d'esprit ; c'est un réseau de relations ; mais la relation implique qu'on réponde aux cris de nos frères et sœurs, qu'on soit responsable d'eux. Et cela est exigeant et dérangeant.

C'est pourquoi très facilement on remplace la relation et les exigences qu'elle implique par la loi, le règlement et l'administration. Il est plus facile, plus à la mesure humaine d'obéir à une loi que d'aimer. C'est pour cela que certaines communautés se terminent dans les règlements et l'administration au lieu de croître dans la gratuité, l'accueil et le don.

***

De l'héroïsme au quotidien...

La fondation d'une communauté est chose assez simple. Il y a plein de personnes courageuses, en quête d'héroïsme, prêtes à coucher par terre, à travailler de longues heures pendant la journée, à vivre dans des maisons délabrées. C'est facile de faire du camping ; tout le monde est prêt à vivre à la dure pendant un certain temps. Le problème n'est pas de démarrer la communauté — il y a toujours suffisamment d'énergie pour faire décoller la fusée — mais d'arriver sur orbite et de vivre le quotidien souvent fastidieux, de vivre avec des frères et sœurs que nous n'avons pas choisis mais qui nous ont été donnés et de tendre avec toujours plus de vérité vers les buts de la communauté.

Une communauté qui n'est qu'une fusée d'héroïsme n'est pas une vraie communauté. Celle-ci implique un style de vie, une attitude, une façon de vivre et de regarder la réalité ; elle implique surtout la fidélité dans le quotidien.

Ce quotidien est fait de besognes simples : préparer les repas, salir et nettoyer la vaisselle, la ranger, vivre les réunions. Il est fait de dons, de joies et de fêtes.

Une communauté n'est en voie de création que lorsque ses membres ont accepté de ne pas faire de grandes choses, de ne pas être des héros, mais de vivre chaque jour avec une espérance nouvelle, comme des enfants regardant avec émerveillement le lever du soleil et rendant grâces à son coucher. Elle n'est en voie de création que lorsqu'ils ont reconnu que la grandeur de l'homme est d'accepter sa petitesse, sa condition humaine, sa terre et de rendre grâce à Dieu d'avoir mis dans un corps limité des semences d'éternité qui se manifestent à travers les petits gestes quotidiens d'amour et de pardon.

La beauté de l'homme est dans cette fidélité à l'émerveillement de chaque jour.

⁂

La prise de conscience intellectuelle

Après le temps de l'héroïsme et de la lutte, après les premiers temps d'émerveillement, il y a le temps de la prise de conscience intellectuelle de l'identité de la communauté et de sa place dans la société, dans l'Eglise, dans l'histoire même de l'humanité. Une vision ou une compréhension intellectuelle sont importantes dans la vie d'une communauté. Mais cette conscience intellectuelle doit toujours jaillir de l'émerveillement et de l'action de grâces ; ceux-ci doivent être au cœur d'une communauté. Sinon, c'est le vieillissement prématuré.

⁂

Les philosophes hégéliens et marxistes prennent comme point de départ non pas l'émerveillement mais le combat contre l'injustice et la lutte des classes. C'est pour cela qu'il ne peut pas y avoir de communauté fondée sur les principes marxistes. Il n'y a que des regroupements de militants. Dès qu'on s'unit uniquement pour la lutte, il n'y a plus ce regard d'amour et de confiance les uns pour les autres dans l'action de grâces.

Une communauté doit toujours rester une communauté d'enfants, mais d'enfants qui aient une conscience intellectuelle et une vision. Une communauté qui tend à devenir une communauté d'adultes, de « sages » et de « prudents » qui veulent mener la lutte, perd très vite le sens de la communauté et devient un groupe d'hyper-actifs qui se perdent dans la bataille.

⁂

La critique marxiste des communautés est parfois difficile à supporter et beaucoup de communautaires y succombent. Ils ont peur d'être traités de « bourgeois », de « faibles », « de gens qui ont peur de la lutte ».

La vision des communautaires est une vision à long terme. Ils croient à une croissance lente. Les marxistes veulent la révolution. Mais au terme de cette révolution ils ne savent pas ce qu'ils veulent. Les communautaires recherchent à vivre maintenant ce que les marxistes désirent « à terme ».

Il faut du courage pour résister à ces critiques. Il y a en l'homme un désir secret d'être considéré comme un héros, un saint, un martyr. Il a peur d'être un enfant, d'être lui-même.

*
**

Plus une communauté grandit, s'enracine, plus elle doit découvrir son sens profond car toute communauté porte en elle-même une intelligence des choses. Plus une communauté est vivante, faite de relations humaines authentiques, plus elle est une communauté de vie avant d'être un regroupement de gens qui font des choses, plus elle doit donner un sens aux questions fondamentales de l'homme : souffrance et mort, mariage, sexualité, place de l'homme et de la femme, autorité, sens de Dieu et place de la prière et de la religion, pauvreté et richesses, professionnalisme (ou technicité) et gratuité (ou cœur), espérance et angoisse, normalité et anormalité, injustices dans le monde, etc. Et elle doit utiliser des symboles pour signifier le sens ou l'intelligence qu'elle donne à ces réalités fondamentales. Car on ne peut grandir ensemble en communauté et approfondir nos relations sans aborder quelque part ces questions. La tradition de la communauté doit être une des façons de véhiculer une réponse à ces questions. Mais on doit prendre peu à peu conscience de la signification et de l'intelligibilité de cette tradition.

*
**

De la monarchie à la démocratie

Plus une communauté grandit, plus il faut être attentif à adapter les structures en les faisant évoluer. A l'origine d'une communauté, il y a généralement un fondateur qui agit comme un monarque, un chef qui décide tout. C'est lui qui a une certaine vision de ce que doit être la communauté, et il décide tout en fonction dc cette vision. Au fur et à mesure que d'autres le rejoignent, entrent dans son projet, et que la vie naît au sein de la communauté, celui qui en a été à l'origine doit apprendre à se « déposséder » de « sa » communauté, de « son » projet, pour devenir un membre parmi d'autres de cette communauté. Les structures doivent évoluer vers une démocratie où le chef, tout en gardant la vision essentielle, coordonne.

Si le chef n'aide pas ce passage vers la démocratie ou plutôt vers un vrai discernement communautaire, il risque d'étouffer des capacités dans le cœur des uns et des autres. Certains, qui ont de réelles possibilités de croissance au plan de la responsabilité et de l'intelligence resteront comme morts dans ces parties de leur être, et demeureront toute leur vie des exécutants peu épanouis.

Cette évolution des structures se fait parce que la communauté s'accroît et que ses membres grandissent spirituellement, s'approfondissent dans leur engagement et sont capables d'assumer de plus en plus de responsabilités. A l'Arche, nous revoyons notre constitution [1] assez régulièrement et je crois que c'est une bonne chose. Je crains que certaines communautés n'étouffent leurs membres faute de savoir modifier leurs structures pour que l'essentiel de la communauté soit mieux vécu.

***

1. A l'Arche, nous avons une charte qui définit les buts de la communauté et une constitution qui définit les instances de décision et le mode de gouvernement.

Il est important que les personnes aient des projets personnels et des responsabilités qui leur permettent de prendre des initiatives. Mais il est important que ces projets personnels soient confirmés par la communauté ou qu'ils jaillissent du discernement communautaire. Sinon, ils iront à l'encontre de la communauté. Ce sera le projet d'une personne en train de vouloir prouver qu'elle sait mieux que la communauté, ou en train de dire qu'elle veut s'en séparer. Il y a souvent dans les communautés de ces personnes qui se croient supérieures, qui pensent être des sauveurs. Le discernement communautaire implique que tous les membres de la communauté, ou au moins les responsables, essaient de voir où sont les véritables projets de la communauté et dans quelle direction aller. Dans ce domaine, il faut surtout qu'il n'y ait ni passion ni volonté de convaincre les autres et faire prévaloir ses propres idées. Il s'agit que tous écoutent les idées des uns et des autres et peu à peu, sans passion, la vérité se dégage. Cela peut prendre beaucoup de temps, mais cela en vaut la peine, parce qu'à ce moment-là, chacun dans la communauté adhère personnellement au projet.

***

Certaines communautés semblent parfois fondées par des personnes qui ont comme un besoin d'être le chef, de prouver quelque chose, de faire « leur » communauté, « leur » projet. Il faut toujours aider les fondateurs à ne pas tomber dans ce piège et à clarifier leurs motivations. Dès l'origine il faut éviter qu'ils soient seuls. Il vaut mieux qu'une communauté soit fondée par deux ou trois personnes qui discernent ensemble et se contrôlent mutuellement. Sinon le fondateur risque de se lancer à fond dans cette création : il fait tout et devient possessif par rapport à cet « enfant ». Il n'entend aucune critique et n'écoute que les flatteurs (et il y en a toujours autour des communautés). Une communauté mourra d'asphyxie si son fondateur tend à étouffer les personnes qui sont venues l'aider, ses frères et sœurs, à ne pas leur faire confiance, à ne pas partager avec eux les responsabilités, à ne pas les laisser prendre d'initiatives.

Si celui qui commence une communauté le fait dans un désir de prouver quelque chose à travers « l'enfant » qu'il aura créé, il y a là un orgueil, quelque chose de malsain qui doit mourir. Une communauté est pour les personnes qui y vivent, non pour le fondateur. La responsabilité est une croix qu'il porte mais qu'il doit très vite partager afin que les dons de chacun puissent se manifester. Si le fondateur n'apprend pas peu à peu à disparaître, la communauté mourra ou sera obligée de le rejeter.

⁂

Je rencontre de temps en temps des personnes qui veulent créer une communauté. Après quatorze ans d'expérience de vie communautaire, je ne conseillerais à personne de créer une communauté — sauf, bien sûr, exceptions fondées sur des signes de Dieu. Je conseillerais plutôt à ces personnes d'aller vivre dans une communauté existante, puis, quand le moment sera venu, elles seront envoyées par cette communauté pour en fonder une autre. Quand on crée une communauté, on a besoin d'avoir un sentiment d'appartenance et d'envoi. On a besoin de quelqu'un qui nous confirme, nous soutienne, nous contrôle, et nous conseille. Ainsi les premières communautés chrétiennes ont été fondées par des hommes qui faisaient partie de la communauté des apôtres et des disciples qui étaient en prière le jour de la Pentecôte avec Marie, la Mère de Jésus. Ils avaient été envoyés et confirmés par le collège des apôtres.

⁂

L'ouverture au quartier et au monde

Avant de fonder une communauté, il est important de prendre contact avec le village ou le quartier d'implantation. Trop de communautés naissent sans avoir pris ces contacts préalables. Et si ces communautés accueillent des personnes handicapées ou en détresse, c'est la catastrophe. Les voisins et l'entourage la rejettent. La communauté n'est plus signe, elle devient abcès. Si les fondateurs avaient pris du temps pour expliquer aux voisins leur projet, il y aurait eu un accueil plus compréhensif. Et si des personnes handicapées du village même peuvent être accueillies, la communauté devient alors pleinement intégrée. Ce n'est pas une perte de temps de passer plusieurs mois à créer des contacts et des liens d'amitié avec les voisins avant de commencer.

*
**

Pour qu'une communauté devienne signe, il faut que ses voisins la voient comme un apport positif pour le quartier ou le village. Il est bon dans une communauté d'avoir quelqu'un qui puisse aider les vieillards ou les malades, et que la maison soit toujours ouverte, comme un refuge, à ceux qui souffrent et sont dans le besoin.

*
**

Plus une communauté s'approfondit et grandit, plus elle doit s'insérer dans le quartier. Au début, une communauté est comme contenue entre les quatre murs de la maison. Mais peu à peu, elle s'ouvre aux voisins, aux amis. Certaines communautés s'affolent quand elles commencent à sentir que leurs voisins cherchent à s'engager avec elles. Elles ont peur de perdre leur identité, de perdre le contrôle.

Mais n'est-ce pas là la véritable expansion de la communauté ? Il est important à certains moments de faire tomber les murs de la communauté. Cela implique que chacun respecte l'engagement de l'autre et que les responsabilités et les droits de chacun soient clairement explicités. Chacun devient responsable des autres pour une certaine part. Il faut que les uns et les autres apportent dans la gratuité quelque chose aux autres et que de véritables liens se tissent. C'est ainsi qu'une petite communauté peut devenir peu à peu le levain dans la pâte, un lieu d'unité entre tous et pour tous.

Il est certain qu'au fur et à mesure qu'une communauté s'enracine dans un quartier, qu'elle prend de l'extension, que des voisins s'y impliquent, elle découvre que certaines lois du pays et certaines injustices empêchent la croissance des personnes, et en particulier des minorités défavorisées. La communauté est alors amenée à prendre position sur le plan politique. Elle cherche à modifier les lois et à lutter contre les injustices. Elle sera peut-être mal vue par le gouvernement du pays et il se peut que l'opposition cherche à tout prix à la récupérer dans sa lutte. Il est difficile pour une telle communauté de trouver son chemin entre ces deux extrêmes.

⁂

Margarita Mayano nous rappelait à l'Arche que le papillon, pour sortir, doit briser le cocon et que l'enfant qui naît commet une violence. Pour accoucher d'une nouvelle société, il faut parfois certaines violences. Mais celles-ci doivent jaillir de la communion et de la confiance et les renforcer.

⁂

Une communauté qui grandit découvre peu à peu qu'elle n'est pas là pour elle-même. Elle appartient à toute l'humanité, elle est pour toute l'humanité. Elle a reçu un don qu'elle doit faire fructifier pour tous les hommes. Si elle se ferme sur elle-même, elle mourra d'asphyxie. Une communauté qui commence est comme une semence qui doit grandir et devenir un arbre qui donnera du fruit en abondance et dans lequel tous les oiseaux du Ciel pourront venir faire leur nid. Elle doit ouvrir grand ses bras et ses mains pour donner gratuitement ce qu'elle a reçu gratuitement.

Une communauté doit toujours se rappeler qu'elle est un signe et un témoignage pour tous les hommes. Les membres doivent être fidèles les uns aux autres pour assurer leur croissance mutuelle mais aussi pour être un signe et une source d'espérance pour tous les hommes.

La communauté qui a commencé comme une semence doit se rappeler que cette semence est venue d'un fruit poussé sur un arbre né d'une autre semence. Une communauté est née de pères et de mères et donnera des fils et des filles. Elle fait partie d'une lignée de générations ; elle est un petit chaînon dans la grande chaîne de l'humanité. Il faut que ce chaînon soit beau, solide et vivant.

***

Une communauté doit être à la fois séparée de la société humaine et ouverte. Dans la mesure où elle vit des valeurs différentes de celles qui sont propagées dans la société, elle en sera nécessairement séparée. Si elle est trop ouverte elle ne pourra jamais conserver et approfondir ses propres valeurs ; elle n'aura pas d'identité ou de vie propre. Mais si elle est trop fermée, elle ne pourra pas grandir ; elle ne pourra pas voir les valeurs réelles qui existent dans la société, chez les autres. Elle entrera dans une dialectique : « J'ai raison, ils ont tort ». Elle sera incapable de voir les ténèbres et les erreurs en elle-même. Une communauté est appelée à grandir peu à peu dans la relation avec d'autres, avec les gens du quartier. Ainsi, à travers ces nouveaux amis, la communauté grandira, chacun aidant l'autre à croître. Il n'y en a pas un qui ait raison et les autres tort mais tous sont là pour s'entraider.

Dans l'Eglise j'ai l'impression qu'à une époque les ordres religieux ont été trop fermés sur eux-mêmes. Ils mouraient d'asphyxie. Ils l'ont senti et se sont ouverts à la société. Mais certains sont peut-être allés trop vite ; ils ont commencé par quitter leurs habits religieux pour être plus proches des gens, mais ils ont quitté aussi leurs traditions, le sens de leur fondation ; ils ont perdu leur identité ; il n'y avait plus de communauté.

Quand une communauté sent qu'elle est en train de mourir, ce n'est pas le moment de changer les choses extérieures, le règlement ou l'habit ; sinon plus rien ne tiendra les personnes ensemble. C'est le moment de se renouveler intérieurement, de reprendre confiance dans les relations personnelles et la prière, et de rester proches des pauvres et de ceux qui sont dans la détresse.

L'épreuve : une étape dans la croissance

L'épreuve est un facteur de croissance dans la communauté. Par épreuve, j'entends tout ce qui est difficile, tout ce qui est pauvreté, persécution, tout ce qui disloque la communauté et révèle sa faiblesse, les tensions et les luttes intérieures et extérieures, toutes ces difficultés qui viennent d'une nouvelle étape à franchir.

Pour créer la communauté, il faut lutter contre toutes sortes d'éléments, mais une fois que la communauté est en route, certaines énergies semblent disparaître et on cherche très vite des compensations dans le confort, la sécurité, les distractions et dans des compromis avec d'autres valeurs.

Dans une communauté thérapeutique, c'est très visible : au début, on prend des gens difficiles, dépressifs, qui cassent des carreaux. Puis, peu à peu, tout le monde s'apaise, et si un « casseur de carreaux » arrive, on ne peut plus l'accepter. Les énergies qui étaient présentes à un moment pour faire face à toutes sortes de difficultés et assumer les gens difficiles ont disparu. Un moment vient où on se trouve bien ensemble et cette suffisance est déjà une baisse du tonus de l'unité. C'est pour cela que les épreuves sont importantes dans une communauté, parce qu'elles nous obligent à retrouver ce tonus, cette énergie, pour faire face à la difficulté et retrouver un sentiment d'urgence.

***

Une communauté qui s'enrichit et ne cherche plus qu'à défendre ses biens et sa réputation est en passe de mourir. Elle a cessé de grandir dans l'amour. Une communauté vit quand elle est pauvre, quand ses membres sentent qu'ils doivent travailler ensemble, être unis, ne serait-ce que pour le pain quotidien, et quand chacun réalise que, s'il ne travaille pas, les autres vont « trinquer » !

***

C'est souvent quand une communauté est sur le point de se disloquer que les gens commencent à accepter le dialogue et à se regarder dans les yeux, car ils réalisent que c'est une question de vie ou de mort ; si on ne fait pas quelque chose de décisif et radicalement différent, tout va disparaître. Il faut souvent aller jusqu'au creux de l'abîme pour atteindre l'instant de vérité, reconnaître sa pauvreté, son besoin des uns et des autres, et crier au secours vers Dieu.

L'épreuve unifie la communauté dans la mesure où il existe une confiance assez forte pour l'accueillir. Si un membre de la communauté est très gravement blessé dans un accident, les agressivités et les petits intérêts personnels disparaissent. Ce choc approfondit l'unité et met devant l'essentiel. Une solidarité nouvelle renaît pour mieux supporter l'épreuve et la dépasser.

***

Les épreuves qui brisent une sécurité superficielle libèrent souvent de nouvelles énergies qui étaient jusque-là cachées. A partir de cette blessure la communauté renaît dans l'espérance.

***

Les tensions

Les tensions sont des moments nécessaires dans la croissance et l'approfondissement d'une communauté. Elles résultent des conflits personnels, conflits nés du refus de la croissance et de l'évolution personnelle et communautaire, conflits entre les égoïsmes des différentes personnes dus à la baisse de la gratuité de l'ensemble de la communauté, aux tempéraments différents et aux difficultés psychologiques de chacun. Ces tensions sont naturelles. Il est normal qu'on soit angoissé quand on est mis en face de ses limites et de ses propres ténèbres, quand on découvre sa blessure profonde. Il est normal qu'on soit tendu devant des responsabilités croissantes auxquelles on a du mal à faire face, parce qu'on se sent insécurisé. Devant les morts successives de ses intérêts propres on crie intérieurement. Il est normal qu'on se rebiffe, qu'on ait peur, qu'on marque le pas, qu'on n'avance plus, qu'on soit tendu devant de nouveaux membres difficiles, qui ne sont pas encore libérés de leurs peurs et de leurs agressivités.

Il est normal qu'à certains moments il y ait une baisse de nos propres forces de gratuité à cause de la fatigue, de tensions personnelles, de souffrances diverses. Il y a mille raisons à ces tensions.

Chacune de ces tensions met la communauté tout entière et chacun devant sa pauvreté, ses incapacités, ses lassitudes, ses agressivités et ses attitudes dépressives. Cela peut devenir un temps important, celui d'une prise de conscience que le trésor de la communauté est en danger. Quand tout va bien, quand la communauté croit vivre un succès, ses membres risquent de se relâcher dans leurs énergies d'amour. Ils sont moins à l'écoute de l'autre. Les tensions les obligent à revenir à la réalité de leur pauvreté et à prendre les mesures adéquates de prière, de dialogue, de patience et d'effort pour surmonter la crise et retrouver l'unité perdue. Elles leur font comprendre que la communauté est plus qu'une réalité humaine, qu'elle a besoin de l'esprit de Dieu pour vivre et s'approfondir. Elles marquent aussi souvent des étapes nécessaires vers une unité plus grande, en révélant des failles qui obligent à une rééducation, une réorganisation, une plus grande humilité. L'explosion parfois brutale ne fait que révéler une tension réelle qui était latente. Ce n'est que lorsque la tension éclate qu'on peut essayer d'en soigner la cause jusque dans ses racines.

*
**

Il n'y a rien de plus préjudiciable à la vie communautaire que de masquer les tensions, de faire comme si elles n'existaient pas, de les cacher derrière des marques de politesse et de fuir la réalité et le dialogue. Une tension ou un trouble peuvent être le signe de la venue prochaine d'une nouvelle grâce de Dieu. Ils annoncent un passage de Dieu dans la communauté.

⁂

Souvent les tensions ou les épreuves viennent de ce que la communauté a perdu le sens de l'essentiel, la vision initiale, de ce qu'elle a été infidèle à l'appel de Dieu et à celui des pauvres. Elles constituent alors un nouvel appel à la fidélité. Pour retrouver la paix, il faut que la communauté demande pardon à Dieu et le supplie de lui donner la lumière et une force nouvelle.

⁂

Il s'agit d'accepter ces tensions, comme un fait quotidien, en essayant de les résoudre dans une recherche d'approfondissement et de vérité. Et les résoudre ne signifie pas provoquer des confrontations hâtives. Ce n'est pas en faisant exploser ouvertement une tension en présence de tous les intéressés qu'on retrouvera l'unité. Faire prendre conscience à quelqu'un de ses limites, de son égoïsme, de sa jalousie, de son incapacité de dialogue, ne l'aide pas nécessairement à les dépasser. Cela peut au contraire l'enfermer dans une angoisse encore plus grande, proche du désespoir.

D'une façon générale, on ne peut faire prendre conscience à quelqu'un de ses limites que si en même temps on l'aide à trouver la force de les dépasser, à découvrir toutes ses capacités d'amour, de bonté et d'action positive, et à reprendre confiance en lui-même et en l'Esprit Saint. Personne ne peut accepter le mal de son être s'il ne se sent pas aimé et respecté par ailleurs, s'il ne sent pas qu'on a confiance en lui. Personne ne peut réfréner ses instincts égoïstes et ses peurs s'il n'a pas été amené à découvrir qu'il est aimable. C'est là le rôle du responsable : saisir la beauté et la valeur d'une personne tendue et agressive et aider les membres de la communauté à faire de même. Ainsi, peu à peu, cette personne sentant qu'elle est non pas rejetée, mais acceptée et aimée, pourra laisser fleurir ses énergies positives au service des autres. Et lorsque les peurs diminuent, que les personnes commencent à s'écouter les unes les autres sans préjugé, sans rejet a priori, qu'elles commencent à comprendre pourquoi tel ou tel agit de telle façon, les tensions disparaissent. Il s'agit d'accepter les autres et de les aimer avec leur égoïsme et leur agressivité. Cette acceptation mutuelle, qui peut devenir peu à peu un accueil vrai de l'autre, demande du temps et de la patience. Elle peut demander de multiples rencontres, des entrevues parfois laborieuses, des dialogues délicats, comme elle peut demander une acceptation silencieuse, paisible, faite de tendresse.

Il ne faut ni cacher les tensions, ni les faire exploser prématurément, mais les aborder avec beaucoup de délicatesse, une confiance et une espérance très grandes, sachant qu'il faudra souffrir. Il faut les aborder avec une patience et une compassion profondes, sans panique, ni optimisme naïf, mais avec une attitude réaliste faite d'écoute et de recherche de la vérité.

⁂

Des tensions viennent de ce que certains sont trop figés dans leur opinion. Avec le temps, ils s'ouvrent, découvrent d'autres dimensions de la réalité, leur vision se modifie et les tensions disparaissent. C'est pour cela qu'il faut être patient en face des tensions et ne pas vouloir toujours les résoudre rapidement. Si on veut agir rapidement on risque de pousser des gens à exagérer leur point de vue au lieu de l'assouplir.

⁂

Certaines tensions en communauté viennent de ce que la communauté contient des valeurs presque opposées. Le génie de la communauté est d'essayer de les harmoniser. C'est ainsi qu'à l'Arche on veut à la fois être une communauté chrétienne et travailler selon les exigences de l'Etat. Certaines personnes vivent telle valeur plutôt que telle autre et c'est bon, mais cela implique parfois une tension entre les personnes. Ces tensions diminuent au fur et à mesure que la communauté et les personnes atteignent une maturité et une sagesse humaines.

*
**

D'autres tensions viennent du fait que la communauté est en train d'évoluer et que de nouveaux dons ou de nouvelles réalités sont en train d'apparaître, qui exigeront peu à peu un nouvel équilibre, peut-être même une évolution des structures. Il ne faut surtout pas paniquer devant ces tensions qui ne peuvent pas toujours être clairement verbalisées. Il faut savoir attendre le moment où la communauté sera prête à aborder ces questions dans la paix et la vérité.

*
**

La croissance d'une personne vers l'amour et la sagesse est longue. Quand il s'agit d'une communauté, cette croissance se fait encore plus lentement. Les membres d'une communauté doivent toujours être amis du temps, savoir que beaucoup de choses se réaliseront pourvu qu'on leur donne le temps nécessaire. Ce peut être une grave erreur de vouloir, au nom de la clarté et de la vérité, brusquer les choses et les clarifier trop vite. Il y a parfois des personnes qui aiment les confrontations et les manifestations de divisions. Ce n'est pas toujours sain. Il vaut mieux être ami du temps. Mais il est bien évident que chaque personne doit être vigilante pour ne pas escamoter les problèmes en refusant d'entendre les mécontentements qui existent dans une communauté et prendre conscience des tensions.

*
**

Beaucoup de tensions viennent de ce qu'on n'accepte pas que l'autorité ait des failles. On cherche toujours le « père » ou la « mère » idéal et la déception suscite l'angoisse. Ces tensions sont bonnes ; il faut que chacun découvre que l'autorité est aussi une personne et qu'elle peut se tromper sans pour autant qu'on perde confiance en elle. Chaque personne doit grandir en maturité et trouver une relation authentique et libre avec l'autorité. Mais il faut aussi que l'autorité soit prête à évoluer, à avoir moins peur.

Dans beaucoup de communautés, il y a une personne plus fragile, plus difficile, qui semble catalyser l'agressivité de toutes les autres. C'est toujours sur elle qu'on tombe, c'est toujours elle qu'on critique, ou dont on se moque. Chaque membre de la communauté, dans un coin caché de son être, a des sentiments de frustration et parfois de culpabilité. Ces sentiments peuvent très vite prendre la forme d'une certaine angoisse, celle de se sentir mal dans sa peau. On projette alors sur un autre, plus faible, ses propres limites et lâchetés. Dans beaucoup de communautés, on trouve ce « bouc émissaire » des angoisses personnelles et collectives.

Une fois que ce mouvement de brimade ou de rejet est lancé, et que les agressivités sont déclenchées, il n'est pas facile de les arrêter. Et pourtant, pour la santé de la communauté, il est indispensable que ces attitudes de rejet soient détournées de leur cible, car il n'est pas possible qu'une communauté vive si un de ses membres est persécuté. Il faut alors qu'un autre, consciemment ou inconsciemment et sous l'inspiration de l'Esprit, commence à prendre sur lui ces agressivités. Ce peut être en faisant le pitre. Ainsi peu à peu l'agressivité brutale et méprisante est transformée et l'électricité de la tension disparaît dans la lumière du rire.

*
**

Le renvoi d'un frère ou d'une sœur

Certaines communautés se disloquent à cause de schismes et de zizanies internes. Il est frappant que, très vite, dans les toutes premières communautés chrétiennes, après le temps de la grâce et de l'unité, des divisions aient commencé à se faire sentir ; un esprit partisan est apparu. Certains étaient pour Paul, d'autres pour Apollos (I Corinthiens 3).

Saint Jean dans sa première Lettre parle de ces divisions profondes. Il y a eu de véritables scissions à l'intérieur de la communauté ; certains sont partis refusant la communion avec les autres frères, la doctrine des apôtres et en particulier l'autorité de Jean (I Jean 2, 19).

Judas lui-même a vécu avec les Onze et avec Jésus mais son cœur était plein de malice et de jalousie ; et bien avant que Satan ne l'ai amené à l'acte final de trahison, il était séparé des autres de par le cœur. Jésus l'avait appelé, mais, pour une raison que nous ignorons, il a voulu profiter du fait d'être de l'entourage de Jésus pour sa propre gloire et son projet personnel. Il ne s'agissait plus pour lui de servir Jésus avec les autres apôtres, mais d'utiliser Jésus pour ses propres fins d'orgueil.

A quel moment faut-il renvoyer une personne qui semble déjà totalement séparée, par le cœur, de la communauté tout en vivant à l'intérieur d'elle, qui sème un esprit de zizanie et cherche à influencer les plus faibles pour les attirer à elle et les utiliser à ses propres fins de destruction ? Ces personnes qui ont le cœur pénétré de jalousie sont souvent excessivement intelligentes et ont une grande capacité de saisir et d'exploiter la faille dans l'autorité légitime ou la vie communautaire. Elles se proposent alors comme des personnes clairvoyantes, capables de redresser les injustices et de sauver la situation. Elles ont un esprit séduisant et une dialectique habile pour créer des divisions, semer la pagaille et la confusion et affaiblir l'autorité. Les laisser continuer leur œuvre de division dans la communauté semble impensable, si toutes les tentatives de dialogue ont échoué. Les renvoyer, alors qu'elles ont marché longtemps avec la communauté, paraît tout aussi insupportable. Jésus dit cependant : « Si ton frère vient à pécher, va, reprends-le seul à seul. S'il t'écoute, tu auras gagné un frère. S'il ne t'écoute pas, prends encore avec toi une ou deux personnes pour que toute affaire soit établie sur le dire de deux témoins ou de trois. S'il ne les écoute pas, dis-le à l'Eglise, et s'il n'écoute pas non plus l'Eglise, qu'il soit pour toi comme le païen et le publicain. » (Matthieu 18, 15-17).

Seuls les responsables et les anciens de la communauté peuvent prendre la décision d'un renvoi. Mais en le faisant, ils doivent reconnaître aussi leur part de culpabilité. Peut-être n'ont-ils pas osé reprendre la personne ou dialoguer avec elle dès le début, quand les premières manifestations de division sont apparues ; ils ont alors laissé traîner la situation avec une certaine naïveté, espérant que tout s'arrangerait. Ils ont peut-être profité d'elle, de ses capacités sur le plan du travail. Mais le fait de reconnaître ses propres erreurs, peut-être trop tard, ne doit pas empêcher la communauté d'agir avec fermeté. Si quelqu'un est un scandale pour les plus jeunes de la communauté, il faut savoir s'en séparer. Jésus dit ailleurs : « Quiconque scandalise un seul de ces petits qui croient en moi, il serait de son intérêt qu'on lui suspende une meule d'âne autour du cou et qu'on le précipite dans les profondeurs de la mer. Malheur au monde à cause des scandales... Si ta main ou ton pied te scandalise, retranche-le et jette-le loin de toi, mieux vaut pour toi entrer dans la vie estropié ou boiteux qu'être jeté avec tes deux mains et tes deux pieds au feu éternel. » (Matthieu 18, 6 ; 8).

Mais en même temps, il ne faut pas que l'autorité crie trop vite au scandale et commence à renvoyer des personnes uniquement parce qu'elles contestent. C'est souvent d'ailleurs le refus d'écouter ces premières contestations qui provoque un blocage d'orgueil. Si on les avait écoutées, si on avait admis les faiblesses et parfois les erreurs de la communauté et si on avait mis en route les rouages nécessaires pour les rectifier, les contestations auraient peut-être vite disparu ou plutôt elles seraient devenues des forces de réforme positives.

Il ne s'agit pas pour l'autorité et la communauté de renvoyer des gens simplement parce qu'ils sont gênants, qu'ils ont un caractère difficile, qu'ils ne sont peut-être pas à leur place, et qu'ils les mettent en cause ; mais de renvoyer uniquement ceux qui se sont totalement coupés intérieurement de la communauté, qui sont un vrai danger de scandale en influençant certains contre l'autorité légitime et en sapant leur confiance en elle. Ces personnes divisent la communauté et la font dévier de ses buts premiers.

Dans ce domaine difficile des divisions et des schismes, il n'est pas possible d'établir la moindre règle, sauf celle de la patience, de la vigilance et de la fermeté, du respect des structures et des instances de dialogue. De fait, tant que la personne est bien entourée et ne peut répandre le venin de la zizanie, il n'y a pas de raison de la renvoyer. Il s'agit de la porter, de la supporter et de l'aider par les faibles moyens qu'on a. Ce n'est que lorsque cette personne commence à en influencer d'autres qu'il y a danger. Il faut que chaque personne dans la communauté soit constamment sur ses gardes pour ne pas déclencher consciemment ou inconsciemment la zizanie. Chacune doit constamment chercher à être un instrument d'unité. Cela ne veut pas dire, bien sûr, qu'il faille toujours être d'accord avec l'autorité. Mais il faut affronter l'autorité dans la vérité. Aucun de nous qui vivons en communauté n'est à l'abri d'une pointe d'orgueil née d'une susceptibilité froissée, mais qui peut, si on n'y fait pas attention, envahir tout l'être.

***

Le rôle de l'œil extérieur

De plus en plus je réalise que les communautés, petites ou grandes, ne peuvent s'en sortir toutes seules. Très souvent les membres n'arrivent pas à résoudre leurs tensions et ils ont besoin d'aide pour saisir l'évolution de la communauté et trouver de nouvelles structures aux diverses étapes de leur croissance. Il me semble que chaque communauté devrait avoir un « œil extérieur » qui vienne la visiter régulièrement ; quelqu'un à qui tous les membres de la communauté puissent parler si besoin est ; quelqu'un surtout qui puisse être un conseiller pour le ou les responsables, et aider la communauté à évoluer et à découvrir le message de Dieu caché dans les tensions.

***

Yves Bériot disait il y a quelque temps combien il est important d'avoir des personnes qui visitent nos communautés et aient un rôle d'éponges pour absorber l'angoisse. En effet, toute communauté se sent loin de son idéal, démunie devant les violences et les dépressions des personnes accueillies. On est tous loin de l'idéal des Evangiles. Cela entraîne cette angoisse latente et cette culpabilité qui réduisent l'élan de la créativité et incitent à la tristesse et au désespoir.

Les communautés ont besoin de cet « œil extérieur », qui vienne de temps en temps, encourager et dédramatiser, écouter et poser des questions. Les membres sont souvent tellement pris par l'immédiat qu'ils perdent la vision de l'ensemble. Ils ont besoin de cette personne qui leur pose des questions sur leur vision, leur pédagogie avec tel ou tel, leur façon de se réunir. Cette personne ne doit pas nécessairement être un expert, un spécialiste, un psychologue, mais une personne d'expérience ayant une connaissance de l'homme et des relations humaines, et aimant la communauté dans ses buts essentiels.

Cet œil extérieur ou « éponge » qui absorbe l'angoisse doit aider aussi les communautés à s'évaluer. Cette notion d'évaluation se rencontre peu dans les communautés en France. Aux Etats-Unis, cela est plus en usage. Il faut pouvoir occasionnellement et très librement évaluer sa propre vie communautaire, voir où il faut davantage faire porter ses efforts, sentir si on est en train de perdre sa créativité et de tomber dans des habitudes et des routines ; il faut évaluer les réunions, voir si elles sont vraiment nourrissantes et vivantes ou si elles sont une perte de temps.

⁂

Cet œil extérieur joue aussi le rôle de la mémoire. Il est toujours important que quelqu'un vienne de l'extérieur pour dire : « Tu te souviens ? », rappelant ainsi l'origine, l'histoire et les traditions, les jours de joie mais aussi les jours sombres.

Pour pouvoir faire des projets d'avenir, une communauté doit avoir bien assimilé son passé et avoir un sens des traditions.

***

L'autorité extérieure

Toute communauté a, à ses débuts, un fondateur qui donne l'esprit et la vision et assume la responsabilité finale. Mais au fur et à mesure que la communauté grandit et prend racine, il faut établir une charte qui définisse ses buts fondamentaux et son esprit, une constitution qui spécifie son mode de gouvernement (les structures d'autorité, qui décide quoi et par qui un nouveau responsable est élu ou nommé). Mais pour garantir la continuité de la communauté dans le temps, il faut une autorité extérieure qui empêchera un futur responsable de dévier de l'esprit en devenant un tyran qui fait son œuvre à lui.

Ce rôle de garant est nécessaire car la réalité humaine est tellement fragile et faillible et les forces du mal à l'extérieur et même à l'intérieur d'une communauté sont telles que, sans cette autorité extérieure, un moment viendra où la communauté sombrera. L'autorité extérieure reconnaît la valeur, l'importance et l'inspiration profondément humaine ou chrétienne de la communauté et s'engage à l'aider à rester fidèle à la charte et à l'esprit proposés. L'autorité extérieure ne peut pas elle-même suppléer aux carences des membres de la communauté, elle n'a pas non plus les moyens de réinsuffler l'esprit s'il commence à faiblir. Elle est là surtout dans les moments de conflits, pour soutenir et appuyer la communauté ou les personnes de la communauté qui semblent offrir la garantie la meilleure que l'esprit continuera.

En grandissant et en se développant, une communauté doit donc se déterminer et clarifier sa position par rapport à l'Etat et à l'Eglise. En fin de compte, c'est l'un ou l'autre qui vont assumer ce rôle de garant.

Certaines communautés de l'Arche sont régies par une association privée à but non lucratif reconnue par l'Etat. Leur conseil d'administration est composé d'hommes et de femmes compétents dans les choses humaines et qui aiment la charte de l'Arche. Ce sont eux qui, légalement, assument le rôle de garant de la communauté et de son responsable.

D'autres communautés chrétiennes se rattachent à l'évêque. C'est lui qui approuve la communauté avec sa charte et ses constitutions ; c'est lui qui assume ce rôle de garant.

J'ai un peu peur de certaines communautés sans tradition qui refusent toute autorité extérieure à elles-mêmes. Elles ne survivront pas longtemps à leur fondateur et celui-ci même risque, s'il n'y a pas un contrôle quelconque, de faire des erreurs.

⁂

Quand une communauté thérapeutique a son psychiatre ou son médecin, celui-ci offre une garantie de par l'Etat qui lui a donné ses diplômes ; il se rattache à un corps médical. De même une communauté chrétienne se rattache à l'Eglise par son prêtre ou son ministre. Celui-ci fait le lien non seulement avec l'Eglise actuelle dans sa hiérarchie et en particulier l'évêque du diocèse, mais aussi avec toute la tradition de l'Eglise depuis sa fondation par Jésus-Christ. C'est aux apôtres et à leurs successeurs que Jésus a dit : « Faites ceci en mémoire de moi ». C'est ainsi que toute communauté chrétienne se rattache à une hiérarchie, à une tradition et à toute l'Eglise, Corps mystique du Christ.

⁂

Croissance personnelle et croissance communautaire

Chaque personne qui dans la communauté grandit en amour et en sagesse fait grandir toute la communauté ; chaque personne qui refuse personnellement de grandir, qui a peur d'avancer, empêche la communauté de grandir. Chacun des membres de la communauté est responsable de sa propre croissance et de la croissance de la communauté tout entière.

⁂

Croître dans l'amour c'est devenir peu à peu moins égocentrique, moins critique, moins acerbe, moins agressif, moins intolérant des faiblesses des autres ; c'est se cacher un peu moins derrière les barrières de la tristesdu « ras le bol » et autres formes diverses de dépression.

Je ne sais s'il est possible pour quelqu'un de grandir sans ouvrir son cœur à un témoin à qui il révèle l'appel de Dieu et les petits pas qu'Il lui demande de faire pour avancer sur la route. Il est important de faire de temps en temps le point avec ce témoin, d'évaluer si on est sur la bonne route et sinon comment changer de direction.

Mais en même temps nous avons tous peur de nous ouvrir à un témoin ; nous avons peur de livrer le plus secret de nous-même. Il est plus facile et moins dangereux de dire un petit peu à plusieurs personnes. Notre plus grand pouvoir est justement sur ce secret. Nous avons peur en nous livrant à un témoin de nous désinvestir de ce pouvoir.

Il est bien entendu indispensable d'avoir une confiance totale dans le témoin qui doit demeurer à sa place.

***

Il y a des gens qui entrent dans nos communautés de l'Arche pour pouvoir aider les personnes handicapées. C'est bon. Il y en a qui entrent parce qu'ils veulent grandir et qu'ils sentent qu'ils ont besoin des autres pour les aider, les stimuler, les encourager ; la communauté est pour eux le lieu de leur croissance et de leur apprentissage. C'est bien meilleur.

Ceux qui entrent parce qu'ils estiment avoir quelque chose à apporter à la vie des personnes handicapées ont souvent un choc quand il commencent à prendre conscience de leurs faiblesses, de leurs limites, et de celles des autres assistants. C'est toujours plus facile d'accepter les faiblesses des personnes handicapées — on s'y attend et on est là pour ça — que d'accepter ses propres faiblesses. Souvent on ne s'y attend pas ! De soi-même et des assistants on ne veut que des qualités !

Le début de la croissance, c'est de commencer à accepter ses faiblesses.

***

J'ai parfois tendance à agir comme si toute personne pouvait vivre en communauté et grandir par ses propres efforts vers un amour universel. Avec l'âge et mon expérience de la vie communautaire, peut-être aussi avec une foi qui grandit, je prends de plus en plus conscience des vraies racines de la croissance dans l'amour ; je prends conscience des limites et des faiblesses des énergies humaines, des forces d'égoïsme, de la peur, de l'agressivité et du besoin de s'imposer, qui gouvernent la vie des hommes et sont à la source de toutes les barrières qui existent entre eux. Nous ne pouvons sortir de nos cavernes et de nos limites que si l'Esprit de Dieu nous touche, ouvre ces barrières derrière lesquelles nous nous sommes enfermés, nous guérit et nous sauve.

Jésus a été envoyé par le Père non pas pour nous juger et encore moins pour nous condamner dans les prisons, les limites et les ténèbres de nos êtres, mais pour nous pardonner et nous libérer en mettant dans la terre de nos êtres la semence de l'Esprit. Croître dans l'amour, c'est laisser croître cet Esprit de Jésus en nous.

La croissance prend une dimension autre, quand nous laissons Jésus pénétrer à l'intérieur de nous pour nous donner une vie et des énergies nouvelles.

***

L'espérance n'est pas dans nos propres efforts pour aimer ; elle n'est pas non plus dans la psychanalyse qui cherche à éclairer les nœuds et les blocages de notre vie, ni dans une réorganisation plus équitable des structures politiques et économiques qui organisent la vie des hommes et influent sur leur vie personnelle. Tout cela peut être nécessaire. Mais la vraie croissance vient de Dieu, quand on crie vers lui du fond de notre abîme et qu'on laisse son Esprit nous pénétrer. La croissance dans l'amour est alors une croissance dans l'Esprit. Les étapes à travers lesquelles il faut passer pour grandir dans l'amour sont les étapes à travers lesquelles il faut passer pour être plus totalement uni à Dieu dans les profondeurs de notre être.

⁂

Pour croître dans l'amour, il faut que les prisons de nos égoïsmes soient brisées. Cela implique des souffrances, des efforts constants, des choix répétés. Pour atteindre une certaine maturité dans l'amour, pour porter la croix de la responsabilité, il faut sortir des élans, des utopies, et des naïvetés de l'adolescence.

⁂

Il me semble de plus en plus que la croissance dans l'Esprit Saint nous fait passer du rêve (souvent aussi des illusions) à la réalité ; au fond, chacun de nous avons nos rêves et nos projets, qui nous empêchent de nous voir et de nous accepter tels que nous sommes et de voir et d'accepter les autres tels qu'ils sont. Les barrières des rêves sont puissantes. Elles cachent nos pauvretés psychologiques, humaines et spirituelles que nous avons du mal à supporter. Et parfois, il est difficile de distinguer le rêve-aspiration qui motive et inspire nos vies, du rêve-barrière qui est fuite et illusion.

L'œuvre de Jésus et de son Esprit Saint est de nous toucher plus profondément que nos rêves ; quand nous découvrons que Dieu vit en nous et nous porte, nos rêves peuvent disparaître sans que nous tombions en dépression. Nous sommes alors tenus par ce don de la foi et de l'espérance , ce petit fil qui nous relie à Dieu.

⁂

Des gens en communauté se demandent parfois comment savoir s'il y a croissance. Saint Paul nous l'indique clairement dans l'Epître aux Corinthiens : l'amour n'est pas dans les actes héroïques ou extraordinaires : parler en langues, prophétiser, connaître tous les mystères et toute la science, avoir même une foi extraordinaire, donner tous ses biens aux pauvres, être martyrisé. L'amour au contraire c'est être patient, rendre service, ne pas être jaloux ni orgueilleux, ne pas parler tout le temps de soi en exagérant ses propres qualités ; l'amour, c'est ne rien faire qui nuise aux autres ; ne pas chercher ses propres intérêts mais l'intérêt des autres ; ne pas être irritable, amer, agressif, ne pas chercher partout le mal en l'autre ; c'est ne pas se réjouir de l'injustice mais rechercher en toutes choses la vérité.

Et ailleurs dans sa Lettre aux Galates, il dit que la croissance dans l'amour est une croissance dans la joie et la patience, la bonté et la générosité, la fidélité, la douceur, et la maîtrise de soi, à l'opposé de toutes les tendances de division qui nous habitent : haines, querelles, jalousies, fureurs, disputes, dissensions, scissions, envies et toutes ces tendances ténébreuses qui en nous cherchent la fornication, l'impureté, la débauche, l'idolâtrie, la sorcellerie, les orgies et les ripailles.

⁂

La qualité essentielle pour vivre en communauté est *la patience :* reconnaître que soi-même, les autres et la communauté tout entière ont besoin de temps pour grandir. Rien ne se fait en un seul jour. Pour vivre en communauté il faut savoir accepter le temps et le chérir comme un ami.

⁂

Les déceptions

En suivant Jésus, Pierre a été déçu trois fois.

J'imagine qu'il a été déçu en étant appelé par Jésus ; une partie en lui-même devait regretter sa vie de pêcheur et sa vie familiale. Mais son amour pour Jésus et son espérance lui ont permis de dépasser cette première déception.

Puis, il a été déçu car Jésus n'était pas tout à fait comme il aurait voulu qu'il soit. Il aurait préféré un Jésus prophétique et messianique, qui ne lui lave pas les pieds, et ne parle pas de mourir.

Finalement, sa plus grande déception a été que Jésus accepte de devenir faible et de mourir et il l'a renié.

Ce sont les trois déceptions dans la vie communautaire. La première déception qui est sûrement la moins difficile, c'est quand on y entre. Il y a toujours des parties en nous qui restent attachées aux valeurs qu'on a laissées.

La deuxième déception est de découvrir que la communauté n'est pas aussi parfaite qu'on l'aurait cru, qu'elle a des faiblesses et des défauts. L'idéal et les illusions tombent, on est devant la réalité.

La troisième déception est la plus douloureuse, quand on se sent mal compris et même rejeté par la communauté, quand par exemple on n'est pas réélu responsable, ou qu'on ne nous donne pas la fonction qu'on avait espérée. Et cette troisième déception amène une autre déception lorsqu'on sent la colère et les frustrations surgir en nous.

Pour arriver à l'intégration totale dans une communauté, il faut savoir passer à travers les différentes déceptions qui sont toutes des approfondissements nouveaux, des passages vers la libération intérieure.

***

C'est terrible de voir des jeunes, enthousiastes, qui avaient un grand idéal de partage et de vie communautaire, devenir quelques années après déçus, blessés, ironiques, ayant perdu tout goût de se donner, et enfermés dans des mouvements politiques ou les illusions de la psychanalyse. Cela ne veut pas dire que la politique ou la psychanalyse soient sans importance. Mais c'est triste que des gens s'y enferment parce qu'ils ont été déçus ou parce qu'ils n'ont pas pu accepter leurs limites. Il y a des faux prophètes parmi les communautaires, qui attirent et stimulent les enthousiasmes, mais qui par manque de sagesse ou par orgueil conduisent les jeunes vers une déception. Le monde communautaire est plein d'illusions, et il n'est pas toujours facile de distinguer le vrai du faux, de sentir si le bon grain va croître ou si les mauvaises herbes vont l'emporter. Si vous pensez fonder des communautés, entourez-vous d'hommes et de femmes sages, qui savent discerner. Je demande pardon à tous ceux qui sont venus dans ma communauté ou dans nos communautés de l'Arche, pleins d'enthousiasme, et qui ont été déçus par notre manque d'ouverture, par nos blocages, par notre manque de vérité et notre orgueil.

*
**

Maturité

Le danger pour celui qui a accepté d'entrer dans l'alliance et de choisir la vie communautaire est de perdre après quelques années le regard de l'enfant et l'ouverture de l'adolescent. Il risque de s'enfermer dans son territoire. Il tend à vouloir posséder sa fonction et sa communauté. Comment, une fois qu'on est engagé dans la vie communautaire, ne jamais cesser de croître et d'aimer, et marcher toujours vers une insécurité humaine plus grande ? Une fois qu'on est implanté dans sa terre, il faut continuer à grandir, ce qui demande d'être taillé, émondé et parfois même brisé pour pouvoir porter davantage de fruits.

Il peut y avoir un danger à se consacrer uniquement à une activité communautaire et aux responsabilités que cela implique. Devenir des hyper-actifs qui ne savent ni s'arrêter ni se détendre. Faisant sans cesse des choses pour les autres, se dévouant pour eux, on s'identifie toujours plus à ses fonctions et aux privilèges qu'elles donnent, et on les retient jalousement. Inconsciemment, il y a une peur terrible de lâcher, car cela impliquerait de mourir et d'être confronté à son vide intérieur. Il est indispensable que ceux qui, dans une communauté, portent de lourdes responsabilités, se posent des questions sur leur vie intérieure : sont-ils en train de la liquider ou de la disperser dans l'activité, ou au contraire cherchent-ils à la nourrir ? Il est trop facile de vivre à la périphérie de son être, en utilisant ses énergies superficielles au lieu de veiller constamment à creuser une certaine intériorité et à être en contact avec la demeure silencieuse au cœur de son être, où Dieu réside.

Plus on devient des hommes et femmes d'action et de responsabilités dans une communauté, plus il faut devenir des hommes et des femmes de contemplation. Si on ne nourrit pas sa vie affective profonde de la prière cachée en Dieu, si on ne passe pas du temps dans le silence, et si on ne sait pas prendre du temps avec ses frères et sœurs pour vivre de leur présence et de leur tendresse, on risque de devenir amer et aigri. C'est uniquement dans la mesure où on nourrit son cœur profond qu'on peut garder cette liberté intérieure. Un homme (ou une femme) hyper-actif, qui est en train de fuir sa personne profonde et sa blessure, devient vite un tyran, un responsable insupportable qui ne peut créer que des conflits autour de lui.

***

Si l'Esprit a appelé des personnes à faire le premier passage de la découverte des horizons à la détermination et au choix d'une communauté, Il les guidera dans cette croissance vers la maturité et la sagesse et les aidera à grandir en tous temps. Mais si le premier passage se fait en plein midi, sous un soleil radieux, souvent entouré d'amis, le deuxième passage – celui du dépouillement – se fait souvent dans la nuit. On a l'impression d'être seul et on a peur car on pénètre dans un monde de confusion. L'engagement dans la communauté s'est fait dans la lumière et maintenant on est dans le doute. L'être profond semble, sous bien des angles, brisé. Mais cette souffrance n'est pas inutile. Par tous ces dépouillements, on peut entrer dans une nouvelle sagesse d'amour.

Certains responsables de communautés connaissent ces souffrances et ce dépouillement. Après avoir fondé une communauté, ils sentent, à certains signes, que Dieu leur demande le sacrifice suprême : quitter ce qu'ils ont créé. Dieu les appelle ailleurs pour vivre une nouvelle étape de leur vie. Leur départ se fait le cœur brisé et l'esprit plus ou moins confus. Mais à travers la nuit, Dieu les guide et les conduit vers une résurrection.

⁂

Chacun de nous porte en lui une blessure et une plaie. C'est la plaie de notre propre solitude que nous cherchons à fuir à travers l'hyper-activité, la télévision et mille autres choses. On a du mal à demeurer seul. Certains entrent en communauté croyant ainsi guérir cette plaie. Ils seront déçus. Tant qu'on est jeune, on est capable de couvrir cette insatisfaction sous le dynamisme de la générosité. On fuit le présent en se projetant dans l'avenir, avec l'espoir que tout ira mieux demain. Mais quand, vers quarante ans, l'avenir se fait passé, et qu'on porte toujours en soi cette plaie d'insatisfaction, on risque de se décourager en réalisant qu'il n'y a plus de grands projets nouveaux pour l'avenir. Et en outre, on porte dans sa chair toutes les lassitudes et les culpabilités du passé. Tant qu'on n'a pas découvert que cette plaie est inhérente à la condition humaine, et qu'il s'agit de marcher avec elle, on risque de la fuir. On ne peut l'accueillir que quand on découvre que Dieu nous aime tel qu'on est et que l'Esprit Saint d'une façon mystérieuse habite au cœur de cette plaie.

Souvent ceux qui sont en communauté vivent une crise au bout de quelques années. Cette crise suit une déception qui a souvent quelque chose à voir avec ce sentiment de solitude. Ils croyaient plus ou moins consciemment que la communauté les comblerait à tous points de vue. Mais ils restent avec leur plaie. Ils se tournent alors vers le mariage dans l'espoir qu'il résoudra leur souffrance. Ils risquent de se retrouver encore une fois déçus. On ne peut réellement entrer dans le mariage si on ne cherche pas à assumer sa plaie et si on n'est pas résolu à vivre pour l'autre.

⁂

Vieillesse

Le temps de la vieillesse est le temps le plus précieux de la vie. C'est le temps le plus proche de l'éternité. Il y a deux façons de vieillir : on peut vieillir avec anxiété et amertume. Ce sont les vieillards qui vivent dans le passé et l'illusion, critiquant tout ce qui se passe autour d'eux. Leur mauvais caractère rebute les jeunes ; ils sont enfermés dans leur tristesse et leur solitude, recroquevillés sur eux-mêmes. Mais il y a aussi de ces vieillards avec un cœur d'enfant ; libérés des fonctions et des responsabilités, ils ont retrouvé une nouvelle jeunesse. Ils ont ce regard d'émerveillement de l'enfant, mais aussi la sagesse de l'homme mûr. Les années de fonction ont été intégrées à leurs personnes et ils peuvent désormais exister sans s'attacher à un pouvoir. Leur liberté de cœur et leur façon d'accueillir leurs limites et leurs faiblesses font qu'ils rayonnent dans la communauté en tant que personnes. Ce sont des êtres de douceur et de miséricorde, symboles de la compassion et du pardon. Ils deviennent les trésors cachés d'une communauté, sources d'unité et de vie.

***

Besoin de modèles

Dans certaines communautés religieuses, j'entends beaucoup parler de formation. Je me demande s'il ne faudrait pas davantage parler de « filiation ». A notre époque, il y a beaucoup d'informations, c'est-à-dire une somme de connaissances non structurées et non synthétisées ; la formation implique une synthèse, fondée sur des principes. Mais certaines connaissances de l'ordre de l'esprit ne se transmettent que par voie de filiation.

Une des meilleures façons d'apprendre la poterie, c'est de travailler pendant de longues années avec un potier, en vivant avec lui. Il y a des choses qu'on ne peut apprendre nulle part ailleurs : son amour pour la terre et pour l'œuvre, sa façon d'accueillir les clients, mille petits détails à travers lesquels transparaît l'amour de son métier. Etre un bon potier, ce n'est pas simplement connaître les techniques, c'est aussi vivre un certain esprit qui est une relation avec l'univers et la beauté.

Aujourd'hui, beaucoup de ministres et de prêtres sont formés dans des universités ou des séminaires par des professeurs. En Inde, si on veut devenir gourou, on vit avec un gourou jusqu'au jour où il vous confirme et vous envoie. On devient alors à son tour un gourou capable de former des disciples. De nos jours, on croit pouvoir tout apprendre dans des livres. On a oublié une autre façon d'apprendre : vivre avec un maître. Pour apprendre à vivre en communauté, il ne s'agit pas de se tourner vers des livres (même celui-ci !), mais d'être engendré dans un certain esprit par tout un milieu porteur, peut-être par un père ou une mère, et surtout par des frères et sœurs aînés.

Le père, la mère sont ceux qui engendrent à la vie communautaire. Ils donnent la vie en semant dans le cœur une espérance. Mais celui qui vient d'être engendré a besoin de frères et de sœurs auxquels il puisse s'identifier et qui deviennent pour lui des modèles.

*
**

Pour s'enraciner dans la vie communautaire et vivre l'alliance qu'elle implique, il faut des modèles. Il faut vivre avec des personnes qui soient heureuses, qui aient déjà passé par certaines étapes et peut-être certaines épreuves, et qui aient trouvé la paix intérieure et un certain rayonnement. Elles ne donnent pas un enseignement. Il s'agit seulement de se laisser prendre par leur rayonnement, d'avoir envie de devenir comme elles.

Les jeunes ont toujours les yeux fixés sur les gens plus âgés, qui ont vécu depuis des années dans la communauté. S'ils les voient tristes et acariâtres, ils diront très vite : « Je ne veux pas devenir comme eux ». Ils croiront plus ou moins explicitement que la communauté fabrique des frustrés. Si, par contre, ils voient leurs aînés plus unifiés, plus détendus, ayant moins peur, ils les prendront nécessairement comme références.

*
**

Prière, service et vie communautaire

Il est important qu'une communauté en grandissant intègre trois éléments : une vie de prière silencieuse, le service et surtout l'écoute des pauvres, et une vie communautaire où chacun puisse grandir selon son don. C'est par rapport à ces trois points qu'une communauté peut évaluer si elle est vivante ou non.

*
**

Certaines communautés commencent par le service des pauvres. Les membres sont pleins de générosité et d'idéal, un peu utopiques et parfois agressifs par rapport aux riches. Peu à peu ils découvrent la nécessité de la prière et de l'intériorisation ; ils réalisent que leur générosité est en train de les brûler et qu'ils risquent de devenir des hyper-actifs qui mettent toutes leurs énergies dans l'extériorité. Pour un idéal social, ils sont en train de perdre leur intériorité ; ils ne savent plus vivre. S'ils continuaient dans ce sens, ils en arriveraient à mettre la lutte – la lutte des classes – la lutte contre le pouvoir de l'Etat et des riches – au-dessus de tout et deviendraient un mouvement politique aux tendances marxistes. Ils ne constitueraient plus une communauté.

D'autres communautés commencent par la prière : c'est le cas de beaucoup de communautés du renouveau charismatique. Mais elles découvrent peu à peu la nécessité du service des pauvres, et d'un engagement réel à leur égard.

L'ouverture à Dieu dans l'adoration et l'ouverture aux pauvres à travers l'accueil et le service sont les deux pôles de la croissance et les signes de santé d'une communauté. Et la communauté elle-même doit progresser vers un sens plus fort de son identité comme un corps dont chaque membre doit pouvoir exercer son don et être reconnu avec son don.

***

De la générosité à l'écoute des pauvres

Les communautés qui commencent par le service des pauvres doivent peu à peu découvrir le don des pauvres. Elles commencent dans la générosité ; elles doivent grandir dans l'écoute. En effet, l'important n'est pas de « faire » des choses pour les pauvres ou les personnes en détresse, mais de les aider à avoir confiance en eux-mêmes, à découvrir leurs propres dons. Il ne s'agit pas d'arriver dans un bidonville avec beaucoup d'argent venu d'ailleurs pour construire un dispensaire et une école. Il s'agit plutôt de passer du temps avec les personnes du bidonville pour les aider à découvrir leurs besoins et leurs capacités, puis de construire tous ensemble les bâtiments nécessaires. Ceux-ci ne seront peut-être pas aussi beaux mais ils seront mieux utilisés et plus aimés car ils seront l'œuvre de tous et non d'un étranger bienveillant. Cela prendra beaucoup plus de temps, mais tout service réellement humain prend du temps.

***

Certaines communautés grandissent en écoutant les besoins de leurs membres, besoins de formation et de bien-être. Cette croissance est le plus souvent d'ordre matériel. On cherche le bâtiment le meilleur, le plus confortable, où chacun ait sa chambre. Ces communautés mourront assez vite.

D'autres communautés grandissent en écoutant le cri des pauvres. La plupart du temps, cette écoute les amène à devenir elles-mêmes plus pauvres, pour se faire plus proches d'eux.

***

Quand une communauté se laisse guider dans sa croissance par le cri des pauvres et leurs besoins, elle marche dans le désert et l'insécurité. Mais elle est assurée de la terre promise, non pas celle de la sécurité mais celle de la paix et de l'amour. Elle sera toujours une communauté vivante.

*
**

Les signes de santé d'une communauté

Quand les gens refusent de venir aux réunions et qu'il n'y a plus de lieu de dialogue, quand ils ont peur d'exprimer ce qu'ils pensent et que le groupe est dominé par une forte personnalité qui empêche toute liberté d'expression, quand, au lieu de participer aux activités communautaires, ils fuient dans des activités extérieures, la communauté est en danger. Elle ne constitue plus un « chez soi » mais un hôtel-restaurant. Quand les personnes d'une communauté ne sont plus heureuses d'être ensemble, de vivre, de prier, d'agir ensemble, mais cherchent constamment des compensations à l'extérieur, quand elles parlent tout le temps d'elles-mêmes et de leurs difficultés plutôt que de leur idéal de vie et de la façon de répondre aux cris des pauvres, c'est signe de mort.

Quand une communauté est en bonne santé, elle constitue un pôle d'attraction. Des jeunes s'y engagent ; des visiteurs sont heureux d'y venir. Quand une communauté commence à avoir peur d'accueillir des visiteurs et des nouveaux, quand elle commence à étabtir tellement de restrictions, à réclamer tant de garanties que pratiquement plus personne ne peut venir ; quand elle commence à rejeter de son sein les gens plus faibles et difficiles, les vieillards, les malades, etc., c'est mauvais signe. Ce n'est plus une communauté, cela devient une équipe efficace de travail.

C'est mauvais signe aussi quand une communauté cherche à se structurer pour se donner une sécurité totale par rapport à l'avenir, quand elle a beaucoup d'argent en banque. Peu à peu elle élimine tous les éléments de risque. Elle n'a plus besoin de l'aide de Dieu. Elle cesse d'être pauvre.

La santé d'une communauté se révèle à travers une qualité d'accueil du visiteur inattendu ou du pauvre, à travers la joie et la simplicité des membres entre eux, à travers leur confiance dans les moments difficiles, à travers une certaine créativité pour répondre aux cris des pauvres. Mais elle se révèle surtout à travers l'ardeur et la fidélité aux buts essentiels de la communauté : la présence à Dieu et aux pauvres.

Il est important pour une communauté de découvrir en elle-même les signes dc sa dislocation ou de son approfondissement. De temps à autre la communauté doit s'interroger pour savoir où elle en est. Ce n'est pas toujours facile, car il faut apprendre à passer à travers les épreuves, mais il y a quand même des signes de vie et de mort qu'il faut parfois discerner.

***

S'ouvrir aux autres

Quand une communauté naît, il est très difficile de savoir si on est en présence d'une communauté ou d'une secte. Ce n'est qu'en regardant sa croissance dans le temps, qu'on peut le découvrir. La vraie communauté s'ouvre de plus en plus. La secte par contre a une apparence d'ouverture, mais avec le temps on réalise qu'elle se ferme de plus en plus. La secte est faite de gens qui se croient seuls à avoir raison. Ils sont incapables d'écouter ; ils sont fermés et fanatiques. Il n'y a aucune vérité en dehors d'eux. Ils ont perdu leur capacité de réfléchir personnellement. Eux seuls sont les élus, les sauvés, les parfaits ; tous les autres sont dans l'erreur. Et malgré la joie et la détente apparentes, on a l'impression que ce sont de faibles personnalités qui ont été plus ou moins manipulées et qui sont comme emprisonnées dans une fausse amitié dont elles ont du mal à sortir.

Le langage de l'élitisme sent mauvais ! Il n'est pas sain de croire qu'on est seul à détenir la vérité et encore moins de condamner les autres. De toute façon, ces attitudes n'ont rien à voir avec le message de Jésus-Christ. Une communauté chrétienne se base sur la reconnaissance que nous sommes pécheurs et que nous avons besoin d'être pardonnés chaque jour et de pardonner soixante-dix fois sept fois. « Ne jugez pas et vous ne serez pas jugés. Ne condamnez pas et vous ne serez pas condamnés ». (Luc 6, 36). Une communauté chrétienne doit faire comme Jésus : proposer et non pas imposer. C'est l'amour des frères qui doit devenir une lumière chaleureusé qui attire.

Un autre signe qui distingue la secte de la vraie communauté, c'est que les personnes d'une secte s'en tiennent de plus en plus à une unique référence, le fondateur, le prophète, le pasteur, le chef, le saint. C'est lui qui détient tout pouvoir temporel et spirituel et qui maintient tous les membres sous son emprise. Ils ne lisent que ses textes et ne vivent que de ses paroles. Ce faux prophète refuse que d'autres que lui viennent parler au groupe ; il écarte tous ceux qui pourraient menacer son autorité toute-puissante. Il s'entoure d'exécutants faibles, incapables de toute pensée personnelle.

Si, au début d'une vraie communauté, le fondateur a entre les mains le pouvoir spirituel et communautaire et si tout le monde se réfère à lui pour toutes les décisions, il doit peu à peu aider les personnes à trouver d'autres références et à cheminer vers leur propre liberté intérieure, pour qu'elles ne pensent pas nécessairement comme lui, mais qu'elles pensent librement, tout en restant dans l'esprit de la communauté.

Les vraies communautés chrétiennes ont toujours une multiplicité de références : depuis celle de leur fondateur, de l'Ecriture Sainte, de toute la tradition de leur Eglise, de l'évêque et du Saint Père si elles sont catholiques, à celle d'autres chrétiens qui vivent de l'esprit de Jésus, et puis essentiellement chacun de ses membres doit apprendre à avoir pour référence l'Esprit de Jésus vivant en lui.

***

Au début, il est assez naturel et peut-être même nécessaire qu'une communauté éprise de sa propre originalité s'idéalise un peu. Si elle ne se croyait pas aussi unique, elle n'aurait peut-être jamais été fondée. C'est comme dans l'amour : au début, on idéalise toujours l'autre ; pour des parents, leur petit enfant est toujours le plus beau de tous les enfants ; de même, pour le jeune marié, sa femme est la plus belle. Avec le temps, les parents et les époux deviennent plus réalistes. Mais ils sont peut-être plus engagés, plus fidèles et plus aimants que dans le premier temps.

Il est compréhensible qu'une communauté à ses débuts soit un peu renfermée sur elle-même, ayant fortement conscience de ses qualités et de son originalité, et en rende grâces. Au début de son mariage, un couple ne doit-il pas prendre du temps pour forger son unité, sa communauté ? Ce n'est pas de l'égoïsme mais un moment nécessaire à la croissance. Avec le temps, la communauté doit prendre un peu de recul et découvrir la beauté des autres communautés, les dons particuliers de chacune, et ses propres limites. Une fois qu'elle a trouvé sa propre identité et découvert comment l'Esprit Saint est en train de la guider, elle doit être très attentive aux manifestations de l'Esprit chez les autres. Elle ne doit pas croire que l'inspiration de l'Esprit Saint soit le privilège de sa propre communauté. Il lui faut être à l'écoute de ce qu'il est en train de dire aux autres. Cela permet à la communauté de redécouvrir ses dons et sa mission propres et l'encourage à y être plus fidèle ; et en même temps, cela lui fait découvrir sa place dans l'ensemble de l'Eglise et de l'humanité. Si elle n'y est pas attentive, la communauté risque de manquer un tournant décisif dans sa croissance.

***

Un des signes de vie d'une communauté est la création de liens. Une communauté qui se ferme sur elle-même meurt d'asphyxie. Par contre, les communautés vivantes s'unissent à d'autres, constituant un vaste réseau d'amour de par le monde. Et comme il n'y a qu'un Esprit qui inspire et vivifie, des communautés naissant ou renaissant sous son inspiration se ressemblent sans même se connaître. Les semences, qu'Il sème à travers le monde comme des annonces prophétiques de demain, ont un esprit commun. C'est un signe de maturité pour une communauté de se lier d'amitié avec d'autres ; elle est consciente de sa propre identité, elle n'a pas besoin de se comparer. Elle aime jusqu'aux différences qui la distinguent, car chaque communauté a son don propre qui doit fleurir. Ces communautés se complètent dans l'Eglise ; elles ont besoin les unes des autres. Elles sont toutes des branches de cette unique communauté qu'est l'Eglise, Corps Mystique du Christ. Il est la vigne dont les communautés sont les branches.

*
**

Je suis toujours émerveillé par la multiplicité des communautés qui existent dans le monde, que ce soit ces communautés anciennes qui remontent à saint Benoît et sont revivifiées par l'amour ou ces multiples communautés que l'Esprit Saint est en train de faire naître aujourd'hui. Certaines sont dans les églises ; d'autres en dehors de toute institution : elles regroupent des jeunes qui ont des intuitions prophétiques et qui sont en train de chercher un style de vie nouveau. Elles font partie de cette vaste Eglise invisible. Chacune de ces communautés a son esprit, son style de vie, sa règle, sa charte. Chacune est unique. Il y a les communautés fondées sur l'adoration et une prière silencieuse et contemplative : tant de Carmels ou de monastères qui communiquent davantage par le non-verbal que par la parole et qui vivent d'une tradition qui remonte à saint Bernard ou sainte Thérèse d'Avila.

Apparentées à ces communautés, il y a celle des sœurs de Darmstadt en Allemagne et celles des Petites Sœurs et Petits Frères de Jésus, silencieuses et priantes, présentes dans les bidonvilles et les ghettos à travers le monde. Leur contemplation est immédiatement liée à une présence aux pauvres.

Et puis, il y a toutes ces communautés de prière, plus ou moins liées au renouveau charismatique, où des gens se retrouvent pour prier tout en étant très enracinés dans la société. Il y a les foyers de charité semés à travers le monde pour accueillir des retraitants. Madonna House, fondée par Catherine Doherty, est encore un exemple de ces communautés chrétiennes fondées sur la prière. Il y a des communautés œcuméniques, celles des Frères de Taizé et la communauté Bundeena en Australie. Puis il y a ces communautés qui ont pour but immédiat d'accueillir et de soigner les plus pauvres, les Frères et Sœurs Missionnaires de la Charité, fondées par Mère Térèsa de Calcutta et Frère André. Certaines communautés sont davantage engagées sur le plan social. Elles veulent apporter un bien-être à des gens opprimés et souffrants ; les communautés de l'Eglise du Sauveur à Washington, les communautés du Catholic Worker, les communautés de « El Minuto de Dios » en Colombie et celle de Ted Kennedy avec les aborigènes de Sydney, en sont des exemples, et il y a tant d'autres communautés qui sont dans le monde comme des signes de l'Esprit Saint.

Personnellement, je suis attiré par ces communautés enracinées dans les quartiers les plus pauvres ou qui accueillent ceux qui ont été profondément blessés : alcooliques, anciens prisonniers, jeunes drogués et perdus, jeunes délinquants ou personnes malades mentales. Il n'y a pas toujours beaucoup de joie et de « tralala » dans ces communautés mais il y a souvent une grande fidélité et un accueil des blessures. Les visages de ceux qui y travaillent sont souvent ridés de fatigue. Ils n'ont guère le temps d'assister aux congrès des communautaires ; ils ont rarement de belles liturgies ou même des fêtes. Souvent, ils ne peuvent assister qu'à de petits bouts de messe parce que le travail est trop lourd. Mais on sent dans ces communautés la présence de Jésus qui est proche de ceux qui sont rejetés et blessés.

***

Le point de fidélité

Des communautés naissent, fleurissent, et puis souvent connaissent une sorte de dégénérescence et meurent. On n'a qu'à regarder l'histoire des communautés religieuses : les enthousiasmes, les ardeurs, les générosités des débuts disparaissent, peu à peu elles « s'installent », la médiocrité s'y infiltre, et le règlement, la loi, prennent le pas sur l'esprit. Les communautés médiocres n'attirent plus et disparaissent.

Il est important de saisir dans une communauté le point de fidélité qui fait que l'esprit demeure ou qu'une communauté commence à dévier.

Il me semble qu'il y a essentiellement deux points, d'ailleurs liés, qui provoquent la déviation : d'une part la recherche de sécurité ou une lassitude par rapport à l'insécurité et d'autre part un manque de fidélité à la vision initiale qui constitue l'esprit de la fondation.

Quand une communauté naît, les fondateurs doivent lutter pour survivre, pour annoncer leur idéal. Ils se trouvent alors confrontés à la contradiction, parfois même à la persécution. Celles-ci obligent les membres de la communauté à s'affirmer davantage. Elles stimulent leurs motivations, les incitant à se dépasser et à s'abandonner totalement entre les mains de la Providence. A certains moments, seules des interventions directes de Dieu peuvent les sauver. Quand elles sont dénuées de toute richesse, de toute sécurité et appui humain, elles dépendent davantage de Dieu et des personnes qui autour d'elles sont sensibles au témoignage de leur vie. Elles sont en quelque sorte obligées de demeurer fidèles à la prière et au rayonnement de leur amour. C'est une question de vie ou de mort. Leur dépendance totale est comme la garantie de leur authenticité ; leur faiblesse demeure leur force.

Mais quand une communauté a suffisamment de membres pour assurer toutes les tâches, quand elle a suffisamment de moyens matériels, elle peut se permettre de se relâcher. Elle a des structures fortes. Elle possède une certaine sécurité. C'est à ce moment-là qu'il y a danger.

***

En France, un fonctionnaire de l'Etat travaillant dans le domaine des services sociaux m'a dit un jour, après que je lui aie expliqué en détail ce qu'était l'Arche : « Monsieur, votre affaire est certainement très belle et je ne doute pas que ce soit la situation idéale pour des personnes handicapées, mais elle est basée sur la gratuité des assistants. Est-ce qu'un gouvernement a le droit d'investir dans un établissement qui peut un jour disparaître totalement si vous ne trouvez plus ces assistants qui veulent vivre selon un certain esprit ? Quelle garantie pouvez-vous me donner ? ». Evidemment, je n'en avais pas. L'incertitude qu'on a par rapport à la venue de nouveaux assistants et par rapport à la durée d'engagement de ceux qui y sont constitue l'insécurité propre à notre communauté. Les gens viennent non pour des raisons matérielles (horaires, salaires) mais pour le rayonnement propre de la communauté. Si un jour nous voulions trouver les moyens humains de nous assurer qu'il y ait toujours suffisamment d'assistants, ce serait la fin de l'Arche. C'est parfois fatigant et angoissant de vivre dans l'insécurité mais c'est une des seules garanties qu'une communauté continue à s'approfondir, à progresser et à rester fidèle.

***

A l'Arche, notre point de fidélité c'est de vivre avec la personne handicapée, dans l'esprit de l'Evangile et des Béatitudes. « Vivre avec » est différent de « faire pour », mais cela ne veut pas simplement dire manger à la même table ou dormir sous le même toit. Cela implique qu'on lie des relations de gratuité, de vérité, et d'interdépendance mutuelle, qu'on soit à l'écoute des personnes handicapées, qu'on reconnaisse leurs dons et qu'on s'en émerveille. Le jour où l'on ne serait plus que des professionnels et des thérapeutes qui éduquent et qui soignent, ce ne serait plus l'Arche, même si le « vivre avec » n'exclut pas bien sûr cet aspect professionnel.

Pour d'autres communautés, le point de fidélité est différent : pour les sœurs de Mère Térésa, c'est d'apporter une aide aux personnes les plus blessées et rejetées ; pour les Petites Sœurs de Foucauld, c'est de vivre en fraternité, présentes aux plus pauvres ; pour des communautés contemplatives, c'est d'orienter toute leur journée vers des temps silencieux de contemplation ; pour d'autres, c'est de vivre la pauvreté. Il faut que chaque communauté connaisse bien son point de fidélité, la vision essentielle. Si on dévie de ce point, toute la communauté va régresser car l'essentiel s'effritera.

*
**

C'est le rôle de chaque personne dans la communauté d'être vigilante pour rester davantage dans l'insécurité et par le fait même dépendante de Dieu, et pour vivre selon son don propre le point de fidélité, l'essentiel de l'esprit. Ces deux choses doivent être constamment rappelées, sinon la communauté tombera dans la routine, le règlement, les habitudes et finira par se scléroser.

A l'Arche, il faut qu'on se stimule et s'encourage constamment dans ces deux domaines. Toutes les décisions graves de la communauté doivent être vues dans cette lumière. Est-ce qu'on prend telle décision par peur de l'insécurité ? Est-ce qu'elle est orientée vers ce qui constitue l'essentiel de notre vie : cette foi que Jésus est vivant dans le plus pauvre et que nous sommes appelés à vivre avec Lui et recevoir de Lui ?

*
**

Dans la toute première naissance d'une communauté, il y a toujours un élément prophétique. Elle est la matrice d'un nouveau mode de vie en réaction à d'autres modes ou façons de faire ou pour combler une lacune particulière dans une société ou dans l'Eglise. Avec le temps, cet élément prophétique tend à disparaître et les membres risquent de regarder non plus le présent ou l'avenir mais le passé, dans un souci de « conserver » l'esprit ou la tradition. Mais l'esprit prophétique doit toujours demeurer pour que la communauté reste vivante et pleine d'espérance. Il y a là une tension particulière entre les valeurs du passé (esprit et traditions), les besoins du moment (dans une dialectique avec la société et les valeurs ambiantes) et la tension vers l'avenir (prophétisme).

Cet esprit, dans ses éléments essentiels, n'est pas à proprement parler un style de vie ; il est plus que cela : il est une espérance, l'incarnation d'un amour. Il se concrétise néanmoins dans la façon de concevoir l'autorité, le partage, l'obéissance, la pauvreté, la créativité des communautés et des membres dans la propagation de la vie ; ou dans la façon dont les premières communautés ont spécialement mis l'accent sur telle activité plutôt que sur telle autre. L'esprit en effet détermine l'essentiel de la façon de vivre. Il marque une sorte d'échelle de valeurs.

Mais depuis la fondation de la communauté, l'esprit a pu, avec le temps, se figer dans des habitudes ou des coutumes qui sont venues l'étouffer ou le masquer. L'œuvre du responsable et de tous les membres est toujours d'essayer de purifier l'esprit de tous les apports d'un temps particulier pour le saisir plus clairement et le vivre plus réellement. Il est en quelque sorte le don de Dieu à leur famille, le trésor qui leur a été confié d'une façon spéciale et qui doit toujours être présent au cœur de la communauté. La communauté aujourd'hui doit vivre comme le fondateur aurait vécu s'il vivait aujourd'hui. Elle ne doit pas vivre comme il a vécu mais elle doit avoir le même amour, le même esprit et la même audace que lui en son temps.

***

L'esprit d'une communauté, sa spiritualité s'incarnent dans des traditions particulières. Il est important de respecter ces traditions et d'expliquer aux nouveaux membres leur sens et leur origine, pour qu'elles ne deviennent pas des habitudes, mais soient constamment renouvelées et demeurent vivantes.

Il y a des traditions dans la façon dont on accueille les grands événements, la mort, le mariage, un baptême, dans la façon de fêter les anniversaires ou d'accueillir un nouveau membre, de choisir les chants particuliers que l'on chante, etc.

En soi, ces activités et ces gestes ne sont pas tellement importants, mais ils incarnent le fait que nous sommes véritablement des frères et des sœurs, membres d'une même famille, que nous avons le même cœur, le même esprit et la même âme. Et ils nous ont été transmis par les anciens de nos communautés, qui sont peut-être maintenant avec le Père. Ces traditions nous rappellent que la communauté n'a pas été fondée « comme ça », mais qu'elle est née à un moment donné, qu'elle a passé peut-être par des temps difficiles et que ce que nous vivons aujourd'hui est le fruit du labeur de ceux qui nous ont devancés.

Il est toujours bon pour l'homme, pour les communautés ou pour les nations, de se rappeler que la réalité présente est issue des mille gestes d'amour ou de haine qui l'ont précédée. Ceci oblige à se rappeler que la communauté de demain est en train de naître dans notre fidélité au présent. Nous sommes tous de petits chaînons dans l'immense chaîne de générations qui constitue l'humanité. Nous sommes des êtres qui ne vivront que peu de temps, comparativement à l'histoire de l'humanité, au passé et à l'avenir. Cela nous aide à voir dans leur véritable perspective notre communauté par rapport à d'autres, par rapport à l'histoire, et la place de chacun dans la communauté. On découvre alors que nous sommes à la fois peu de chose et très importants, parce que chacun de nos gestes à sa manière est en train de préparer l'humanité de demain : c'est une toute petite pierre dans la construction de la vaste et glorieuse humanité finale.

*
**

Propager la vie

Une communauté ne peut rester statique. Elle n'est pas une fin en elle-même. Elle est comme un feu qui doit nécessairement se propager au risque même de s'éteindre. Un moment vient où la communauté ne peut grandir qu'à travers la séparation, le sacrifice et le don. Plus une communauté trouve l'unité, plus elle doit en quelque sorte la perdre pour la donner à d'autres qui ne la vivent pas encore, en envoyant certains de ses membres, libérés par cette famille, créer d'autres réseaux d'amour, d'autres communautés de paix.

C'est là le sens de la vie. La vie se propage. Toute croissance de vie implique l'apparition de fleurs et de fruits. Et, contenues dans ces fleurs et ces fruits, il y a des semences de vie nouvelle.

Une communauté qui retient jalousement ses membres et ne se risque pas dans cette œuvre extraordinaire de procréation risque quelque chose de bien plus grave, son dessèchement même. Si un tournant n'est pas pris, si l'évolution de la communauté vers un don plus grand n'est pas amorcé, ses membres s'installent dans une attitude infantile proche de la régression. Ils deviennent stériles et la vie ne coule plus à travers eux. Comme des branches desséchées, ils ne sont plus bons que pour le feu.

***

Tant de communautés sont mortes parce que leurs responsables n'ont pas su inciter leurs membres jeunes à ce don de la vie dans la procréation de nouvelles communautés. Le temps de l'amour passé, ils sont entrés dans un monde de stérilité et de frustrations. Et c'est difficile plus tard de retrouver le temps de l'amour et les forces de la vie.

Ce temps du don de la vie est différent pour chaque forme et type de communauté, comme il est différent pour chaque personne. Pour certains membres, c'est partir au loin pour semer la vie avec tout ce que cela comporte de risques. Une communauté qui a atteint sa maturité est capable de donner un frère ou une sœur pour soutenir une autre communauté en détresse. Pour d'autres, c'est accueillir avec plus de chaleur et de vérité le pauvre, le marginal, l'étranger ; pour d'autres, c'est assumer un rôle de berger dans la communauté en aidant chacun à voir la beauté de la vie et à se libérer de l'égoïsme. Pour d'autres, c'est découvrir et assumer leur rôle de contemplation dans la communauté ; c'est porter dans la prière leurs frères et leurs sœurs, les blessés et les rejetés du monde, les engendrant d'une façon mystérieuse et cachée à la vie.

De toute façon, c'est entrer dans le mystère du Père. C'est collaborer avec Lui et devenir son instrument dans cette œuvre extraordinaire de procréation et de libération.

*
**

Il est parfois difficile pour les responsables des communautés éloignées de savoir quelle sorte de référence maintenir avec la grande communauté et avec un responsable supérieur. L'important est que la communauté éloignée puisse vivre à fond, et d'une façon très insérée dans la région, sa vie communautaire et son esprit. Beaucoup de membres des communautés missionnaires vivent une certaine contradiction ; ils sont issus d'une culture particulière et ils viennent transplanter sur une terre étrangère leurs propres coutumes, leurs façons de vivre, de manger, d'accueillir et de fêter. L'esprit qu'ils veulent transmettre est trop incarné dans leur propre culture. Ils transmettent finalement plus leur culture que l'esprit. Et l'entourage, les voisins, ne s'y retrouvent plus. Ils sont souvent séduits ou choqués par les éléments extérieurs de la culture vécue ; ils ne saisissent pas l'esprit. De plus, ceux d'entre eux qui veulent s'engager dans les communautés sont parfois obligés d'assumer des coutumes étrangères à leur mentalité.

Trop souvent, le souci d'unité avec la maison-mère, mais d'une unité toute matérielle, prend le pas sur le souci dynamique de l'amour, l'esprit et les buts de la communauté. L'unité ne vient pas de ce que tous vivent de la même façon à travers le monde ; elle vient de l'harmonie des cœurs s'élançant en avant dans une fidélité à l'esprit initial de la communauté, avec la grâce de l'Esprit-Saint. Les communautés qui sont au loin doivent savoir mourir à certains éléments de leur culture d'origine pour vivre davantage les béatitudes dans leur nouvelle culture. Elles doivent avoir une grande confiance en Dieu qui les a envoyées au loin pour faire alliance avec un peuple nouveau.

Le souci de la « communauté-mère » doit être d'aider la nouvelle communauté à prendre son essor et à devenir, là où elle se trouve, source vivifiante. Si elle prend cette attitude, très vite, elle découvrira la grâce de rajeunissement et d'ouverture qui vient de la multiplicité des communautés. Les communautés lointaines qui, avec des structures très légères, vivent dans le risque et la difficulté, peuvent devenir source de vie et d'espérance pour la communauté-mère, qui, elle, peut devenir la sécurité nécessaire permettant à des structures légères de s'établir au loin dans des situations difficiles.

⁂

Expansion et enracinement

Plus une communauté grandit et donne la vie, en envoyant parfois au loin certains de ses membres, plus elle doit s'enraciner dans les profondeurs de la terre. L'expansion doit aller de pair avec l'approfondissement. Plus un arbre grandit, plus ses racines doivent être fortes, sinon, à la première tempête, il sera déraciné. Jésus parle d'une maison bâtie sur le roc. Une fondation solide, pour une communauté, c'est cet enracinement dans le cœur de Dieu. C'est Dieu qui est à la source de la communauté, et plus cette source coule et se répand, plus il faut des membres qui demeurent proches d'elle.

⁂

Il y a une croissance extérieure qui est toujours plus ou moins une expansion, il y a aussi des croissances intérieures, secrètes. Dans les monastères ou les maisons vouées à la prière, il y a parfois de ces croissances invisibles : un enracinement plus profond dans la prière en Jésus. Mais ces croissances invisibles créent une atmosphère tangible : une joie plus souriante, un silence plus profond, une paix qui touche les cœurs, amenant certains à une véritable expérience de Dieu.

⁂

Née d'une blessure

Il existe un lien mystérieux entre la souffrance, l'offrande et le don de la vie, entre sacrifice et expansion.

Dans une de nos communautés en Inde, un homme assez profondément handicapé s'est noyé dans le puits. Il n'était chez nous que depuis peu de temps. Un vieillard, ami de son père, est passé et nous a dit : « Quand il s'agit d'une œuvre de Dieu, il faut qu'un juste meure pour que cette œuvre vive. »

J'ai la profonde conviction que l'homme d'action et de rayonnement ne peut rien s'il ne s'appuie pas sur ces personnes qui acceptent d'offrir leurs souffrances, leur immobilité et leur prière pour que lui puisse donner la vie. Un vieillard ou un malade qui s'offre à Dieu peut devenir, dans une communauté, la personne la plus précieuse, le « paratonnerre » de la grâce. Il y a un mystère dans l'utilité secrète de ces personnes dont le corps est brisé, qui passent apparemment leurs journées à ne rien faire, mais qui demeurent dans la présence de Dieu. Leur immobilité les oblige à garder les yeux et le cœur fixés sur l'essentiel, sur la source même de la vie. Leurs souffrances et leurs agonies sont fécondes ; elles deviennent source de vie.

« Regarde ta propre pauvreté,
accueille-la
chéris-la
n'en aie pas peur
partage ta mort
car ainsi tu partageras ton amour, ta vie. »

***

Je rencontre parfois des communautés qui ne sont plus composées que de quelques vieillards. Le temps de leur expansion semble terminé et il est probablement trop tard maintenant pour qu'un jeune y entre. Je suis parfois étonné de la gaîté et de la paix qui y règnent. Les membres de cette communauté savent que leur communauté va mourir. Mais cela leur est égal. Ils veulent vivre pleinement jusqu'à la fin la grâce qui leur a été donnée. Ces communautés ont beaucoup à apporter à notre monde : apprendre à assumer les échecs et mourir dans la paix. Mais n'est-ce pas l'accueil de leurs propres souffrances et l'offrande de leur sacrifice qui font naître des communautés nouvelles jeunes et dynamiques ?

Dans d'autres communautés, par contre, ces vieillards sont habités d'une terrible angoisse venant de leur stérilité. Ils n'ont pas découvert que cette stérilité pouvait être transformée en don de la vie par l'offrande et le sacrifice.

⁂

De la blessure du cœur du Christ sur la croix sont sortis l'eau et le sang, signes de la communauté des croyants qu'est l'Eglise. De la croix jaillit la vie ; la mort est transformée en résurrection : mystère de la vie née de la mort.

⁂

Le rôle de la Providence

Avant d'entrer dans la vie communautaire, une personne sent au plus profond de son cœur un appel ou une attirance à une vie orientée vers Dieu, et vers les valeurs de l'amour et de la justice, en opposition à des désirs plus égoïstes et peut-être plus visibles de possession, de confort, de prestige et de pouvoir. Cette attirance peut être très faible au début mais si on y répond, elle grandit peu à peu et s'incarne dans un vrai désir, un besoin profond de l'être de se donner à Dieu et aux frères et spécialement aux plus pauvres. Cet appel est déjà une certaine expérience de Dieu.

Avec le temps, à travers la rencontre de frères et de sœurs et l'engagement mutuel, il y a la découverte de la Providence. Dieu non seulement m'a appelé, mais Il m'a appelé avec d'autres qui ont entendu et suivi le même appel. C'est Lui qui nous a fait nous rencontrer et nous aimer. C'est Lui qui est au cœur de la communauté.

Cette expérience de la Providence se fortifie avec le temps, avec la découverte que Dieu, d'une manière évidente, a veillé sur la communauté dans des épreuves qui auraient pu la faire éclater : des tensions graves résolues, l'arrivée de quelqu'un juste au moment où on en avait besoin, une aide matérielle ou financière inattendue, un pauvre accueilli qui trouve la liberté intérieure et la guérison.

Avec le temps, les membres de la communauté réalisent que Dieu est proche et veille sur eux avec amour et tendresse. Ce n'est plus une expérience personnelle de Dieu, mais une expérience communautaire qui engendre une paix, une certitude lumineuse. Elle permet à la communauté d'accueillir les difficultés, les épreuves, les besoins ou la faiblesse avec une sérénité nouvelle. Elle lui donne même l'audace nécessaire pour aller de l'avant à travers les échecs et les souffrances de chaque jour, car elle sait par expérience que Dieu est présent et répondra à son cri. Mais cette reconnaissance de l'action de Dieu dans la vie communautaire exige une très grande fidélité.

Loin d'engendrer un certain « laisser aller », ou une attitude : « Ne t'inquiète pas, Dieu y pourvoira », cette reconnaissance exige que la communauté reste accrochée à l'essentiel de sa vocation, que ce soit la prière, l'accueil des plus pauvres, ou la disponibilité à l'Esprit. Dieu ne veille que dans la mesure où, avec audace, on essaie de rester fidèle et vrai dans la recherche de la finalité de la communauté et de son unité. Et Dieu ne répond aux besoins que dans la mesure où les membres travaillent et travaillent parfois dur pour trouver des solutions vraies. Il attend parfois qu'ils soient allés jusqu'au bout des moyens humains pour répondre à leur appel.

*
**

Le péché de s'enrichir

Au début d'une communauté, au moment de sa fondation, l'action de Dieu se fait souvent sentir d'une façon très tangible : le don d'une maison, de l'argent qui arrive d'une façon inattendue, l'arrivée d'une personne au bon moment, ou d'autres signes extérieurs. Du fait de sa pauvreté, la communauté est toute dépendante de Dieu. Elle crie et Dieu répond. Elle est fidèle à la prière. Elle vit dans l'insécurité, elle accueille celui qui frappe à la porte, partage avec les pauvres, essaie de prendre toutes ses décisions à la lumière de Dieu. Dans ce premier temps elle est souvent incomprise par la société : les gens la jugent utopique, « folle » ; elle est plus ou moins persécutée.

Puis, avec le temps, cette « folie » aux yeux des hommes réussit ; on découvre sa valeur et son rayonnement. La communauté n'est plus persécutée mais admirée. Elle acquiert renommée et notoriété aux yeux des hommes. Elle a des amis qui lui donnent ce qu'il faut. Peu à peu, elle s'enrichit. Elle commence à porter des jugements. Elle devient puissante.

Il y a alors un danger. La communauté n'est plus pauvre et humble, mais devient satisfaite d'elle-même. Elle ne recourt plus à Dieu comme autrefois ; elle ne crie plus « au secours ». Forte de l'expérience acquise, elle sait comment faire. Elle ne prend plus ses décisions à la lumière de Dieu, devient tiède dans la prière. Elle se ferme au pauvre et au Dieu vivant ; elle devient orgueilleuse. Elle a besoin d'être secouée et de passer par de sérieuses épreuves pour retrouver l'attitude de l'enfant, sa dépendance envers Dieu.

⁂

Le prophète Ezéchiel décrit au chapitre 16 l'histoire de la communauté juive. Quand elle était toute petite, se débattant dans son sang, Dieu l'a recueillie, l'a soignée, lui a sauvé la vie. Il s'est occupé d'elle. Puis, au temps des amours, Il l'a couverte de son ombre. Il l'a rendue belle et l'a épousée. Elle a accédé à la Royauté. De par son union à son Roi, son Epoux, elle a acquis la puissance.

Elle a alors détourné les yeux de son Roi ; elle s'est regardée, a cru être elle-même source de vie. Elle s'est trouvée belle et a cherché d'autres amants. Elle s'est prostituée et est tombée peu à peu dans la déchéance.

Au fond de sa pauvreté et de son humiliation, Dieu l'attendait, fidèle à son amour. Il l'a reprise comme au temps de sa jeunesse car Il est le Dieu tendre et bon, lent à la colère et plein de miséricorde. Il est le Dieu du pardon.

Le premier péché d'une communauté est de détourner les yeux de Celui qui l'a appelée à la vie pour se regarder elle-même.

Le deuxième péché est de se trouver belle et de croire qu'elle est en elle-même une source de vie. Elle se détourne alors de Dieu et commence à faire des compromis avec le monde et la société. Elle acquiert une renommée.

Le troisième péché est celui du désespoir. Elle découvre qu'elle n'est pas source de vie, qu'elle est pauvre, qu'elle manque de vitalité et de créativité. Elle s'enferme alors dans sa tristesse, dans les ténèbres de sa pauvreté et de sa mort.

Mais Dieu ne cesse de l'attendre comme le Père du fils prodigue. Les communautés qui ont délaissé l'inspiration de Dieu pour se fermer sur leur propre puissance doivent savoir revenir demander humblement pardon à Dieu.

⁂

Le risque de la croissance

Quand j'ai commencé l'Arche, nous étions pauvres. Je me rappelle d'une vieille femme du village qui venait tous les vendredis soirs nous apporter de la soupe. D'autres personnes venaient nous apporter de petits dons en nourriture et argent.

Les années ont passé. Maintenant, quand il y a une maison à vendre dans le village, on vient d'abord chez nous nous proposer de l'acheter, en augmentant bien sûr le prix. Nous sommes considérés comme les « riches » du coin, même si l'argent vient des subventions de l'Etat.

Au début, les professionnels nous ignoraient. Maintenant on vient de loin nous visiter, même si beaucoup nous considèrent encore comme des « illuminés ».

De la petite maison de l'Arche où nous étions cinq ou six, nous sommes devenus en quatorze ans un centre important : nous sommes 350 personnes dans vingt et un lieux de vie, pas seulement dans le village initial de Trosly, mais aussi dans les villages des environs et à Compiègne.

Parfois les assistants se plaignent : « L'Arche est devenue trop grande ; on ne peut plus se connaître bien comme autrefois. » C'est vrai, il y a dans la croissance un danger, mais il y a aussi une grâce. Et aux différentes étapes de l'Arche, j'ai eu l'impression de suivre les signes de la Providence.

Le danger est de se fermer sur notre succès, en oubliant l'inspiration première ; c'est de devenir un centre professionnellement compétent en oubliant les éléments de gratuité ; c'est d'insister tellement sur les structures et les droits des assistants qu'on oublie que les personnes handicapées ont besoin de trouver auprès d'elles des frères et des sœurs qui se donnent et qui s'engagent ; c'est oublier l'accueil et ne plus voir dans la personne handicapée le don de Dieu.

***

Certaines communautés doivent demeurer petites, rester pauvres et prophétiques comme des signes de la présence de Dieu dans notre monde qui cherche de plus en plus les valeurs matérielles. Mais d'autres communautés sont appelées à grandir. Elles ont pour mission de venir en aide non à quelques privilégiés mais à un nombre croissant de personnes, de montrer qu'il est possible dans des centres plus importants de garder un esprit, de créer des structures en vue des personnes, d'exercer l'autorité d'une façon humaine et chrétienne. Les petites communautés prophétiques ont pour mission d'indiquer un chemin ; les communautés plus importantes doivent vivre le défi de prendre ce chemin en créant des structures communautaires justes et bonnes pour un grand nombre.

Personnellement, je suis heureux que l'Arche à Trosly grandisse. C'est un défi, chaque jour, d'essayer de vivre en communauté avec un nombre important de personnes, de créer des structures qui permettent le maximum de participation et donnent la possibilité à chacun d'assumer des responsabilités, d'avoir des initiatives, et, en même temps, de maintenir l'unité dans l'esprit. Je suis heureux que nous ayons pu accueillir un nombre important de personnes blessées, en détresse, et qu'une soixantaine d'entre elles aient pu, après avoir passé un certain temps avec nous, assumer un travail dans la société et vivre d'une façon autonome, tout en restant en relation avec nous.

En grandissant, l'important est de demeurer ouvert aux signes de la Providence, de continuer à écouter le cri et les besoins des personnes handicapées au fur et à mesure qu'elles franchissent des étapes nouvelles, de ne jamais être sourds face aux personnes, d'être toujours accueillants, toujours prêts à fonder de nouvelles communautés si les besoins se font sentir, à assumer chaque jour de nouvelles formes de pauvreté car il n'y a pas que la pauvreté matérielle. Le danger est que nous nous fermions sur nous-mêmes et sur notre acquis. Il faut prier pour que nous avancions toujours plus loin dans de nouveaux chemins d'insécurité.

Dans la croissance de l'Arche, un de mes seuls regrets est de ne pas avoir assez travaillé avec les gens du village. Nous avons grandi un peu à leur dépens et contre leur souhait. Je crois qu'actuellement il y a une bonne entente avec eux mais il y aurait davantage à faire pour que l'Arche soit mieux intégrée dans la vie du village.

Il reste cependant qu'une communauté doit éviter de trop grandir dans le même milieu pour ne pas être obligée de créer des structures trop lourdes.

J'étais étranger et tu m'as accueilli...

Un des risques que Dieu demandera toujours à la communauté, c'est l'accueil des visiteurs, et spécialement des plus pauvres, ceux qui « gênent ». Très souvent, Dieu apporte un message particulier à une communauté à travers une personne accueillie, une lettre reçue, un coup de téléphone inattendu. Le jour où la communauté commence à refuser les visiteurs et l'inattendu, le jour où elle dit : « nous en avons assez », elle risque de se fermer à l'action de Dieu. Rester ouvert à la Providence demande une très grande disponibilité. Il ne s'agit pas de se figer derrière une structure, une loi, de s'enraciner dans le « déjà fait », la « réussite ». Cela demande une écoute pleine d'attention de chacun des membres de la communauté, de son appel particulier, et une écoute de la réalité quotidienne avec tous ses imprévus, tout ce qui dérange et insécurise. Trop vite, on risque de vouloir défendre la tradition, le passé, se fermant ainsi à l'évolution nouvelle que Dieu avait en vue. On veut la sécurité humaine et non la dépendance vis-à-vis de Dieu.

C'est pourquoi il est important que les membres de la communauté se rappellent ensemble, et avec les nouveaux arrivés, les bienfaits de la Providence. Ils doivent chanter à Dieu leur reconnaissance pour ce qu'Il a fait pour eux. L'histoire d'une communauté est importante, elle doit être dite et redite, inscrite et répétée. On oublie si vite ce que Dieu a fait ! Il faut se rappeler à temps et à contre-temps que Dieu est à l'origine de tout, et que c'est Lui qui a veillé avec amour sur la communauté. C'est ainsi que les cœurs retrouvent l'espérance et l'audace nécessaires pour affronter de nouveaux risques et assumer les difficultés et les souffrances avec courage et persévérance.

Toute l'Histoire Sainte, si bien connue des Juifs, est un rappel constant de la manière dont Dieu a veillé sur son peuple. C'est ce rappel qui engendre la confiance pour continuer sans faillir...

*
**

Allons donc, un peu d'ardeur, repens-toi

Dans l'Apocalypse (3, 15 à 20), l'Ange dit à l'Eglise de Laodicée : « Je hais tes œuvres ; tu n'es ni froid ni chaud. Puisses-tu être froid ou chaud ! Ainsi, puisque tu es tiède et ni chaud ni froid, je vais te vomir de ma bouche. Parce que tu dis : « Je suis riche et me suis enrichi et je n'ai besoin de rien », et que tu ne sais pas que c'est toi qui es malheureux, misérable et pauvre, aveugle et nu, je te conseille d'acheter chez moi de l'or purifié au feu pour devenir riche [en foi] et des vêtements blancs pour t'habiller [les vêtements de l'alliance] et ne pas laisser paraître la honte de ta nudité ; et un collyre pour t'enduire les yeux et voir clair. Moi, tous ceux que j'aime, je les reprends et les corrige. »

Ces paroles pourraient être adressées à beaucoup de nos communautés et à chacun de nous, moi le premier. « Allons donc, un peu d'ardeur et repens-toi. Voici que je me tiens à la porte et que je frappe. Si quelqu'un écoute ma voix et ouvre la porte, j'entrerai chez lui, et je dînerai avec lui et lui avec moi. »

C'est triste de voir des communautés qui ont relâché leur premier amour, (Apoc. 2, 4). Nous avons tous besoin d'être encouragés et stimulés pour nous repentir et repartir avec plus d'enthousiasme et d'ardeur. Mais pour cela, il faut réouvrir la porte de nos cœurs et laisser entrer Jésus : « Je te fiancerai à moi pour toujours ; je te fiancerai dans la justice et dans le droit, dans la tendresse et la miséricorde ; je te fiancerai à moi dans la fidélité et tu connaîtras Yahvé. » (Osée 2, 21).

***

Dans les jours difficiles en communauté, il y a un texte d'Isaïe qui me soutient et m'éclaire (cf ch. 53). Le prophète s'interroge : « Quel est le jeûne qui plaît à Dieu ? », ce n'est pas de ne rien manger, mais ce sont les gestes d'amour envers les pauvres :

« Détacher les chaînes injustes,
ôter les liens du joug,
renvoyer libres les opprimés,
partager ton pain avec l'affamé,
prendre chez toi des pauvres sans abri,
couvrir ceux qui sont nus. »

Si nous faisons cela, nous serons lumineux comme l'aurore ; nos plaies profondes, ces plaies intérieures du péché, seront guéries.

Devant toi marchera la justice
et la gloire de Yahvé sera derrière toi.
Tu seras enveloppé de la protection de Dieu.

Et surtout dans les temps difficiles
où tu appelleras, Yahvé répondra ;
Si tu cries au secours du fond de ta pauvreté
de tes faiblesses et de tes fatigues,
Il dira « Me voici »
Il se révélera à toi.

Oui, Yahvé te guidera constamment
Il te comblera de nourriture dans les déserts,
les lieux arides,
Il te donnera force
Il rendra vigoureux tes os.

Et puis, soutenus, guidés, enveloppés par Yahvé, nous serons comme des jardins irrigués, remplis de fleurs et de vie, nous serons comme des sources d'eau intarissables, nous pourrons abreuver une humanité desséchée, mourant de soif.

Telle est la promesse de Dieu, si nous nous donnons aux affamés, à ceux qui sont dans la détresse, dans l'insécurité, qui se sentent seuls.

Au fond, nous sommes proches de Dieu quand nous sommes proches des pauvres et des faibles sans défense, qui, précisément parce qu'ils sont sans défense, ont besoin d'une protection spéciale.

Quand nos communautés deviennent tièdes, il faut nous rappeler cette promesse de Dieu, ouvrir nos cœurs et nos portes aux plus pauvres et être fidèles à répondre à leur cri.

Alors Dieu sera toujours là pour nous soutenir et nous guider.

Chapitre 4

DONNE-NOUS NOTRE PAIN DE CHAQUE JOUR

Pour grandir, il faut se nourrir

Pour grandir, l'être humain a besoin d'eau et de pain. S'il ne mange pas, il meurt. Et pour croître spirituellement, il lui faut, comme à la plante, du soleil, de l'eau, de l'air et une terre. La terre représente la communauté : c'est le milieu de vie, le lieu où la plante est née, où elle s'enracine, grandit, donne des fruits et meurt pour que d'autres vivent.

Dans la parabole du semeur, Jésus dit qu'on peut accueillir avec joie la parole du Royaume, mais qu'après quelques temps, cette parole est étouffée par les tribulations et les difficultés, par les soucis du monde et la séduction des richesses.

Notre personne humaine est tissée de contradictions. Une partie en elle est attirée par la lumière, par Dieu, et veut se mettre au service des frères et sœurs ; une autre partie veut la jouissance, les possessions, la domination ou le succès ; elle veut être entourée et approuvée par des amis, sous peine de devenir triste, dépressive ou agressive.

L'être humain est si profondément divisé que, s'il se trouve dans un milieu qui le porte vers la lumière et le souci des autres, il marchera dans cette direction ; si au contraire, il est dans un milieu qui se moque de ces réalités et stimule ses désirs de puissance, il reflètera ce milieu. Tant qu'il n'est pas déterminé dans ses motivations profondes, tant qu'il n'a pas choisi en conséquence ses amis et le lieu de sa croissance, il restera une girouette, un être faible, sans consistance et influençable.

La communauté est le reflet des personnes qui la composent. Il y a en elle des énergies fondées sur une espérance, mais il y a aussi un monde de lassitude, de recherche de sécurité, de peur d'avancer ou d'évoluer vers une maturité d'amour plus grande et d'assumer des responsabilités ; il y a souvent une crainte de mourir à ses petits instincts personnels.

Pour avancer dans ce voyage vers l'unité, vers un rayonnement plus grand de justice et de vérité, la personne comme la communauté ont besoin d'une nourriture vraie. Sans cette nourriture, les énergies d'espérance dépériront et feront place à des désirs de plaisir et de confort, à une lassitude dépressive, ou à des agressivités, ou à des attitudes légalistes et administratives.

***

Dans son voyage vers l'unité, chaque personne, du fait de sa richesse et de sa complexité, a besoin de diverses nourritures, sans quoi une partie de son être restera atrophiée. Certaines nourritures stimulent le cœur et la vie relationnelle, d'autres la vie intellectuelle et rationnelle, d'autres les capacités de générosité et les capacités d'action ; d'autres stimulent la recherche de Dieu et la soif d'infini. Il arrive très souvent que des personnes deviennent boulimiques dans une des parties de leur être et laissent de côté les autres : elles grandissent sans équilibre et sans unité.

Dans certaines communautés on voit des personnes très généreuses et actives mais qui ne cultivent pas leurs richesses de cœur, la partie secrète de leur être ; d'autres sont des personnes d'écoute mais elles ont besoin d'être stimulées sur le plan de la générosité et de l'action ; d'autres recherchent dans le secret de la prière la présence de Dieu mais elles ont besoin de faire un effort pour entendre le cri de leurs frères.

Le voyage vers l'unité implique un approfondissement de la vie personnelle dans ces rencontres de paix avec Dieu et avec les autres, tout en vivant pleinement une vie communautaire et en assumant des responsabilités par rapport à la société, à l'Eglise et à l'univers.

C'est un long voyage qui demande des nourritures personnelles et des nourritures communautaires, des nourritures du cœur, de l'intelligence et de l'esprit.

⁂

Le danger pour chacun de nous est de vivre à la périphérie de notre être, dans sa superficialité. Devant les stimuli immédiats, les choses « urgentes » à faire et les réactions face aux personnes, nous avons tendance à enfouir le trésor de notre personne dans des zones cachées qui n'arrivent pas à voir le jour.

Quand, pour une raison ou pour une autre, cette zone profonde remonte à la surface de la conscience ou quand un événement extérieur nous pénètre jusqu'à ces eaux tranquilles et profondes, nous sommes nourris. Est nourriture tout ce qui éveille cet aspect essentiel de notre être, et nous le rend présent à nous-mêmes. C'est toute parole, toute lecture, toute rencontre, tout événement, toute brisure, toute souffrance qui nous manifestent l'essentiel et réveillent notre cœur profond, nous redonnant une espérance.

⁂

La vie communautaire demande à chaque instant un dépassement de soi. Si on n'a pas la nourriture spirituelle nécessaire, on se replie sur soi, sur ses aises, ses sécurités, ou on se jette sur le travail pour fuir. On crée des murs autour de sa sensibilité. On est peut-être poli, on obéit à la règle, mais on n'aime pas. Et quand on n'aime pas, il n'y a pas de joie, pas d'espérance. C'est terrible de voir des gens vivre en communauté dans la tristesse, sans amour. Pour vivre dans la gratuité, il faut y être constamment stimulé.

⁂

La manne du quotidien

Pour demeurer fidèle dans le quotidien, il faut la manne de chaque matin qui est une nourriture bien ordinaire et sans beaucoup de goût. C'est la manne de la fidélité à l'alliance, aux responsabilités et aux petites choses ; la manne des rencontres, de l'amitié, des regards et des sourires qui disent « je t'aime » et réchauffent le cœur.

⁂

La nourriture essentielle est la fidélité aux mille délicatesses du quotidien, à l'effort pour aimer l'ennemi et lui pardonner, à l'accueil et à l'acceptation des structures communautaires (ce qui implique obéissance et coopération à l'autorité) ; c'est la fidélité à l'écoute des plus pauvres dans la communauté, l'acceptation d'une vie simple, sans héroïsme. C'est la fidélité à orienter constamment ses projets personnels vers le bien de toute la communauté et celui des plus pauvres et à mourir aux projets qui ne sont que pour le prestige personnel.

Cette fidélité se base sur la certitude que c'est Jésus qui nous a conviés à cette alliance avec les pauvres, avec nos frères et sœurs. S'il nous a choisis et appelés, il nous aidera chaque jour dans les petites choses. Si nous acceptons les responsabilités quotidiennes avec un cœur humble et confiant, il viendra à notre rencontre et nous soutiendra.

⁂

C'est triste de voir des gens obligés de quitter leur communauté pour chercher leur nourriture ailleurs. Il est évident qu'on a besoin de temps en temps de partir pour se reposer et prendre du recul. Mais il est absolument indispensable que chacun trouve sa nourriture dans le quotidien. Si les structures et les réunions paraissent trop lourdes, pleines de tensions et animées d'un esprit de domination, c'est que quelque chose va mal dans la communauté ou dans la personne. Les structures de travail, les rencontres et réunions doivent devenir nourrissantes. On oppose parfois organisation et structures d'un côté, gratuité de l'autre, comme on oppose technicité (ou professionnalisme) et compassion. Dans une communauté, il faut vivre les structures dans la gratuité et utiliser les techniques professionnelles avec compassion.

⁂

Tant qu'on est dans la communauté pour « faire » des choses, on ne peut pas être nourri par le quotidien. On ne cesse de se projeter en avant, car il y a toujours des choses urgentes à faire. Si on vit dans un quartier pauvre ou avec des gens en détresse, on est constamment interpellé. Le quotidien ne nous nourrit que quand on a découvert la sagesse de l'instant présent et la présence de Dieu dans les petites choses, quand on a refusé de lutter contre la réalité et qu'on a capitulé devant elle en découvrant le message et le don du moment. Alors, on voit la beauté qui nous entoure et on peut s'émerveiller. Si on nettoie la maison ou si on fait la cuisine comme une corvée qu'il faut faire, on sera fatigué et énervé. Mais si on découvre que c'est ce qu'il y a à faire dans le moment présent et que c'est par et dans ces humbles réalités qu'on vit avec Dieu et avec les frères, notre cœur s'apaise ; on ne fuit plus en avant, on prend le temps de vivre. On n'est plus pressé car on a découvert que, dans l'instant présent des comptes, des réunions, des rencontres diverses, des travaux manuels, de l'accueil, il y a un don, une grâce à recevoir.

⁂

Nous disons tous les jours dans le Notre Père : « Donne-nous aujourd'hui notre pain de ce jour ». Oui, demandons la nourriture nécessaire pour que nos cœurs soient constamment éveillés à la volonté du Père et à l'amour de nos frères et sœurs.

Jésus disait que sa nourriture était de faire la volonté de son Père. C'est vrai que cette communion avec Notre Père est la nourriture essentielle pour vivre le quotidien.

***

Les temps d'émerveillement

Beaucoup de ceux qui vivent en communauté tendent à considérer les temps où on est seul comme des temps de ressourcement par opposition aux temps de « dévouement » et de « générosité » qui seraient ceux où on est ensemble en communauté. C'est dommage qu'ils n'aient pas découvert les nourritures communautaires.

Ce sont ces moments où nous prenons conscience que nous formons un seul corps, que nous nous appartenons, que Dieu nous a appelés à être ensemble pour être une source de vie les uns pour les autres et pour d'autres. Ces temps d'émerveillement deviennent célébrations.

Ils sont comme une prise de conscience profonde, paisible, parfois joyeuse, de notre unité, de notre appel, de l'essentiel de nos vies et de la façon dont Dieu nous conduit. Ils viennent comme un don, un passage de Dieu dans la communauté qui éveille les cœurs, stimule les intelligences et redonne l'espérance. On se réjouit alors d'être ensemble ; on rend grâce ; on reprend conscience de l'amour et de l'appel de Dieu pour la communauté.

Il y a ces temps d'émerveillement de chaque jour que sont la prière en commun, l'Eucharistie, la détente après le repas. Dès qu'une communauté est réunie, il lui faut être vigilante pour accueillir ou stimuler ces temps de grâce. Dans chaque réunion, il faut saisir le moment de dire la parole qui crée l'unité, qui détend et qui fait rire, et nous remet devant l'essentiel de nos vies.

Ces temps d'émerveillement peuvent être multiples : ce peut être un moment de silence profond et chaud après qu'un frère ait partagé son appel, sa faiblesse, son besoin de prière. Ou à l'opposé, ce peut être un temps de fête où on chante, joue et rit ensemble. C'est pourquoi il faut toujours préparer avec soin les rencontres communautaires, les liturgies, les repas, les week-ends, les partages, les fêtes de Noël, de Pâques ou de fin d'année. Chacun de ces moments peut et doit devenir un temps d'émerveillement. Au cours d'une fête, il y a parfois quelque chose d'inattendu, on prend conscience d'un moment de grâce pour la communauté, un passage de Dieu, un silence plus profond ; les cœurs sont touchés. Il faut savoir prolonger ces moments, les goûter, les laisser nous approfondir et nous unir.

A l'Arche j'ai remarqué que le moment de la mort d'un frère ou d'une sœur, ou celui d'un accident grave sont des moments très importants pour la communauté. Ce sont des temps de grâce et d'émerveillement où nous sommes tous mis devant l'essentiel, dans un profond silence.

⁂

Depuis quelque temps, à l'Arche, nous avons institué les « Agapê ». Tous les deux mois, les personnes engagées dans la communauté depuis plus d'un an et qui pensent y rester, qu'elles soient dites « handicapées » ou non, se réunissent pendant trois heures pour fêter, prier, manger et partager ensemble. C'est un temps où on peut prier aux grandes intentions de la communauté, où on peut partager sur les choses importantes de notre vie. C'est un lieu où chacun, et surtout le plus pauvre, peut s'exprimer, et où nous reconnaissons notre appartenance les uns aux autres.

⁂

Le rire est une nourriture importante. Quand une communauté toute entière éclate de rire jusqu'aux larmes, c'est guérissant et nourrissant. Il ne s'agit pas de rire « de » mais de rire « avec ».

⁂

Le regard extérieur qui confirme

Quand on vit tout le temps en communauté, on risque de ne plus voir le don spécial que Dieu a accordé à cette communauté ; le quotidien aveugle parfois. Et puis on oublie si vite les duretés de notre monde ! On ne voit que nos propres difficultés, nos larmes. Il faut des gens de l'extérieur pour nous dire ce qui est propre à notre communauté, nous en rappeler tout le positif. Les membres d'une communauté ont souvent besoin d'être encouragés et confirmés, d'entendre dire : « Ce que vous faites est important pour l'humanité et pour l'Eglise ».

⁂

Il est bon que différents types de communautés chrétiennes se rencontrent pour partager leur espérance et leur vision. Il est bon qu'entre chrétiens on se retrouve pour voir comment l'Esprit est en train d'agir chez les uns et chez les autres.

Quand on découvre les réseaux de l'Esprit Saint, les merveilles de Dieu à travers le monde, cela nous fortifie et nous encourage. On se rend compte qu'on n'est pas tout seul dans son coin avec ses difficultés. Il y a une espérance universelle.

⁂

Il est important de connaître ce que l'Esprit est en train de faire dans l'Eglise et dans les Eglises, car, en tous temps, Il fait surgir des hommes et des femmes providentiels pour montrer la route. Ceux qui sont les plus prophétiques sont parfois durant leur vie les plus cachés. Peu de gens ont connu Thérèse de Lisieux ou Charles de Foucauld avant leur mort.

⁂

Le pain de la parole

La parole est un moyen puissant de faire jaillir une nouvelle espérance. Elle vient briser les carcans et les habitudes pour laisser couler les fleuves d'eau vive. C'est une nourriture qui redonne force et énergie ; mais pas n'importe quelle parole. Il faut que ce soit une parole qui touche le cœur ; c'est-à-dire une parole qui ne soit pas abstraite, qui ne vienne pas des livres ni qui s'adresse à la raison, mais une parole qui révèle la foi, l'espérance et l'amour de celui qui parle. La parole est alors comme une flamme qui transmet une chaleur ou comme l'eau sur une terre desséchée, qui permet à la vie de fleurir. Ce n'est pas tant la logique de ce qui est dit, ni la qualité du raisonnement qui sont importants mais l'enthousiasme avec lequel elle est dite. C'est la tonalité de la voix qui révèle si la personne parle pour briller, pour prouver qu'elle sait, ou pour nourrir, pour donner gratuitement et témoigner humblement de ce qu'elle a vécu et reçu gratuitement. La parole qui nourrit vient de celui qui laisse Dieu parler à travers ses lèvres.

Elle jaillit alors des zones cachées et silencieuses de l'être, là où Dieu agit, pour nourrir les autres dans les zones cachées et silencieuses de leur personne. La parole doit jaillir du silence et de la paix et conduire vers le silence et la paix. Elle fait renaître l'appel. Elle rend présent au cœur et à l'esprit la finalité et l'essentiel de la communauté.

⁂

Il y a ceux qui ont le don de parler à toute la communauté. Il y en a d'autres qui ont le don de parler à de plus petits groupes. Ceux qui se disent incapables de « donner » la parole croient souvent que cela demande beaucoup de compétence et d'idées. Mais ce sont les mots et les réalités les plus simples qui touchent, des mots empreints d'humilité, de vérité, et d'amour. Les sermons pleins d'idées compliquées ne nourrissent pas les cœurs. Ils viennent de la tête et sont stériles. Les membres d'une communauté ont besoin de témoins de l'Evangile, qui parlent de ce qu'ils vivent et partagent leur espérance tout comme leurs faiblesses et leurs difficultés.

***

La parole de Dieu, les paroles de l'Evangile, les paroles de Jésus sont un pain de vie qu'il faut manger, manger, manger. Elles nous conduisent à l'essentiel.

***

Une communauté, et a fortiori une communauté chrétienne, sera toujours à contre-courant de la société et des valeurs individualistes qu'elle propose : richesse, confort, facilité, qui entraînent par le fait même un certain rejet des personnes gênantes. Dans une communauté chrétienne, les membres sont constamment appelés à accueillir, à partager, à s'appauvrir, à se dépasser dans un amour plus vrai.

La présence d'une communauté chrétienne sera toujours une pierre d'achoppement, un point d'interrogation, une source d'inquiétude pour la société. Très vite les gens d'alentour risquent de se sentir mis en cause ; soit elle sera rejetée parce qu'elle révèle les égoïsmes latents dans le cœur des gens, soit elle deviendra un pôle d'attraction car les gens sentiront en elle une source de vie et de chaleur. Une communauté chrétienne sera souvent persécutée, rejetée, ou bien on cherchera à amoindrir son idéal pour qu'elle ne soit plus une menace.

Le grand danger d'une communauté, ce sont « les soucis du monde et les séductions des richesses ». Elle risque de se fatiguer vite et de rechercher son confort, ou de devenir agressive avec ceux qui la critiquent et la persécutent. Les membres d'une communauté doivent toujours se rappeler le pourquoi de leur vie. Ils ont besoin de se souvenir de l'appel initial, du défi. Si cette vision d'espérance n'est pas constamment rappelée, ils oublient vite le pourquoi de toutes les difficultés de la vie communautaire, la pauvreté, l'ascèse, les purifications et ils commencent à murmurer.

La communauté a toujours besoin d'une parole chaude et « inspirationnelle » qui donne sens à ces difficultés, fait renaître l'espérance, et ravive le désir de marcher à contre-courant.

*
**

L'intelligence humaine a besoin de saisir l'espérance concrète de la communauté. La spiritualité individuelle et collective ne suffit pas. La parole doit nous rappeler le sens de la communauté dans le monde actuel et dans l'histoire du salut.

Il est important de rappeler constamment le but précis de la communauté, son appel et ses origines. Trop souvent dans les communautés, à cause de l'évolution et de multiples facteurs, l'essentiel est obscurci par mille activités. On ne sait plus pourquoi on est ensemble et ce dont on veut témoigner. On discute sur les détails mais ignore ce qui nous rassemble.

*
**

La détente et le repos

Dans nos communautés, j'entends souvent parler d'assistants ou de directeurs « brûlés », c'est-à-dire de personnes qui ont été trop généreuses et se sont lancées dans un activisme effréné qui les a finalement détruites dans leur affectivité profonde. Elles n'ont pas su se détendre. Les responsables de communautés doivent apprendre aux assistants, et parfois même exiger d'eux, une discipline de repos physique et de détente. Ils doivent leur indiquer les moyens de se ressourcer spirituellement. Et ils doivent montrer l'exemple.

Beaucoup de gens sont « brûlés » parce qu'ils le veulent bien. Ils refusent quelque part dans leur être cette nécessité de se détendre et de trouver un rythme de vie harmonieux. Dans leur hyper-activité, ils sont en train de fuir quelque chose. Ils sont trop attachés à leur fonction ; ils l'identifient parfois même à leur personne. Ils n'ont pas encore appris à vivre, ils n'ont pas découvert la sagesse de l'instant présent.

Ils ont besoin d'un berger qui les provoque à regarder en eux-mêmes et à découvrir qu'ils sont en train de fuir quelque chose. Ils ont besoin de trouver quelqu'un qui les incite à prendre du recul et une certaine détente pour clarifier leurs motivations et les aider à être des personnes vivant avec d'autres personnes, des enfants avec d'autres enfants. Dieu nous a donné à chacun une intelligence, certes pas très grande, mais suffisante pour réfléchir et prendre les moyens nécessaires pour vivre ce que nous sommes appelés à vivre : la communauté. « Regarde ton cœur. Qu'est-ce que tu fuis ? »

J'ai parfois l'impression que les « hyper-actifs » sont en train de fuir la vulnérabilité de leur propre cœur. Ils ont peur de leur affectivité. Il leur faudrait réfléchir un peu sur leurs besoins profonds et retrouver l'enfant qui pleure en eux de solitude. Il y a la détente du corps mais il y a surtout la détente du cœur, des relations sécurisantes, non-dangereuses.

⁂

Beaucoup restent tendus parce qu'ils ne sont pas encore entrés dans la conscience collective de la communauté. Ils n'ont pas encore capitulé devant le don et l'appel de la communauté. Ils n'ont pas encore vraiment fait le passage de « la communauté pour moi » à « moi pour la communauté », peut-être parce que leur fragilité les incite à vouloir prouver quelque chose à eux-mêmes et aux autres et qu'au fond ils ont pris la communauté pour un refuge. Ils n'arriveront à être détendus que lorsqu'ils auront trouvé leur don propre et l'auront mis pleinement au service de la communauté.

⁂

Dans le cœur du quartier noir de Chicago, j'ai passé une soirée chez des franciscains qui vivent ensemble dans un appartement. J'ai beaucoup aimé leur prieur. Il exigeait une vrai discipline de ses jeunes frères-novices. Ils devaient dormir tant d'heures par nuit et bien manger. « Si nous ne prenons pas soin de nos corps et si nous ne trouvons pas un rythme de vie pour pouvoir tenir des années durant, ce n'est pas la peine de venir ici. Notre rôle est de demeurer. C'est trop facile de faire une expérience auprès des pauvres, de profiter d'eux pour notre propre enrichissement spirituel, et de partir ; il s'agit de rester avec eux. »

⁂

Un des ressourcements individuels les plus importants est le repos. Il faut une discipline de repos. Quelquefois, quand on est trop fatigué, on a tendance à papillonner, à ne rien faire, à passer de longues heures, la nuit, à parler. Il serait préférable de dormir un peu plus ! Chacun doit trouver son rythme de détente et de repos. Beaucoup d'agressivités et de disputes ont des causes somatiques. Certains assistants dans nos communautés auraient intérêt occasionnellement à prendre un bon bain chaud, à se coucher et dormir pendant 12-14 heures !

Avant d'entrer en communauté, beaucoup de personnes ont connu une vie où elles prenaient à leur gré des temps de loisirs et de détente. Tout leur corps a pris un certain rythme. Quand elles arrivent dans la communauté, elles sont obligées d'être constamment attentives aux autres. Ce n'est pas étonnant qu'après un certain temps, elles soient fatiguées, parfois même déprimées. Elles commencent à mettre en cause leur place ; elles sentent en elles des formes de colère inconnues auparavant. Et souvent, les moindres contradictions leur deviennent insupportables. Non, ce n'est pas étonnant : elles n'ont pas su trouver leur mode de détente dans cette nouvelle vie ; elles étaient trop tendues par un désir de bien faire.

Quand on entre en communauté, il faut s'attendre à ces changements somatiques. Il faut être très patient avec son corps et savoir se recréer et se reposer.

Plus une vie communautaire est intense et difficile, plus il y a des tensions et des luttes, plus il est indispensable d'avoir des temps de détente. Quand on se sent énervé, tendu, incapable de prier ou d'écouter, c'est signe qu'il faut partir quelques jours ou au moins se reposer.

Certains ne savent pas comment occuper leur temps libre. Ils passent de longues heures au café ou en discussion. C'est triste de n'avoir aucun intérêt en dehors de la communauté, de ne plus lire, ne plus savoir faire des choses simples (promenades, musique, etc.). Il faut que nous nous entraidions à maintenir certains intérêts personnels qui nous permettent d'être détendus.

***

Il est toujours bon dans une communauté d'avoir une « grand-mère » qui rappelle aux gens qu'ils ont un corps et une affectivité, qu'ils se font souvent des montagnes de petits problèmes, qu'ils auraient intérêt à se reposer un peu.

***

C'est facile d'être généreux pendant quelques mois ou quelques années. Mais pour être continuellement présent à d'autres et pas seulement présent mais être nourriture, pour tenir le coup dans une fidélité renouvelée chaque matin, il faut une discipline du corps et de l'esprit. Il faut une discipline par rapport à la nourriture spirituelle, à la prière et au rajeunissement de l'intelligence.

***

La nourriture de l'intelligence

Les nourritures de l'intelligence sont importantes. C'est bien de comprendre les choses de la nature et les merveilles de l'univers, pour saisir avec plus de profondeur l'histoire de l'homme et du salut. Chacune de nos intelligences est faite différemment ; il y a mille portes pour entrer dans l'intelligence des choses et dans leur mystère.

Il y a le danger, à notre époque, d'être saturés d'informations, et de n'enregistrer que des choses très superficielles. Il est toujours bon de pénétrer avec notre intelligence dans un petit domaine de ce vaste monde de la connaissance qui est le reflet de notre immense univers : celui des choses visibles et invisibles. Si on creuse avec son intelligence un domaine restreint, que ce soit la croissance de la pomme de terre ou l'approfondissement d'un mot de l'Ecriture, dans chacune de ces réalités on touche le mystère. Si on explore une chose à fond avec notre intelligence, on entre dans le monde de l'émerveillement et de la contemplation. Une intelligence qui touche la lumière de Dieu cachée au cœur des choses et des êtres renouvelle toute la personne.

Dans nos communautés je crains souvent qu'on ne lise pas assez. De temps en temps on lit un livre sur la psychologie. Ce n'est pas mauvais ; mais ce serait peut-être plus nourrissant de lire sur la nature et ce mystère de mort et de résurrection qui nous enveloppe partout. Il ne faut pas lire uniquement des choses utiles mais connaître aussi des choses gratuites, car c'est la gratuité qui stimule le plus.

*
**

La nourriture de la croissance

Un des meilleurs ressourcements, c'est le sentiment qu'on grandit, qu'on progresse. Si on croit rester statique, le découragement s'installe. Pour cela on a souvent besoin du berger ou de l'ami qui nous rappelle qu'il y a croissance.

Mais il faut savoir aussi prendre patience quand on a l'impression de ne plus grandir. A ce moment-là, il faut faire confiance : c'est Jésus qui nous a amenés dans la communauté. L'hiver, les arbres ne semblent pas pousser ; ils attendent le soleil. Ils doivent être taillés. On a besoin à ce moment-là de quelqu'un qui nous rappelle la valeur de l'attente et du sacrifice.

*
**

Cela m'aide beaucoup de voir une personne handicapée sortir peu à peu de l'angoisse et de la mort spirituelle ; de voir une lumière commencer à briller dans ses yeux, un sourire sur ses lèvres, de voir la vie surgir. Cela vaut la peine de porter le poids de chaque jour, toutes les difficultés d'une grande communauté pour voir renaître une personne.

*
**

De même, quand je vois des personnes handicapées tristes à en mourir, parfois en proie à des crises d'agressivité, dans les grandes salles d'un hôpital psychiatrique ou d'un asile, ou enfermées seules dans une chambre, cela me donne du courage pour continuer la lutte, créer d'autres communautés où elles puissent être accueillies ; cela me nourrit pour continuer à vivre en communauté avec mes frères et sœurs de l'Arche. Dès qu'on saisit sur le vif l'utilité de la communauté, sa raison d'être, cela donne de la force.

*
**

Down nous expliquait l'autre jour que les difficultés stimulent : « Quand tout est trop facile, je sombre, je me replie sur moi-même et sur mes petites affaires. Quand par contre le pauvre m'appelle ou qu'il y a des difficultés dans la communauté auxquelles il faut que je réponde, une force naît en moi. J'ai besoin de cette stimulation. »

*
**

L'ami

Un ressourcement absolument essentiel est la rencontre avec un véritable ami à qui on puisse tout dire, sachant qu'on sera écouté, encouragé et confirmé par un geste d'amour et une parole de tendresse. L'amitié, quand elle est encouragement à la fidélité, est la plus belle de toutes les réalités. Aristote disait qu'elle est la fleur de la vertu, la gratuité de la fleur.

Dans les jours sombres, on a besoin d'aller vers un ami pour trouver le réconfort. Quand on se sent « à plat », quand on en a un peu « ras le bol », une lettre reçue d'un ami lointain peut redonner paix et confiance. L'ami est un refuge. L'Esprit Saint se sert de petites choses pour soulager et fortifier.

*
**

Certains assistants à l'Arche, quand ils sont très fatigués, ont parfois besoin de parler, parler, parler. Ils ont besoin de l'oreille attentive d'un ami pour accueillir toute une masse de choses, de souffrances et de peurs. Ils n'auront de repos que quand ils seront libérés, ayant tout donné à l'ami.

*
**

Des responsables de communautés (mais c'est vrai pour tout le monde) portent souvent en eux une quantité de frustrations qu'ils ne peuvent pas toujours verbaliser en groupe sans mettre la communauté en danger. Plus ils sont sensibles, plus ces frustrations, ces colères, ces inquiétudes, ces sentiments d'incompétence, de tristesse et de lassitude deviennent lourds. Ils ont impérieusement besoin d'exprimer toutes ces contradictions à une personne qui soit sécurisante.

Ils ont besoin de dire combien ils détestent tel ou tel qui les mets en danger sans pour autant qu'on les accuse de « manque de charité » ! Il faut parfois cette libération de la sensibilité pour retrouver ensuite la paix.

Mais celui qui écoute, et qui devient en quelque sorte « la poubelle », doit avoir une certaine sagesse pour accueillir tout cela sans s'affoler, sans essayer tout de suite de rectifier, sans juger, sans s'y complaire, sans encourager ni stimuler les mauvais sentiments.

*
**

Quand on se sent aimé et apprécié tel qu'on est, quand on se sent appelé par le pauvre, on est nourri dans le profond de son cœur.

Et être nourri par l'amour des autres est un appel à devenir nourriture pour ceux qui souffrent, ceux qui se sentent seuls et en détresse. On apprend ainsi à se laisser manger. « C'est un devoir pour nous les forts de porter la faiblesse de ceux qui n'ont pas cette force et de ne point rechercher ce qui nous plaît. » (Rom. 15, 1). « De votre bouche doit sortir toute bonne parole capable d'édifier quand il le faut, et de faire du bien à ceux qui l'entendent. » (Eph. 15, 29).

⁂

Il ne faut pas avoir peur d'aimer et de dire aux gens qu'on les aime. C'est le plus grand des ressourcements personnels.

⁂

Le partage

Parfois dans nos communautés, nous nous mettons devant l'essentiel. Nous partageons comment et pourquoi nous sommes venus à l'Arche et ce que nous y trouvons de vital. En écoutant les uns et les autres, en découvrant leur cheminement, la façon dont Dieu les conduit et les fait grandir, je me sens nourri. Le pargage en communauté est une nourriture qui fait renaître l'espérance.

⁂

Je suis frappé de ce que le partage de nos faiblesses et de nos difficultés soit un stimulant plus grand pour les autres que le partage de nos qualités et de nos réussites.

Au fond, en communauté, on a toujours tendance à se décourager. On croit que les autres font mieux ou qu'ils n'ont pas les mêmes luttes. Quand on découvre qu'on est tous embarqués dans le même bateau, qu'on a tous les mêmes peurs et lassitudes à l'intérieur de nous, cela nous aide à continuer.

C'est curieux comment l'humilité d'une personne nourrit les autres. C'est parce que l'humilité est vérité, liée à une confiance en Dieu et en ses frères et sœurs : « Je me sens faible mais j'ai confiance en ton soutien. »

⁂

Un des plus grands péchés dans une communauté est peut-être une certaine forme de tristesse et de morosité. C'est facile de rester avec quelques amis à critiquer les autres, en disant « ras-le-bol », « tout va mal », « ce n'est plus comme avant ». Cet état d'esprit, inscrit sur le visage des gens, est un véritable cancer qui peut se répandre à travers tout le corps. La tristesse comme l'amour ou la joie sont des ondes qui se propagent immédiatement. On est tous responsables de l'atmosphère de la communauté.

⁂

Le regard du pauvre

Quelquefois le plus grand ressourcement est le plus petit geste de délicatesse ou de compassion d'une personne faible. C'est souvent le regard du plus pauvre qui nous détend, touche notre cœur et nous rappelle l'essentiel.

⁂

Je suis allé un jour accompagner les Sœurs de Mère Térèsa dans un bidonville de Bangalore pour les aider à soigner les lépreux. Leurs plaies étaient puantes et tout était dégoûtant humainement. Mais dans leurs yeux il y avait une lumière. Je ne pouvais rien faire d'autre que de tenir les instruments qu'utilisaient les sœurs, mais j'aimais être là. Leurs regards, leurs sourires semblaient pénétrer à l'intérieur de moi et me renouveler. Quand je suis parti, il y avait dans mon cœur une joie inexplicable que les lépreux m'avaient donnée.

Je me rappelle d'une soirée dans la prison de Calgary (Canada). Je venais de passer trois heures avec les hommes du « Club 21 » (des hommes tous condamnés à plus de vingt et un ans de prison pour meurtre). Ils avaient touché mon cœur, et je suis parti l'esprit renouvelé. Ces hommes avaient changé quelque chose à l'intérieur de moi.

*
**

Le sourire du pauvre, le regard du désespéré qui s'éveille à mon regard, transforment mon cœur. Ils font surgir de nouvelles énergies de vie du plus profond de l'être. Ils semblent briser certaines barrières et par le fait même apportent une nouvelle liberté.

C'est comme le regard ou le sourire de l'enfant : le cœur le plus dur peut-il lui résister ? Le contact ou la rencontre avec le faible est une des nourritures les plus essentielles à la vie ; quand on se laisse pénétrer par le don de sa présence, il dépose quelque chose de précieux dans notre cœur.

Si on reste simplement au niveau de « faire » quelque chose pour celui qui est dans le besoin, on maintient la barrière de la supériorité. Il faut accueillir le don du pauvre les mains ouvertes. C'est vrai ce que dit Jésus : « Ce que tu fais aux plus insignifiants de mes frères (celui qu'on ne regarde pas et qu'on rejette), c'est à moi que tu le fais ».

Dans la prière de l'Arche, nous disons tous les soirs : « O Marie, donne-nous des cœurs pleins de miséricorde pour les aimer, les servir, éteindre toute discorde et voir en notre frère souffrant l'humble présence de Jésus vivant ».

*
**

Le pauvre est toujours prophétique. Il révèle les dessins de Dieu. Les vrais prophètes ne font que montrer le rôle prophétique du pauvre. C'est pour cela qu'il faut prendre du temps pour les écouter. Et pour les écouter, il faut être proche d'eux ; en effet ils parlent à voix basse et seulement dans certaines circonstances car ils ont peur de s'exprimer, ils manquent de confiance en eux-mêmes tant ils ont été brimés et opprimés. Mais si on les écoute, ils nous mettent devant l'essentiel.

***

Le Père Arrupe, Général des Jésuites, dans une conférence donnée à des religieux américains [1], a dit ceci : « La solidarité des religieux avec ceux qui sont réellement pauvres s'accompagnera pourtant de solitude... Nous nous sentirons seuls lorsque nous verrons que le monde des travailleurs ne comprend pas notre idéal, nos raisons et nos méthodes. Tout au fond de nous-mêmes, nous nous sentirons dans une solitude complète. Nous aurons besoin de Dieu et de sa force pour être capables de continuer à travailler dans la solitude de notre solidarité... et en dernière analyse rester incompris et isolés. C'est la raison pour laquelle tant de religieux et de religieuses engagés dans le monde du travail ont vécu une nouvelle expérience de Dieu. Dans cette expérience de solitude et d'incompréhension, leur âme a débordé de la plénitude de Dieu. Dans cette simple expérience, ils se sentent démunis et pourtant capables de redécouvrir d'une manière neuve comment Dieu leur parle à travers ceux dont ils sont solidaires. Ils voient que ces gens, les gens en marge, ont quelque chose de divin à leur dire, par leur souffrance, leur oppression, leur délaissement.

Et là on comprend la vraie pauvreté, on reprend conscience de sa propre incapacité, de sa propre ignorance, on ouvre son âme pour recevoir à travers la vie du pauvre, une instruction profonde donnée par Dieu lui-même. Oui, Dieu parle par ces rudes visages, ces vies en ruine. Et voici qu'apparaît un nouveau visage du Christ dans les petits ».

***

---

1. Troisième Conférence Inter-américaine des religieux, à Montréal, nov. 1977.

Quand à l'Arche je suis fatigué, je vais souvent à la Forestière. C'est un foyer qui accueille des personnes très blessées : aucune des neuf qui sont là actuellement ne parle. Plusieurs ne marchent pas. Sous bien des angles, ils ne sont que cœur et relation affective à travers leur corps. L'assistant qui les nourrit, qui leur donne le bain ou qui les couche doit le faire non à son rythme à lui, mais à leur rythme à eux. Il doit ralentir pour accueillir les moindres expressions de leur être. Puisqu'ils ne peuvent s'exprimer verbalement, ils ne peuvent pas faire prévaloir leur point de vue en élevant la voix. L'assistant doit être d'autant plus attentif aux mille façons non verbales dont ils s'expriment. Cela augmente beaucoup sa capacité d'accueillir la personne. Il devient de plus en plus un être d'accueil et de compassion. Pour moi, le rythme plus lent et la présence même de personnes très blessées m'oblige à ralentir, à faire taire la locomotive d'efficacité qui est en moi, me repose et me fait percevoir la présence de Dieu. Le plus pauvre a un pouvoir extraordinaire de guérir certaines blessures de nos propres cœurs. Il devient nourriture si on veut bien l'accueillir.

⁂

La prière personnelle

Quand on vit en communauté et que le quotidien est bien rempli et ardu, il est absolument indispensable d'avoir des moments de recul ou de solitude pour prier et rencontrer Dieu dans le silence et le repos. Sinon la « locomotive » de l'activité n'arrive plus à s'arrêter et on devient comme une poule qui a perdu la tête.

Les Petites Sœurs de Foucauld ont toute une règle de prière, de solitude et de recul : une heure par jour, une demi-journée par semaine, une semaine par an, une année tous les dix ans. Quand on vit en communauté, l'interdépendance grandit, mais il faut éviter une mauvaise dépendance. Il faut avoir du temps seul, seul avec Notre Père, seul avec Jésus. La prière est cette attitude de confiance en Notre Père, cherchant sa volonté, cherchant à être pour les frères et sœurs un visage de l'amour. Il faut que chacun de nous sachions nous reposer et nous détendre dans le silence de la contemplation, dans ce cœur à cœur avec Dieu.

***

« Ne pense pas qu'en prenant un recul momentané tu nuiras à la communauté ; ne crois pas qu'une augmentation de ton amour personnel de Dieu amoindrira ton amour pour ton voisin. Au contraire, il l'augmentera. » [2]

***

Quelquefois quand je suis seul naît une lumière dans le fond de mon être. C'est comme une blessure de paix dans laquelle vit Jésus. Et dans cette blessure, à travers elle, je retrouve les autres sans barrières, sans ces peurs ou cette agressivité qui m'habitent parfois, sans toutes ces impossibilités de dialoguer, sans ces vagues d'égoïsme. Je peux alors demeurer dans la présence de Jésus et dans la présence invisible de mes frères et sœurs. Je découvre chaque jour davantage la nécessité de ces temps de solitude pour retrouver les autres avec plus de vérité et assumer, dans la lumière de Dieu, mes faiblesses, mes ignorances, mes égoïsmes et mes peurs. La solitude ne me sépare pas des autres mais m'aide à les aimer avec plus de tendresse, de réalisme et d'écoute. Je commence à distinguer aussi la fausse solitude qui est une fuite des autres pour se retrouver tout seul dans une forme d'égoïsme ou de tristesse, une sensibilité froissée, de la vraie solitude qui est communion avec Dieu et avec les autres.

***

Chacun doit trouver son rythme de prière. Pour certains ce sera de longues heures, pour d'autres des quarts d'heures ici

2. Carlo Carretto : *Au-delà des choses,* chapitre 1.

et là. Pour tous, c'est être attentifs à la présence de Dieu et à son bon plaisir tout au long de la journée. Certains auront besoin d'avoir le cœur stimulé par la Parole de Dieu et de réciter le Notre Père, d'autres de dire le nom de Jésus ou celui de Marie. La prière est comme un jardin secret fait de silence et d'intériorité, le lieu du repos. Mais il y a mille portes à ce jardin et chacun doit trouver la sienne.

Si on ne prie pas, si on ne fait pas le point de nos activités et de notre vie, si on ne trouve pas le repos dans le secret de notre cœur, là où réside l'Eternel, on aura beaucoup de mal à vivre la vie communautaire, on ne pourra pas être disponible aux autres, être artisan de paix. On ne vivra que des stimulations du moment présent, et on perdra de vue nos priorités et le sens de l'essentiel. Et puis, il faut nous rappeler que certaines purifications de notre être ne se font qu'avec l'aide de l'Esprit Saint, certains recoins de notre sensibilité, de notre inconscient ne peuvent trouver la lumière que par un don de Dieu.

⁂

La prière est une rencontre qui nourrit l'affectivité profonde. Elle est présence et communion. Le secret de notre être est dans ce baiser avec Dieu où on se sait aimé et pardonné. Au plus profond de nous, au-delà de nos capacités d'action et de compréhension, il y a un cœur vulnérable, l'enfant qui aime mais qui a peur d'aimer. La prière silencieuse nourrit ces zones profondes. C'est la nourriture essentielle pour toute personne vivant en communauté car c'est la nourriture la plus secrète et la plus personnelle.

⁂

Carlo Caretto parle de trouver le désert là où l'on est, dans sa propre chambre, dans une église, peut-être au milieu de la foule. Pour moi, quelquefois, c'est de marcher dans la rue entre deux maisons à Trosly-Breuil ; c'est me recueillir à l'intérieur de moi, redécouvrant ce tabernacle où vit Jésus. Mais j'ai aussi besoin de temps plus longs.

⁂

Souvent à l'Arche ou ailleurs, quand j'attends quelqu'un ou quelque chose et qu'il y a un retard, je m'énerve intérieurement. Je n'aime pas perdre de temps. La « locomotive » à l'intérieur de moi continue à tourner sans conduire nulle part. Mon énergie stimulée mais non canalisée vers une action précise tourne en énervement. C'est encore pire quand je voyage ! J'ai encore beaucoup à apprendre pour savoir profiter de ces moments apparemment perdus afin de les utiliser pour la détente et le repos, pour retrouver la présence de Dieu, vivre comme un enfant qui s'émerveille. J'ai besoin de découvrir la patience et encore plus le comment-vivre dans l'instant présent où Dieu se donne.

⁂

Il y a deux dangers qui guettent une communauté. Certains membres, pour se protéger, peuvent construire un mur autour d'eux (au nom de leur union à Dieu, de leur santé ou de leur vie privée), ou ils se jettent éperdument dans les rencontres interpersonnelles, en racontant, au nom de l'échange et du partage, toutes leurs émotions. Dans le premier cas, les membres tendent à vivre pour eux-mêmes dans une fausse solitude ; dans le deuxième cas ils deviennent hyper-dépendants des autres, ils n'existent pas par eux-mêmes. L'équilibre entre solitude et communauté est difficile à trouver.

Autrefois on risquait d'ignorer le don de la communauté et du partage ; aujourd'hui on risque d'oublier celui de la vie intérieure et les besoins profonds du cœur humain. Pour pouvoir vivre pleinement en communauté il faut d'abord exister, savoir se tenir debout, être capable d'aimer. La communauté n'est pas un refuge mais un tremplin. Celui qui se marie seulement parce qu'il en a besoin risque de rencontrer des difficultés. On se marie parce qu'on aime quelqu'un et qu'on veut vivre et cheminer avec lui, le rendre heureux. De même, on entre en communauté pour répondre à un appel de Dieu, pour être ce qu'on doit être, vivre avec d'autres et construire quelque chose avec eux. Mais cela demande que chacun de nous ait ses propres racines. Sinon on n'aura pas cette conscience intérieure qui aide à distinguer la volonté de Dieu, les vrais besoins de la communauté et ceux de nos frères et sœurs de nos propres instincts, peurs et besoins. On parlera non pour donner la vie mais pour se libérer ou prouver quelque chose ; on agira avec d'autres et pour d'autres, non pas pour leur croissance mais à partir de notre propre besoin de bouger. Pour grandir humainement, pour devenir plus libre intérieurement, on a besoin à la fois du partage et d'une prière communautaire, mais aussi de temps de solitude, de réflexion, d'intériorisation et de prière personnelle.

Henri Nouwen, écrivant sur la solitude et la communauté, montre qu'il y a une opposition entre ces deux réalités dans l'esprit de certains : soit la solitude équivaut à la vie privée (où je fais ce que je veux) et la communauté est le lieu du « dévouement » par opposition à celle-ci qui doit être protégée ; soit la solitude vise à permettre de vivre plus pleinement la vie communautaire : elle est un ressourcement nécessaire afin d'être plus aux autres.

Mais la solitude n'est pas uniquement « pour moi » et la communauté « pour les autres ». « La solitude est aussi pour une communion avec les autres mais d'une autre façon que par la présence physique, elle est aussi et surtout pour une communion avec Dieu, avec la lumière et la vérité. Dans la solitude nous nous découvrons l'un l'autre d'une façon toute nouvelle, difficilement atteignable sinon impossible avec la présence physique. Nous reconnaissons alors entre nous des liens qui ne dépendent pas de paroles, de gestes ou d'actions, et qui sont plus profonds et plus forts que ceux qu'on pourrait créer par nos propres efforts. »

« Solitude et communauté s'appartiennent l'une l'autre ; elles ont besoin l'une de l'autre, tels le centre et la circonférence d'un même cercle. La solitude sans communauté conduit à un sentiment de solitude et de désespoir, la communauté sans solitude nous mène à « un vide » de paroles et d'émotions... »

*
**

La vie communautaire avec toute sa complexité implique une attitude intérieure – sans quoi très vite elle se sclérose, les uns et les autres recherchant des compromis pour ne plus grandir. Cette attitude, c'est celle de l'enfant qui s'abandonne, qui sait qu'il n'est qu'une toute petite partie de l'univers et que là où il est, il est appelé à vivre dans le don et l'oblativité. Cette attitude est une confiance totale en Dieu, recherchant à chaque instant sa volonté, son bon plaisir. Quand on n'a plus ce cœur d'enfant qui cherche à être instrument de paix et d'unité parmi les hommes, on se décourage ou on veut prouver qu'on est quelqu'un. Dans les deux cas on détruit la communauté.

Ce cœur d'enfant, comment le nourrir ? C'est la question essentielle pour chaque personne vivant en communauté. L'amour ne se nourrit que d'amour. On n'apprend à aimer qu'en aimant. Dès que le cancer de l'égoïsme s'installe, très vite il se propage à travers les activités quotidiennes ; quand l'amour commence à grandir, cet amour qui est sacrifice, don et communion, pénètre la langue, les gestes et la chair.

Ce cœur se nourrit dans la mesure où il reste fidèle au cœur de Dieu. La prière n'est rien d'autre que l'enfant qui reste dans les bras de son Père, y demeure et dit « oui ».

Ce cœur se nourrit dans la mesure où il reste fidèle aux plus pauvres, les écoute et se laisse déranger par leur présence prophétique.

Ce cœur se nourrit dans la mesure où il reste fidèle à la conscience collective de la communauté, à ses structures et dit sans cesse un « oui » patient et aimant à la communauté.

*
**

Devenir pain

Certains, ne voyant pas la nourriture qui est à leur portée, refusent de devenir pain pour les autres. Ils ne croient pas que leur parole, leur sourire, leur être, leur prière peuvent nourrir les autres et leur redonner confiance.

D'autres, par contre, découvrent que leur nourriture est de donner à partir d'un panier vide ! C'est le miracle de la multiplication des pains. « Seigneur, fais que je ne cherche pas tant à être consolé qu'à consoler. » Je suis parfois étonné de découvrir que quand je me sens très vide à l'intérieur de moi, je suis capable de donner une parole nourrissante, ou qu'en étant angoissé, je peux transmettre la paix. Dieu seul peut faire de tels miracles.

*
**

Je rencontre parfois des gens agressifs par rapport à leur communauté. Ils la blâment pour leur propre médiocrité. « La communauté n'est pas assez nourrissante : elle ne me donne pas ce dont j'ai besoin. » Ils sont comme des enfants qui blâment pour tout leurs parents. Ils manquent de maturité, de liberté intérieure et surtout de confiance en eux-mêmes, en Jésus et en leurs frères et sœurs. Ils voudraient un banquet avec un menu précis, et ils refusent les miettes données à chaque instant. Leur « idéal », leurs idées quant à la nourriture spirituelle dont ils ont soi-disant besoin, les empêchent de voir et de manger la nourriture que Dieu leur donne à travers le quotidien. Ils n'arrivent pas à accepter le pain que le pauvre, leur frère ou leur sœur, leur offre à travers son regard, son amitié ou sa parole. Au début, la « communauté » peut être une mère qui nourrit. Mais avec le temps, chacun doit découvrir sa propre nourriture à travers les mille activités de la communauté. Ce peut être une force donnée par Dieu, qui vient au secours de sa faiblesse et de son insécurité pour l'aider à assumer la blessure de sa propre solitude, de son cri de détresse. La communauté ne peut jamais combler cette détresse ; elle est inhérente à la condition humaine. Mais elle peut nous aider à l'assumer, nous rappeler que Dieu répond à notre cri et que nous ne sommes pas tout seuls. « Le Verbe s'est fait chair et Il a habité parmi nous » (Jean 1, 14). « Ne crains pas, je suis avec toi » (Isaïe 43, 5). Vivre en communauté c'est aussi apprendre à marcher tout seul dans le désert, dans la nuit et les larmes, mettant notre confiance en Dieu notre Père.

***

Quand on a perdu la vision initiale de la communauté, quand on s'est éloigné du point de fidélité, on peut manger, manger des choses spirituelles, avoir une boulimie de spiritualité, sans être nourri. Il faut se convertir, redevenir comme un petit enfant, retrouver notre appel initial et celui de la communauté. Quand on commence à douter de cet appel, ce doute se répand comme un cancer capable de miner les fondations de l'édifice. Il faut savoir nourrir notre confiance dans cet appel.

***

Prière communautaire et Eucharistie

La prière en communauté est une nourriture importante. Une communauté qui prie ensemble, qui entre dans le silence et adore, se soude sous l'action de l'Esprit Saint. Le cri jailli de la communauté est écouté d'une façon spéciale par Dieu. Quand on demande ensemble à Dieu un don, une grâce, Dieu écoute et nous exauce. Si Jésus nous a dit que tout ce que l'on demanderait en son nom, le Père l'accorderait, à plus forte raison quand c'est une communauté qui le demande. Il me semble qu'à l'Arche nous ne recourons pas assez à cette demande en communauté. Peut-être ne sommes-nous pas encore assez simples, assez enfants. Parfois, dans les prières communautaires spontanées, on tourne un peu en rond. C'est dommage qu'on n'utilise pas assez les très beaux textes de l'Eglise, qu'on ne connaisse pas mieux l'Ecriture Sainte. C'est vrai que quelquefois le texte un peu figé perd de sa saveur si on l'utilise tous les jours. Mais le spontané aussi peut perdre de sa saveur. Il faut trouver une harmonie entre les textes que la tradition nous donne et la prière spontanée jaillie du fond du cœur.

⁂

Souvent une communauté ne crie plus vers Dieu car elle n'entend plus le cri des pauvres. Elle est satisfaite d'elle-même ; elle a trouvé un mode de vie pas trop insécurisant. C'est quand on voit la détresse et la misère de son peuple, quand on voit son oppression et ses souffrances, quand on le voit affamé et qu'on sent son incompétence, qu'on crie vers le Père avec insistance : « Seigneur, tu ne peux détourner tes oreilles du cri de ton peuple, entends notre prière ». Quand la communauté a fait alliance avec les pauvres, leurs cris deviennent son cri.

⁂

La communauté doit être signe de la résurrection. Mais une communauté divisée où chacun va son chemin, uniquement préoccupé de sa propre satisfaction et de son projet personnel, sans tendresse pour l'autre, est un contre-témoignage. Tous les ressentiments, amertumes, tristesses, rivalités, divisions, tous les refus de tendre la main à l'« ennemi », toutes les critiques dites derrière le dos, tout ce monde de zizanies et d'infidélités au don de la commuanuté nuit profondément à sa véritable croissance dans l'amour. Il révèle aussi toutes ces braises du péché, toutes ces forces du mal qui sont toujours en son cœur, prêtes à s'enflammer. Il est parfois important qu'une communauté prenne conscience de toutes ses infidélités. Les cérémonies pénitentielles en présence du prêtre, si elles sont bien préparées, peuvent être des moments importants : les membres, devenant conscients à la fois de leur appel à l'unité et de leur péché, demandent pardon à Dieu et aux autres. C'est un moment de grâce qui unifie les cœurs.

⁂

Une des nourritures qui fait le lien entre la nourriture communautaire et la nourriture personnelle, car elle est les deux à la fois, c'est l'Eucharistie. L'Eucharistie est la célébration, la fête communautaire par excellence, car elle nous fait revivre le mystère de Jésus donnant sa vie pour nous. C'est le lieu de l'action de grâces de toute la communauté. C'est pour cela qu'après la consécration le prêtre dit : « Quand nous serons nourris de son Corps et de son Sang et remplis de l'Esprit Saint, accorde-nous d'être un seul corps et un seul esprit dans le Christ ». On touche là le cœur du mystère de la communauté.

Mais c'est aussi un moment intime où chacun de nous est transformé par la rencontre personnelle avec Jésus : « Celui qui mange mon corps et boit mon sang demeure en moi et moi en lui » (Jean 6, 56).

Au moment de la consécration, le prêtre dit les paroles de Jésus : « Voici mon corps livré pour vous, mangez-en tous ». C'est le « livré pour vous » qui m'impressionne. Ce n'est que lorsqu'on a mangé ce corps qu'on peut se livrer aux autres. Il n'y a que Dieu pour inventer une telle réalité.

Chapitre 5

AUTORITÉ ET AUTRES DONS

Autorité

Le rôle de l'autorité dans une communauté ne peut être compris que si on le voit comme un don ou ministère parmi beaucoup d'autres nécessaires à la construction de la communauté. Certes, elle est très importante car la croissance de la communauté dépend en grande partie de la façon dont elle est exercée. Mais, on regarde trop souvent l'autorité comme le seul don. Le chef dans une communauté n'a pas toutes les lumières ; son rôle, au contraire, est d'aider chaque membre à être lui-même et à exercer ses dons propres pour le bien de tous. Une communauté ne peut être un corps harmonieusement uni dans une même vie, « un seul cœur, une seule âme, un seul esprit », que si chacun est pleinement vivant. Si on ne voit que le schéma patron-ouvrier, officier-soldat, autorité-exécutant, on ne peut pas comprendre ce qu'est une communauté.

En parlant de l'autorité dans ces pages, je ne parle pas uniquement du « grand chef » d'une communauté mais de chacun de ceux qui ont autorité sur quelqu'un. A l'Arche, il y a des responsables d'ateliers, de foyers et d'équipes de jardin ; dans l'administration, à la cuisine ou à l'accueil il y a un responsable qui en fait travailler d'autres. Chacun doit apprendre à exercer l'autorité d'une façon chrétienne et communautaire.

***

Une mission qui vient de Dieu

Le responsable d'une communauté, et tout responsable, a reçu une mission qui lui a été confiée soit par la communauté qui l'a élu, soit par un supérieur qui l'a nommé. Il doit leur rendre des comptes.

Mais il l'a aussi reçue de Dieu. On ne peut assumer une responsabilité par rapport à d'autres personnes sans une aide de Dieu, « car, dit Saint Paul, il n'est de pouvoir que de Dieu et ce qui existe est institué par Dieu » (Romains 13, 1). Toute autorité, si elle a reçu une mission de Dieu, en est redevable à Dieu et doit lui en rendre compte. C'est la petitesse et la grandeur de l'autorité humaine.

En effet, l'autorité est pour la liberté et la croissance des personnes. C'est une œuvre d'amour. Tout comme Dieu veille sur ses enfants pour qu'ils grandissent dans l'amour et la vérité, le responsable doit être un serviteur de Dieu et des personnes pour que tous grandissent dans l'amour et la vérité.

C'est une grande responsabilité, très belle, car celui qui a reçu une autorité est assuré de recevoir de Dieu la lumière, la force et les dons nécessaires pour accomplir sa tâche. C'est pour cela qu'un responsable ne doit pas seulement demander à ceux qui lui ont confié la responsabilité ce qu'il faut faire, comme le ferait le secrétaire d'une assemblée. Il doit, dans le secret de lui-même, chercher le conseil de Dieu, découvrir au cœur de son cœur la lumière divine. Je crois beaucoup à la grâce d'état ; Dieu vient toujours au secours de celui qui est en autorité s'il est humble et s'il cherche à être serviteur dans la vérité.

***

Un responsable doit se soucier de ce que les autres pensent mais il ne faut pas qu'il en soit prisonnier. Il a une responsabilité devant Dieu et il n'a pas le droit de faire certains compromis, d'être dans le mensonge ou d'être instrument d'injustice.

*
**

Celui qui est l'autorité dernière dans la communauté porte toujours en lui une part de solitude ; même s'il est aidé d'un conseil, il reste seul devant les décisions finales. Cette solitude est sa croix, mais elle est aussi le garant de la présence, de la lumière et de la force de Dieu. C'est pour cela qu'il lui est nécessaire plus qu'à tout autre dans la communauté, d'avoir du temps pour être seul, pour prendre du recul et demeurer avec son Dieu. C'est dans ces moments de solitude que l'inspiration naîtra en lui et qu'il sentira quelle direction prendre. Il faut qu'il ait confiance dans ces intuitions surtout si elles s'accompagnent d'une paix profonde, mais il doit aussi chercher une confirmation en les partageant avec ceux de la communauté qui ont le plus de discernement, puis avec son conseil ou avec d'autres membres.

Devant les décisions difficiles qui engagent l'avenir, il lui faut certes raisonner et réfléchir. Il a besoin du maximum d'informations possible. Mais en fin de compte, du fait de la complexité des problèmes et de l'impossibilité où il se trouve de tout prévoir, il doit – ayant tout assimilé – s'appuyer sur ces intuitions profondes qui lui sont données dans la solitude. C'est la seule façon pour l'autorité d'acquérir cette liberté qui lui permettra d'avancer et de prendre des décisions sans avoir peur de l'échec.

*
**

Etre serviteur

Il y a différentes façons d'exercer l'autorité et le commandement : celle du chef militaire, celle du chef d'entreprise et celle du responsable d'une communauté. Le général a en vue la victoire ; le chef d'entreprise, le rendement ; et le responsable d'une communauté, la croissance des personnes dans l'amour et la vérité.

Le responsable d'une communauté a une double mission : il doit garder ses yeux et ceux de la communauté fixés sur l'essentiel, sur les buts fondamentaux et donner toujours la direction pour ne pas laisser la communauté se perdre dans des petites histoires, des choses secondaires et accidentelles. A l'Arche, le responsable doit constamment rappeler que la communauté existe essentiellement pour l'accueil et la croissance des personnes handicapées, et cela dans l'esprit des béatitudes. Dans une communauté de prière, il doit toujours rappeler que les exigences du travail sont subordonnées à celles de la prière. Le responsable a pour mission de garder la communauté devant l'essentiel.

Mais le responsable d'une communauté a aussi pour mission de créer une atmosphère ou une ambiance de paix et de joie entre tous les membres. Par sa relation avec chacun, par la confiance qu'il leur manifeste, il amène chacun à avoir confiance dans les autres. La terre propice à la croissance humaine est un milieu détendu fait de confiance mutuelle. Quand il y a des rivalités, des jalousies, des suspicions, des blocages les uns par rapport aux autres, il ne peut y avoir ni communauté, ni croissance, ni témoignage de vie.

***

Il y a maintes façons d'exercer la responsabilité selon la diversité des tempéraments. Il y a ceux qui ont un tempérament de chef, qui sont créatifs, qui ont une vision d'avenir ; ils marchent en avant. Il y a ceux qui sont plus timides et humbles : ils marchent au milieu des autres ; ce sont d'excellents coordinateurs.

L'essentiel pour tout responsable est qu'il soit serviteur avant d'être chef. Quelqu'un qui assume une responsabilité parce qu'il veut prouver quelque chose, parce que, par tempérament, il a tendance à dominer et à commander, parce qu'il a besoin de se mettre en avant ou parce qu'il veut des privilèges ou du prestige, sera toujours un mauvais responsable, parce qu'il ne cherche pas à être d'abord serviteur.

Certaines communautés choisissent parfois un responsable à cause de ses capacités d'administration ou de son ascendant sur les autres. Il ne faut jamais choisir un chef pour ses qualités naturelles mais parce qu'il s'est montré jusqu'alors comme quelqu'un mettant les intérêts de la communauté au-dessus de ses intérêts personnels. Il vaut mieux quelqu'un, même timide ou n'ayant pas toutes les qualités de commandement, mais prêt à servir les autres et la communauté, que quelqu'un qui soit « capable » mais épris de lui-même.

***

Le meilleur responsable est celui qui reçoit sa responsabilité comme une mission de Dieu et qui s'appuie sur la force de Dieu et les dons de l'Esprit Saint. Il se sentira pauvre et incapable mais il agira toujours humblement pour le bien de tous. Les membres de la communauté auront confiance en lui car ils sentiront sa confiance non en lui-même et en sa propre vision, mais en Dieu ; ils sentiront qu'il ne veut rien prouver, qu'il ne cherche rien pour lui-même, que sa vision n'est pas bloquée par ses propres problèmes et qu'il est prêt à disparaître dès que son temps sera terminé.

***

La qualité première d'un responsable est d'aimer les membres de sa communauté, d'être concerné par leur croissance. Cela implique qu'il porte aussi leurs faiblesses. Les membres de la communauté sentent très vite si le responsable les aime, a confiance en eux, si, au contraire, il est là pour exercer un pouvoir et imposer sa vision, ou bien si c'est un faible qui ne cherche qu'à se faire aimer d'eux.

Pour le chrétien, Jésus est le modèle de toute autorité, lui qui a lavé les pieds de ses disciples, lui le Bon Pasteur qui donne sa vie pour ses brebis, à la différence du mercenaire qui n'agit que dans son intérêt.

Rester confiant

A l'Arche, il m'arrive de me sentir un peu accablé par les problèmes : quand une personne handicapée ou un assistant vont très mal, quand il y a des foyers boiteux, un groupe d'assistants qui forme un noyau d'opposition par rapport à ce que je considère comme une option fondamentale ; ou quand je sens des divisions à l'intérieur de la communauté, en particulier entre les professionnels qui veulent plus de compétence et les spirituels qui veulent accentuer le religieux. C'est dans ces moments-là que je fais grise mine.

Il n'est pas bon que je me prenne trop au sérieux. Il faut me rappeler que ce n'est pas à moi tout seul de régler tous les problèmes, d'abord parce que nous sommes plusieurs mais surtout parce que Dieu a promis de venir à notre secours. Le responsable est le serviteur de Dieu et de la communauté. Il ne peut faire que ce dont il est capable ; Dieu fera le reste. Il ne faut donc pas se faire trop de soucis. Il faut qu'il prenne conscience de ce qui est en train de se passer, qu'il s'informe bien, puis, si nécessaire, qu'il expose clairement les problèmes au conseil et aux responsables. Il doit alors discerner sans passion ce qu'il faut faire et agir en conséquence, faisant le petit pas nécessaire, même s'il ne voit pas clairement l'horizon.

Le responsable, devant la multiplicité des problèmes et leur complexité, doit garder un cœur d'enfant assuré que Jésus viendra toujours au secours de sa faiblesse. Il lui faut mettre ses soucis dans le cœur de Dieu et puis faire tout son possible.

Personne ne sera heureux dans la communauté si les responsables sont constamment préoccupés, sérieux, fermés sur eux-mêmes. Certes, la responsabilité est une croix qu'il faut porter chaque jour mais nous devons apprendre à la porter allègrement.

Le secret d'un responsable est de rester jeune, ouvert et disponible, capable d'émerveillement. Et le moyen le meilleur est de rester ouvert à l'Esprit Saint, jeunesse du Père.

*
**

Un des dangers pour le responsable est de laisser traîner une décision par peur de la prendre. Mais ne pas prendre une décision en est déjà une. Certes, la patience est une qualité importante pour un responsable. Il ne doit pas agir sous le coup de la colère. Il lui faut savoir écouter, s'informer, prendre son temps, mais en même temps, après avoir prié et pris conseil, il doit prendre les décisions et ne pas se laisser gouverner par le temps et l'histoire.

*
**

Un bon responsable est celui qui engendre confiance et espérance.

*
**

Le danger de l'orgueil

Plus le temps passe, plus je vois combien il est difficile d'exercer l'autorité dans une communauté. Très vite on veut commander pour l'honneur, le prestige ou l'admiration qu'on reçoit, ou pour se prouver quelque chose. A l'intérieur de nous il y a un petit tyran qui veut le pouvoir et le prestige qui s'y attache ; on veut dominer, être supérieur. On craint toute critique, tout contrôle, on est le seul à avoir raison (et parfois au nom de Dieu) ; on s'immisce dans tous les domaines, faisant tout, commandant partout, conservant jalousement son autorité. Les autres en sont réduits à être des exécutants incapables de bons jugements. On ne permet la liberté que dans la mesure où elle ne dérange pas notre autorité, qu'à la condition de pouvoir la contrôler.

On veut que nos idées se réalisent et tout de suite ; la communauté devient alors « notre » chose, « notre » projet.

Toutes ces tendances s'infiltrent facilement dans l'exercice de l'autorité, à des degrés différents. Et les chrétiens peuvent parfois masquer ces mauvaises tendances sous couvert de vertu, pour une soi-disant bonne cause. Il n'y a rien de plus terrible que la tyrannie sous couvert de religion. J'ai assez senti ces différentes tendances à l'intérieur de moi ; je dois constamment lutter contre elles.

Il est important dans une communauté que les limites du pouvoir de chacun soient claires et même écrites. Très vite un père dépasse son pouvoir sur ses enfants en voulant les former selon son projet. Très vite il ne prend plus en compte leur liberté et leur désir.

Ce n'est pas facile, dans l'exercice de l'autorité, de trouver le moyen terme entre trop dominer et laisser faire.

Le danger de l'orgueil et du désir de dominer est si grand pour tout chef qu'il lui faut des garde-fous, des bornes qui fixent l'étendue de son pouvoir et des systèmes de contrôle qui l'aident à être objectif et vraiment au service de la communauté.

⁂

La rivalité ou la jalousie entre certains membres d'une communauté quant au pouvoir et au rayonnement est une force terrible de destruction.

Une communauté unie est comme un roc ; une communauté qui se dresse contre elle-même se détruit rapidement. Les femmes, le plus souvent, rivalisent et se jalousent dans le domaine de l'amour ; les hommes rivalisent et se jalousent dans le domaine du pouvoir.

Même les apôtres autour de Jésus et parfois derrière son dos (Marc 9, 34), dans une atmosphère de discussion (Marc 10, 41) s'interrogeaient pour savoir qui d'entre eux était le plus grand. Saint Luc mentionne qu'ils en parlaient au cours du dernier repas. Est-ce cette discussion qui incita Jésus à se lever de table et à laver les pieds de ses disciples ?

La rivalité entre les membres d'une communauté apparaît souvent quand il y a un vote pour élire un responsable ; ou bien c'est une rivalité pour le rayonnement spirituel ou intellectuel. Ces luttes de pouvoir et d'influence sont profondément ancrées dans le cœur humain. On a peur de ne plus exister si on n'est pas élu, si on n'a pas telle fonction. Très vite on identifie fonction, don et personne ; popularité, reconnaissance par le groupe et qualité d'être.

⁂

Aucune autorité n'est à l'abri des jugements trop rapides qui blessent des gens et les entraînent dans le cercle vicieux de la colère et la tristesse. L'humilité est la terre de l'unité et la sauvegarde contre les scissions et les schismes. Contre l'humilité, l'esprit du mal ne peut rien. Il est, lui, le prince du mensonge et de l'illusion, l'instigateur des zizanies, le provocateur de l'orgueil.

⁂

Serviteur du plus petit

Celui qui assume le service de l'autorité doit se rappeler que, dans les perspectives de l'Evangile, ce n'est pas le chef, c'est le pauvre qui est le plus important et le plus proche de Dieu : c'est lui que Dieu a choisi pour confondre les forts ; c'est lui qui est au cœur de la communauté chrétienne. Tout le ministère du gouvernement est en fonction du pauvre et de sa croissance dans l'amour. « Le plus grand, dit Jésus, est celui qui se fait petit et qui s'abaisse comme un enfant » (Luc 9, 46-48 ; Matthieu 18, 1-5).

⁂

Un responsable doit toujours se soucier des minorités dans la communauté et de ceux qui n'ont pas de voix. Il doit toujours être à leur écoute et se faire leur interprète devant la communauté. Il est le défenseur des personnes, car la personne dans son être profond ne doit jamais être sacrifiée au groupe. La communauté est toujours en vue des personnes et non l'inverse.

⁂

Partager les responsabilités

Une des choses les plus importantes pour celui qui est en autorité, c'est d'avoir des priorités claires et nettes ; s'il se perd dans mille petits détails, il risque vite de perdre la vision. Il faut qu'il garde constamment les yeux sur l'essentiel. Au fond, l'autorité la meilleure est celle qui fait très peu mais rappelle aux autres l'essentiel de leur fonction et de leur vie, les appelle à assumer les responsabilités, les soutient, les confirme, et les contrôle.

⁂

Un responsable ne doit jamais se lasser de partager le travail avec d'autres, même s'il sent qu'ils font le travail moins bien ou autrement que lui. C'est toujours plus facile de faire les choses soi-même que d'apprendre aux autres à les faire. Un responsable qui tombe dans le piège de vouloir tout faire lui-même risque de s'isoler.

⁂

Quand on confie une responsabilité à quelqu'un, il faut toujours lui donner les moyens de l'assumer. Il faut éviter la surprotection qui est finalement un refus de partager la responsabilité. Il faut donner le droit à quelqu'un de faire des erreurs, de se casser le nez. Tout faire pour éviter à quelqu'un l'échec, c'est aussi l'empêcher de réussir (bien que je n'aime pas ces mots « échec » ou « réussite » dans la vie communautaire).

Mais pour porter une responsabilité, on ne peut être tout seul. On a besoin de quelqu'un qui conseille, soutient, encourage et contrôle. Il ne faut jamais laisser quelqu'un « se dépatouiller » seul dans des situations et des tensions trop lourdes. On a besoin de quelqu'un à qui on puisse parler librement, qui comprenne, qui confirme dans la responsabilité ; une présence discrète qui ne juge pas, qui ait une expérience des choses humaines, quelqu'un en qui on ait confiance et qui puisse redonner confiance. Sinon, le responsable risque de craquer. Jésus a promis d'envoyer à ses disciples un autre Paraclet. Il nous faut être des paraclets les uns pour les autres, c'est-à-dire des gens qui répondent à l'appel de l'autre. La croix de la responsabilité est quelquefois lourde et l'ami plein de compréhension, le grand frère ou la grande sœur sont nécessaires pour la rendre plus douce.

***

Au début d'une communauté, le fondateur décide tout et fait tout. Mais peu à peu, des collaborateurs, des frères et des sœurs viennent et des liens se nouent.

Le responsable leur demande alors leur avis ; il n'est plus celui qui dicte ce qu'il faut faire, mais il écoute les autres. Un esprit commun naît. Le responsable commence à découvrir le don de chacun de ses collaborateurs, leur charisme. Il découvre qu'ils sont plus capables que lui dans tel ou tel domaine et qu'ils ont des dons qu'il n'a pas. Il doit alors exercer son autorité en leur confiant des responsabilités de plus en plus grandes, apprendre à mourir à lui-même pour permettre aux autres de vivre davantage. Il demeure le lien et la référence, le coordinateur, celui qui confirme les autres dans leurs responsabilités et veille sur le maintien de l'esprit et l'unité harmonieuse de l'ensemble. De temps en temps, au moment des crises, il sera appelé à affirmer son autorité car il reste le responsable ultime, et doit, quand la discipline se relâche, rappeler à l'ordre. Il devient une référence lointaine mais très présente jusqu'au jour où il disparaît entièrement et laisse la place à un autre qui le remplace. C'est ainsi que son travail est accompli. Son œuvre continuera ; son rôle à lui était justement de disparaître.

On trouve une analogie avec l'autorité exercée par les parents. Au début, ceux-ci font tout pour leurs enfants mais peu à peu le père et la mère deviennent des amis avec qui dialoguer ;ils peuvent même devenir leurs enfants quand ils sont vieux. Un parent doit être constamment prêt à abandonner une attitude de possessivité. Il doit être prêt à laisser grandir la vie de l'enfant et non pas à l'étouffer. De même celui qui fonde une communauté doit apprendre peu à peu à s'effacer et non pas à défendre son autorité.

⁂

Le fondateur au début de son œuvre a une vision selon laquelle il agit. Puis peu à peu des personnes viennent le rejoindre et une communauté se forme. Ensemble tous les membres deviennent un corps avec tout ce qui est vital et aussi bien des tensions.

Le fondateur ne peut plus agir alors comme s'il était le seul à avoir une vision. Il doit écouter le corps, respecter la vie de ce corps qu'est la communauté, et qui a sa propre vision. Le rôle du responsable et du fondateur est de saisir cette vie qui est dans le corps, de la comprendre et de la laisser s'éclore en l'orientant.

⁂

Le plus difficile pour un responsable est de partager sa vision, d'accepter que d'autres aient une vision plus claire et plus vraie de la communauté telle qu'elle est, avec ses buts fondamentaux.

⁂

A l'Arche nous avons un conseil de dix-sept personnes élues par les assistants qui sont là depuis plus de deux ans. Ce conseil se retrouve une matinée par semaine pour partager sur les orientations profondes de la communauté et prendre des décisions sur les choses importantes. J'ai appris beaucoup dans ce conseil. J'ai appris sur les difficultés de partager et de chercher ensemble non pas « ma volonté » mais la volonté commune de la communauté, et la volonté de Dieu. Si vite on est possessif et passionné. Ce conseil m'a beaucoup aidé à découvrir combien il fallait que je grandisse pour m'ouvrir à l'Esprit et devenir plus objectif. Il me semble que toute autorité devrait avoir un lieu comme celui-ci, un lieu communautaire et fraternel où on discerne ensemble, où l'autorité soit partagée, soutenue et contrôlée et où on puisse tous grandir pour porter ensemble la responsabilité.

*
**

Une fois les structures établies, le responsable doit les respecter. Ce serait pour moi une erreur grave de prendre seul une décision quand elle devrait être prise au conseil. Le processus est plus long et c'est parfois difficile pour moi de ne pas avoir la liberté de suivre mes propres « inspirations ». Mais c'est de cette façon-là que les décisions doivent être mûries.

*
**

Je découvre de plus en plus combien il est difficile d'exercer l'autorité. Très vite je butte contre ce qui est dur et défensif à l'intérieur de moi. J'ai du mal à allier l'écoute des personnes et la compassion avec la fermeté, l'objectivité et l'espérance qu'elles peuvent grandir. Je suis soit trop timide et coulant, laissant faire les personnes, soit trop rigide et légaliste.

Il y a une intelligence des choses que je dois acquérir tous les jours, une sagesse de la responsabilité, mais aussi une force et une patience. Mes frères et sœurs du conseil de l'Arche m'ont beaucoup aidé à progresser mais il y a encore du travail à faire !

*
**

Une des qualités essentielles d'un responsable est de savoir écouter tout le monde (et pas seulement les amis et les admirateurs), de comprendre où ils en sont et de créer avec chacun des liens vrais, si possible chaleureux. Le mauvais responsable se cache derrière le prestige, le pouvoir, la parole et le commandement ; il n'écoute que ses amis. Il parle beaucoup mais ne se soucie pas de savoir comment les autres reçoivent sa parole et ne cherche surtout pas à connaître leurs besoins profonds, leurs aspirations, leurs difficultés, leurs souffrances et l'appel de Dieu pour eux.

Un responsable qui ne sait pas écouter le contestataire pour saisir le grain de vérité caché dans les mauvaises herbes du mécontentement vit dans l'insécurité.

Il serait bon qu'il permette aux membres de sa communauté de s'exprimer librement devant une tierce personne — un œil extérieur — sur sa façon d'exercer l'autorité.

⁂

Un des dangers pour un responsable est de refuser inconsciemment de voir la réalité de sa communauté telle qu'elle est, c'est pour cela qu'il n'écoute pas. Il devient ainsi un optimiste paresseux : « Tout ira bien », telle est sa devise. Au fond , il a peur d'agir, ou il se sent incompétent et incapable devant la réalité. Il est difficile de rester constamment conscient devant elle, cela dérange mais cela éveille aussi. L'autorité consciente devient une autorité qui cherche, qui prie et qui crie vers Dieu. Sa soif de vérité augmente et Dieu répond à son appel. Mais il doit savoir être patient.

⁂

Un mauvais chef ne se soucie que des règlements et de la loi. Il ne cherche pas à savoir où en sont les personnes. C'est facile de cacher son incapacité de comprendre et d'écouter derrière l'imposition d'une loi. On impose une règle quand on a peur des personnes.

⁂

Le responsable doit éviter de tomber dans le piège des beaux parleurs qui exercent sur lui un pouvoir de séduction et qui évitent soigneusement de passer par les structures établies.

*
**

Il est important que celui qui est en autorité écoute les jeunes qui entrent dans la communauté ou qui souhaitent y entrer. L'appel de ces jeunes, leurs inspirations, et leurs désirs peuvent lui révéler beaucoup de choses. Le responsable doit savoir écouter avec intérêt et émerveillement l'œuvre de Dieu en eux, car leur appel peut montrer ce que devrait être la communauté et quelles sont ses défaillances.

Dans sa règle, Saint Benoit dit que chaque fois qu'il y a une affaire importante à traiter, le Père Abbé convoquera toute la communauté, pour recueillir l'avis des frères. Si l'Abbé demande conseil à tous c'est que « souvent Dieu inspire aux plus jeunes les meilleures suggestions ».

*
**

Ne pas se cacher

Le danger d'un responsable est de créer une barrière entre lui et ceux dont il est responsable. Il donne l'impression d'être toujours affairé. Il impressionne par la grandeur de sa voiture ou son bureau. Il fait sentir qu'il est supérieur ou plus important. Ce genre de chef a peur et fait peur. Il est dans l'insécurité. Par le fait même, il garde ses distances. Un vrai responsable est disponible. Il marche à pied ; il donne aux gens de multiples occasions de l'aborder et de lui parler comme à un frère ou une sœur. Il ne se cache pas et par le fait même reste vulnérable à toute contestation ou critique ouverte. Un bon responsable doit toujours rester proche de ceux dont il est responsable et leur permettre des rencontres vraies et simples. S'il se tient éloigné, il ne pourra connaître ni son peuple ni ses besoins.

*
**

Il est important qu'un responsable se montre tel qu'il est et partage ses difficultés et ses faiblesses. S'il les cache, les gens risquent de le voir comme un modèle inimitable. C'est important qu'ils le voient faillible et humain, mais en même temps ayant confiance et faisant des efforts pour progresser.

*
**

Il n'est pas inutile non plus pour un responsable de faire un peu de travail manuel, ne serait-ce que la vaisselle ou occasionnellement la cuisine. Cela le ramène sur terre et l'oblige à se salir les mains. Cela crée un rapport nouveau ; quand on travaille avec lui, on peut l'atteindre comme une personne et pas seulement dans sa fonction.

Certains responsables ont toujours besoin d'avoir quelqu'un auprès d'eux qui sache les faire descendre de leur piédestral et parfois leur « botter les fesses » ou les taquiner. Les responsables sont souvent adulés ou agressifs. Ils peuvent vite s'enfermer dans leur rôle par peur ou en se croyant un petit dieu. Ils ont besoin de personnes qui se moquent gentiment d'eux, ne les prennent pas trop au sérieux, voient leur personne derrière leur fonction et les font redescendre sur terre. Sinon, très vite ils planent ou se cachent et perdent contact avec la réalité. Il faut bien sûr qu'ils aient confiance en ces personnes et se sachent aimés d'elles.

*
**

Une relation personnelle

Je suis frappé par le nombre de gens qui ont une drôle de conception de l'autorité, voire de la responsabilité. Ils en ont peur et ils ont peur de l'assumer. C'est comme si pour eux l'autorité était entièrement coupée de la tendresse et de l'amitié, coupée des personnes ; comme si elle était toujours mauvaise et brimante. Etant jeunes, ils ont dû souffrir d'un père autoritaire, sans tendresse ni confiance. Peut-être aussi est-ce une des maladies de notre temps. Partout on tend à couper l'autorité de l'amour.

L'autorité vraie est celle qui œuvre en vue d'une véritable justice pour tous, mais surtout les plus pauvres, ceux qui ne peuvent se défendre, qui font partie d'une minorité opprimée. C'est une autorité prête à donner sa vie, qui n'accepte aucun compromis avec le mal, le mensonge et les forces d'oppression qui écrasent les personnes, et surtout les plus petites. Et quand il s'agit d'une autorité familiale ou communautaire, en plus du sens de la justice et de la vérité, elle doit être très personnalisée, faite de délicatesse, d'écoute, de confiance et de pardon. Cela n'exclut pas, bien sûr, des moments de fermeté.

***

De la même façon, et peut-être pour les mêmes raisons, beaucoup confondent autorité et pouvoir d'efficacité, comme si le premier rôle d'un responsable était de prendre des décisions, d'agir et de commander efficacement, exerçant ainsi un pouvoir. Mais l'autorité est d'abord une référence, une sécurité, une personne qui confirme, soutient, encourage et guide.

***

Certaines communautés refusent d'avoir un responsable. Elles veulent tout régler par « voie démocratique », par un consensus d'opinion ou par collégialité, sans coordinateur, ni « père » ou « frère aîné ». Je n'ose pas dire que c'est impossible, mais j'ai vraiment l'impression, à partir de mon expérience à l'Arche, que les membres d'une communauté ont besoin d'une personne à qui ils puissent faire référence et avec qui ils puissent avoir une relation personnelle. Il se peut qu'on rejette toute autorité personnelle parce qu'on a l'impression qu'elle est toujours subjective, en vue d'un prestige personnel, et que seule la collégialité permet l'objectivité.

Il est vrai que la collégialité permet une objectivité et un contrôle plus grands ; « tous ensemble, nous sommes plus intelligents qu'un seul d'entre nous », sous bien des angles, c'est juste. Un groupe élabore des règles plus justes qu'une personne toute seule. Mais, par contre, le groupe juge toujours objectivement sans admettre d'exceptions.

Dans une communauté qui existe en vue de la croissance intérieure des personnes, il faut une autorité qui puisse dialoguer avec les personnes et établir avec elles des relations de confiance. Les communautés qui refusent le « père » ou le « frère aîné » sont souvent des communautés de jeunes ou du moins de jeunes communautaires, orientés vers un travail efficace et intéressant. Quand une communauté est plus ancienne, quand elle a l'expérience de la faiblesse des uns et des autres, quand elle accueille des marginaux, des faibles de toutes sortes, elle prend conscience de la nécessité d'avoir pour autorité une conscience personnelle, aimante et confiante. Très vite dans la communauté le tonus de vie des uns et des autres baisse : des faiblesses, des égoïsmes et des lassitudes apparaissent. Le rôle du père ou du frère aîné est justement d'encourager, de soutenir, de pardonner, de contrôler et parfois même de rappeler à l'ordre. On n'entre pas en communauté parce qu'on est parfait, objectif, intelligent mais parce qu'on veut grandir vers un amour et une sagesse plus vrais. Et pour qu'il y ait cette croissance humaine, il faut quelqu'un qui confirme, soutienne, sécurise et aide les personnes à regagner confiance en elles-mêmes pour reprendre leur marche avec plus d'audace et de confiance. Certes, le responsable doit aider les membres à régler les questions communautaires par voie de discernement communautaire mais il y a toujours ces exceptions de faiblesse humaine, spirituelle ou psychologique qui ont besoin de trouver un autre cœur humain, compatissant et bon à qui ils puissent s'ouvrir en toute confiance. On n'ouvre pas son cœur à un groupe mais à une personne.

Aristote parle de « l'épikie » comme d'une des vertus propres au chef. C'est celle qui lui permet de faire une entorse à la loi. En effet, il est impossible pour le législateur de prévoir tous les cas. Le chef alors a un tel sens de la justice et du bien des personnes que devant l'exception, le cas imprévu, il agit comme le législateur lui-même aurait agi s'il avait été devant ce cas exceptionnel.

Un groupe agira toujours selon la justice et une certaine loi ; car, dans une communauté, on ne peut pas prendre de décisions coup sur coup ; ce serait la porte ouverte à toutes les comparaisons, les jalousies et les revendications. Mais, en même temps, s'il faut une règle, il faut aussi la possibilité de faire des exceptions. L'autorité personnalisée mettra toujours le bien d'une personne au-dessus du groupe et de la loi ; elle sera une autorité de miséricorde et de bonté envers le faible et le cas exceptionnel. Cela implique bien sûr que l'autorité soit une vraie autorité aimante et au service des personnes.

⁂

Comment devenir père ? Une chose dont je suis certain c'est qu'on ne peut être père que si on est fils. On ne peut bien commander que si on sait obéir. Jésus, avant d'être « berger », est « agneau ». Il a toute autorité précisément parce qu'il est fils du Père.

⁂

A notre époque, il y a une crise de l'autorité ; et certaines doctrines psychanalytiques vont dans le sens de la mort du père. Mais personne ne peut accepter une loi si elle n'est pas précédée par la confiance dans la personne qui l'incarne. Le délinquant est précisément celui qui est en révolte par rapport à la loi parce qu'il n'a pas fait la transition de la tendresse de la mère à la confiance dans le père. C'est pourquoi l'autorité lui est insupportable. On ne peut accepter une loi que si une personne l'incarne, qui soit capable de pardonner, d'y faire des exceptions et surtout d'être compréhensive et miséricordieuse.

⁂

Le Père Léon de « La Poudrière » à Bruxelles me disait que lorsqu'une communauté n'a pas de responsables, l'agressivité des membres se tourne vers le plus faible.

Dans une communauté il y a toujours des choses qui vont mal et il est important que le responsable sache qu'il a pour rôle de recevoir et canaliser cette agressivité.

***

Différentes attitudes envers l'autorité

Quelquefois en communauté j'entends dire qu'on ne peut obéir à l'autorité que si on a confiance, et sous-entendu une confiance totale, dans la personne qui a l'autorité. Je me demande si ce n'est pas là une attitude infantile. L'enfant obéit à son père et à sa mère mais le jour où il découvre qu'ils ont des défauts, tout s'écroulerait !

L'autorité dans une communauté n'est pas toute puissante. Il y a toujours des contrôles, des limites établies par la constitution. La responsabilité du chef doit être bien délimitée. Et puis, il faut qu'il existe pour les membres de la communauté un moyen de pouvoir exprimer, dans la légalité, leurs inquiétudes et leurs reproches, peut-être justifiés, par rapport au responsable. Sinon, c'est la porte ouverte aux murmures et à la zizanie.

Mais ne vouloir obéir qu'à une autorité en qui on ait une confiance totale, c'est rechercher un père idéal. Cela exclut toute autorité élue pour un temps limité et tout véritable partage de l'autorité. On doit savoir obéir à une personne qui a été nommée ou élue selon une constitution pour servir comme responsable même si on n'a pas de liens profonds d'affection ou d'amitié avec elle. Si ces liens existent tant mieux. Mais on ne peut pas s'attendre à ce que tous les membres aient ces liens d'amitié avec le responsable. Si on ne peut obéir qu'à condition qu'il y ait cette confiance affective, c'est la porte ouverte à toutes les anarchies ; c'est finalement la mort de la communauté.

Il ne s'agit pas d'avoir une confiance totale dans l'autorité mais d'avoir confiance dans la constitution et dans les frères et sœurs qui ont élu cette personne, confiance également dans les structures de contrôle et de dialogue, et confiance en Dieu qui veille sur la communauté : il saura même se servir de quelqu'un apparemment incompétent et lui donner la grâce pour accomplir sa tâche avec compétence, sans trop d'erreurs. Oui, il faut croire à la grâce d'état du responsable.

*
**

L'obéissance dans une communauté est nécessaire sinon il ne peut y avoir communauté. Mais l'obéissance n'est pas une attitude servile et extérieure. C'est une adhésion intérieure à l'autorité légitime, aux structures de décisions et à la conscience commune de la communauté ; c'est rechercher la vision commune ; c'est adhérer aux principes de vie et d'action de la communauté.

On est source de division et de zizanie quand on refuse intérieurement d'adhérer à cette conscience commune, quand on se croit seul à détenir la vérité, quand on se pose en contestataire ou sauveur, quand on refuse les structures légales, quand finalement on veut prouver qu'on a raison.

Il est bien évident que l'autorité peut se tromper, que les structures peuvent devenir lourdes et répressives et étouffer la vie. Il est évident que ceux qui sont responsables peuvent chercher à maintenir leurs privilèges, et ne plus être serviteurs mais mercenaires.

C'est alors que le responsable supérieur doit intervenir. C'est alors qu'il faut essayer de revivifier les structures, qu'il faut utiliser les voies légales pour dialoguer dans la vérité avec les responsables. Et s'ils s'obstinent, refusent de changer, s'il n'y a pas de signe d'une petite évolution ou d'un désir de dialogue, il faut chercher les moyens non-violents de faire céder ou évoluer l'autorité injuste qui n'est plus servante.

La tactique marxiste est de dévoiler les faiblesses de l'autorité légitime pour la faire tomber et instaurer ensuite l'anarchie puis un totalitarisme fondé sur un pouvoir policier. C'est utiliser les moyens de la contestation.

Ceux qui vivent en communauté et qui ne sont pas en situation de pouvoir doivent toujours se sentir responsables devant l'autorité qui se referme sur elle-même ; ils doivent l'affronter si nécessaire mais dans un dialogue fraternel. Mais ils ne peuvent le faire que s'ils sont profondément engagés dans la communauté. Trop de personnes en communauté critiquent les responsables derrière leurs dos ; ce sont des lâches qui refusent de leur parler en face.

⁂

« Nous vous demandons, frères, d'avoir de la considération pour ceux qui se donnent de la peine au milieu de vous, qui sont à votre tête dans le Seigneur et qui vous reprennent. Estimez-les avec une extrême charité, en raison de leur travail.

Soyez en paix entre vous. Nous vous y engageons, frères, reprenez les oisifs, encouragez les craintifs, soutenez les faibles, ayez de la patience envers tous. Veillez à ce que personne ne rende à personne le mal pour le mal, mais poursuivez toujours le bien, soit entre vous soit envers tous. Restez toujours joyeux. Priez sans cesse. En toute condition soyez dans l'action de grâces. C'est la volonté de Dieu sur vous dans le Christ Jésus.

N'éteignez pas l'Esprit, ne dépréciez pas les dons de prophétie, mais vérifiez tout : ce qui est bon, retenez-le ; gardez-vous de toute espèce de mal » (Première Lettre aux Thessaloniciens 5, 12 ; 22).

⁂

Dans une communauté, l'autorité est souvent une cible. Quand on est mécontent de soi ou de la communauté, il faut bien blâmer quelqu'un ! On attend souvent trop du responsable ; on voudrait qu'il soit un père idéal ; qu'il sache tout et puisse régler tous les problèmes ; on voudrait qu'il ait tous les dons du chef et de l'animateur. Quand on s'aperçoit qu'il ne les a pas tous, on est insécurisé. Au fond, on voudrait ce chef idéal pour sécuriser les membres dans leurs déficiences et leurs faiblesses. S'il ne le fait pas, on le rejette.

Les membres sont souvent trop dépendants du responsable, cherchant à tout moment et partout son approbation. Ils ont des attitudes de servilité. Puis, mécontents de leur attitude, ils critiquent le responsable par-derrière. Le chef attire souvent soit la servilité soit l'agressivité.

***

Les rapports avec l'autorité sont souvent marqués par ceux que les membres ont pu avoir étant enfants avec leurs propres parents. Quand ces rapports ont été difficiles, quand les parents ont été peu respectueux de la liberté de leurs enfants, n'écoutant pas leurs souhaits mais imposant les leurs, le cœur des enfants reste plein de colères et de tristesses plus ou moins exprimées, soupçonneux vis-à-vis de toute autorité. Les rapports avec les responsables vont être colorés par toutes ces émotions et ces blocages profonds. Dès que le chef intervient, on se cabre, on le rejette, on refuse qu'il contrôle quoi que ce soit. On veut qu'il approuve et bénisse tout, mais dès qu'il semble désapprouver quelque chose ou qu'il pose des questions, on se ferme. On a souvent du mal à voir l'autorité comme une personne qui ne peut pas tout faire, qui a des lacunes, mais qui a également un don à exercer et qui lui aussi doit croître et mieux exercer son don chaque jour. Souvent on n'admet pas que l'autorité puisse avoir des faiblesses. On n'est pas simple avec elle et on a du mal à dialoguer en vérité. Les dialogues sont tous colorés par la peur ou une attitude infantile.

Très souvent on met le chef sur un piédestal, on l'idéalise, puis on l'attaque, comme si on voulait que la cible soit plus facile. Mais, on évite soigneusement de le frapper au cœur ; on se contente de le blesser à la jambe. Si on le tuait, ce serait une catastrophe car un autre serait obligé d'assumer son rôle et ça, on ne le veut pas.

⁂

L'étape la plus difficile à franchir pour l'enfant dans la croissance humaine est peut-être ce passage de la dépendance vis-à-vis de ses parents et d'une agressivité à leur égard à une amitié et un dialogue avec eux qui soient une reconnaissance de leur grâce et de leur don. On devient pleinement homme quand on a acquis la liberté intérieure et une réelle capacité de jugement mais aussi quand on accepte pleinement le don des autres et qu'on se laisse toucher par la lumière qui est en eux. C'est le passage de la dépendance à l'interdépendance. Celui qui exerce l'autorité doit jouer un rôle important pour aider les personnes à faire ce passage. Et ce passage nécessite que les personnes traversent des crises et des angoisses avant d'émerger peu à peu vers une nouvelle libération intérieure.

⁂

Savoir dialoguer avec l'autorité et lui obéir sont des qualités importantes dans la vie communautaire.

⁂

Signe du pardon

Le pardon est au cœur d'une communauté chrétienne. Le chef doit être signe et modèle de ce pardon. Il doit savoir pardonner sept fois soixante-dix fois toutes ces agressivités et ces apathies qui le visent. Il a à apprendre tous les jours comment rejoindre les personnes comme personnes, et se laisser rejoindre comme personne par elles, sachant que c'est une longue route, pour chacun, de trouver la relation vraie avec l'autorité. Par et dans ce pardon, le chef assume et dépasse ses propres peurs et ses systèmes de défense qui l'incitent lui aussi à être agressif ou fuyant par rapport aux autres. Le pardon, c'est être toujours ouvert et détendu, compréhensif et patient par rapport à ceux qui vous agressent.

Stéphen Verney [1] résume si bien cette vérité : devant l'hostilité ou la servilité « le chef peut agir de multiples façons. Il peut orienter l'attitude du groupe vers les buts essentiels et désarme ainsi l'agressivité dirigée contre lui. Il peut avoir des relations personnelles et chaleureuses avec chaque personne du groupe, tout en maintenant son commandement sur le groupe comme un tout. Ces deux tactiques peuvent être bienfaisantes et accroître la santé du groupe. Mais s'il veut que le groupe atteigne la vie d'un « nouvel âge », alors, en lien avec ces deux formes d'autorité, il doit en exercer une troisième : être un pas en avant du groupe dans ce processus de pardon qui constitue l'essentiel de sa vie. Il doit être davantage conscient du mélange de bien et de mal qui se trouve en lui et dans le groupe et il doit passer à travers cette expérience de mort et de résurrection, par laquelle ils peuvent être séparés et transformés. Et ceci il doit le faire non pas une fois mais tout le temps. Comme Jésus l'a dit hyperboliquement, mais d'une façon réaliste : « il doit prendre sa croix chaque jour ».

Dans la même ligne d'idées, le chef doit être très patient par rapport aux lenteurs et aux médiocrités de sa communauté. Par sa grâce d'état il a peut-être une vision plus compréhensive de celle-ci ; il saisit peut-être mieux et plus rapidement que ses frères et sœurs ses besoins, le sens de son évolution, l'appel de Dieu sur elle, et l'urgence d'être plus vrai et plus fidèle. Il est normal que ses frères et sœurs soient plus lents. Le chef ne doit pas les bousculer, imposer trop vite sa vision, encore moins les culpabiliser. Par sa tendresse, sa douceur, l'acceptation de chacun, sa patience, son humilité surtout, il doit engendrer un esprit de confiance, pour que ses frères et sœurs, à leur tour et à leur temps, évoluent non vers sa vision à lui, mais vers la vision de Dieu sur la communauté et exercent en tout temps l'écoute, le pardon et le respect du rythme de chacun. J'aime beaucoup la réponse de Jacob à Esaü

1. The New Age, p. 121.

(Genèse 33) quand celui-ci l'invite à partir en avant : « Monseigneur sait que les enfants sont délicats et que je dois penser aux brebis et aux vaches qui allaitent ; si on les presse un seul jour, tout le petit bétail mourra. Que Monseigneur passe donc devant son serviteur et moi je cheminerai doucement au pas du convoi qui est devant moi et au pas des enfants ».

Porter la communauté

Un des rôles d'un responsable de communauté est de comprendre et de porter l'ensemble. « En portant le groupe de cette manière, écrit encore Stéphen Verney, il offre un espace sécurisant (espace pour bouger, temps pour accueillir de nouvelles réalités, possibilités de changer) dans lequel on peut sans danger éprouver de nouvelles façons d'affronter le monde. Et ceci correspond à la façon dont la mère porte le fœtus et plus tard l'enfant, dont le père porte la mère et l'enfant et par la suite la famille » [2].

Un chef qui est insécurisé et peureux, soucieux de sa propre autorité ne permettra pas à la communauté d'évoluer. Il la figera selon un modèle statique. Le chef doit être assez libre intérieurement et avoir suffisamment de confiance dans le groupe et en lui-même pour permettre justement cette évolution, cette manifestation de la vie du groupe. Pour cela il ne doit pas se laisser noyer par le quotidien ; au contraire, il doit garder le recul nécessaire pour avoir les yeux et le cœur fixés sur l'essentiel de la communauté. Ainsi il permettra au groupe d'avancer sur des chemins nouveaux et l'y encouragera.

De la même façon, il donnera aux personnes individuelles l'espace leur permettant de bouger et de réaliser de nouvelles inspirations. Le chef n'est pas simplement le gardien de la loi, même si c'est un aspect de son rôle ; il est là pour garantir la liberté et la croissance des personnes selon les inspirations de Dieu. Il y a des inspirations authentiques qui sont pour la construction de la communauté et selon ses buts fondamentaux, même si la communauté peut ne pas les reconnaître tout

2. *Ibid.* p. 121.

de suite comme telles. Souvent ces inspirations peuvent même gêner la communauté en la mettant en cause, mais ces mises en cause, ces rappels à l'essentiel sont nécessaires. Le chef doit reconnaître l'authenticité de ces inspirations et aider à ce qu'elles soient reconnues par la communauté.

*
**

Des personnes, même très limitées et fragiles, si elles collaborent avec une autorité qui soit bonne, c'est-à-dire qui ait une vision, un cœur compatissant et ferme, peuvent faire des choses merveilleuses. Elles participent à la vision de l'autorité, profitent de son don. La richesse d'une communauté c'est que tous participent aux qualités et aux dons les uns des autres.

C'est parfois difficile pour ceux qui portent une responsabilité qu'on pourrait appeler « intermédiaire », c'est-à-dire dont la responsabilité est limitée à un certain domaine et doit s'harmoniser avec et dans un ensemble. Ils sont immédiatement responsables envers quelqu'un d'autre. Au fond, tout responsable est responsable envers un autre, il y a toujours un Conseil d'Administration au-dessus d'un directeur.

Il n'est pas toujours facile de distinguer le domaine où on peut prendre des initiatives sans se référer au responsable supérieur, des domaines où il est bon et nécessaire de se référer à lui, de l'écouter, de voir ce qu'il pense, et de reconnaître son autorité. Certains responsables refusent même d'informer le responsable supérieur, pour être plus libres et pouvoir faire ce qu'ils veulent sans contrôle ; ils agissent comme s'ils étaient seuls maîtres. D'autres vont dans le sens totalement opposé : ils ont tellement peur de l'autorité qu'ils s'y réfèrent à tout bout de champ pour les moindres détails. Ils deviennent des purs exécutants serviles. Il faut trouver le juste milieu entre ces deux extrêmes : assumer pleinement sa responsabilité devant Dieu en se référant à lui mais en se référant aussi dans la vérité et avec un cœur disponible au responsable supérieur.

Cela demande un cœur limpide, qui ne cherche pas à prouver quelque chose.

***

Je découvre chaque jour plus que la responsabilité est une voie merveilleuse de croissance dans l'Esprit. Certes, c'est unc croix. Il y a aussi le danger de considérer l'autorité comme une position, une fonction méritée qui apportent un certain prestige et des avantages. Mais si on prend conscience de la gravité de ce rôle de responsable, de ce que signifie porter des personnes, si on accepte cette croix avec tout ce que cela comporte, c'est une voie merveilleuse pour grandir.

Pour porter cette croix avec patience, sagesse et allégresse, il faut que le responsable se greffe bien sur l'Esprit de Dieu. Plus que quiconque un responsable a besoin d'avoir du temps avec son Dieu ; s'il n'a pas de recul, il perd la paix ; s'il n'a pas de temps pour écouter, il perd la lumière.

La prière de Salomon devrait être la prière de tout responsable : « Donne à ton serviteur un cœur plein de jugement pour gouverner ton peuple et pour discerner entre le bien et le mal » (1 Rois 3, 9).

***

Le don du berger

Au début de la vie humaine, l'enfant reçoit tout de ses parents. Ces derniers lui procurent tous les biens matériels : nourriture, hygiène, propreté, mais surtout ils lui apportent la sécurité et par leur amour et le don d'eux-mêmes, ils nourrissent et éveillent son cœur. Puis l'enfant grandissant, ils lui « donnent » le langage et président à l'éveil de son intelligence. Ils lui transmettent une tradition religieuse et morale ; c'est eux aussi qui répondent aux premières questions de l'enfant, à tous ses « pourquoi » ?

Mais peu à peu l'enfant découvre que ses parents ne suffisent plus. Leur rôle devient plus spécifique. C'est un autre qui doit nourrir son intelligence – le maître d'école ; c'est un autre qui doit l'aider à croître dans la prière et la connaissance de Dieu – le prêtre ou la religieuse. C'est ainsi que peu à peu, en grandissant, au fur et à mesure que différentes parties de son être s'éveillent, l'enfant découvre des références et des formes d'autorité multiples. D'une façon spécifique, le père et la mère lui apprennent à vivre dans la communauté familiale avec des frères et sœurs, lui communiquant une tradition, un savoir-vivre, et ce qu'il faut faire ou ne pas faire. Le prêtre forme sa conscience très profonde et le secret de sa personne où sont les semences de l'Eternel. Cette partie secrète peut être un jardin fermé pour les parents qui n'ont pas nécessairement le droit d'y pénétrer. Si l'enfant veut divulguer son secret, ils doivent l'accueillir pleins de respect. Le maître de l'intelligence qu'il rencontre à l'école est encore autre. Il forme non pas le secret de la personne, ni sa vie relationnelle, communautaire, familiale et traditionnelle, mais il aide la personne à découvrir l'intelligibilité de l'univers et l'histoire humaine, l'histoire du salut.

***

De la même façon au début d'une communauté, il y a un père qui assume plus ou moins toutes les fonctions ; il peut être à la fois le père de la communauté, l'autorité, le père spirituel ou le berger et le maître de l'intelligence. Mais peu à peu, ces fonctions doivent se diversifier. Il doit aider les membres à découvrir le prêtre, le « berger », qui puisse les aider dans le secret de leur personne, comme il doit aussi s'effacer devant le maître de l'intelligence. Dans ces pages, je distingue le responsable ou chef de la communauté du « berger » qui aide à l'éveil de la personne secrète ; celui-ci est le père spirituel ; mais cette fonction évolue avec la croissance spirituelle de la personne. Au début, elle a besoin d'un berger-père qui devient peu à peu un accompagnateur spirituel, un conseiller, puis un témoin.

***

Il faut se méfier des personnes qui s'érigent en bergers, ou en conseillers spirituels sans en avoir reçu mission ou autorité. Ils tendent parfois à vouloir détenir un pouvoir spirituel sans aucun contrôle.

*
**

Un des pièges de certaines communautés est d'assimiler le rôle du responsable de la communauté à celui du prophète, du directeur spirituel et du thérapeute. Le responsable devient alors comme un berger tout-puissant. Il est dangereux d'exercer à la fois le rôle du chef et le rôle de celui qui connaît et guide la conscience intime des personnes.

Un responsable qui est aussi un chef spirituel risque de manipuler les gens par son pouvoir spirituel pour le bon fonctionnement de la communauté. Il ne cherche plus alors à aider les personnes à être fidèles à Dieu, dans leur secret, mais il considère comme acquis qu'il faut qu'elles œuvrent pour la communauté. Cela est dangereux et laisse la porte ouverte à bien des abus.

De la même façon, des personnes peuvent piéger un responsable. Elles peuvent lui faire toutes sortes de confidences qui le lient à elles et rendent très difficile l'exercice effectif de son autorité. Elles peuvent même faire croire au responsable que lui seul peut les comprendre ou les aider. A ce moment-là il est piégé par une sorte de « chantage émotionnel ». C'est pour cela que dans certains cas le responsable ne doit pas avoir peur de dire à un membre de la communauté qu'il ne peut pas l'aider dans le secret de son cœur ou dans ses problèmes psychologiques. Il est là pour l'aider à trouver sa place dans la communauté et à bien exercer sa fonction.

Le rôle d'un père de famille est autre que celui du psychothérapeute ou que celui du prêtre. Il faut éviter de mélanger les domaines.

*
**

Quelquefois je suis un peu inquiet de voir des communautés naître sous la direction ou la responsabilité d'un berger très fort ou d'une équipe de bergers solidement unis. Comme ces communautés sont dépourvues de traditions, de toute constitution, de toute histoire et de tout contrôle de la part d'une autorité extérieure reconnue, il n'y a guère de frein empêchant ces bergers de se complaire dans leur rôle, d'y prendre goût, de se considérer comme indispensables et de devenir inconsciemment des dominateurs. Il y a aussi le risque de mélanger le pouvoir communautaire et le pouvoir spirituel. Il serait bon et utile que ces bergers spirituels laissent très vite à un autre la direction effective de la communauté pour être plus libres d'exercer leur don de prêtres ou de bergers.

***

Un berger ne devrait jamais devenir « tout-puissant » ; il faut éviter à tout prix de le mettre sur un piédestal de sainteté, de prophétisme ou du pouvoir. Le plus grand danger pour un berger ou un chef est de croire qu'il a toujours raison, qu'il a la science infuse, que Dieu est avec lui. Non, tout homme est faillible.

Parfois des gens faibles, pour se sécuriser, tendent à déifier leur berger. C'est faux et malsain. C'est leur insécurité qui les incite à vouloir faire de leur berger ce saint sécurisant qui les instruirait en tout.

Tout homme est un mélange de bien et de mal, de lumière et de ténèbres. Le vrai berger est celui qui est humble, qui connaît ses limites, qui ne s'immisce pas là où il ne doit pas, qui respecte les dons et les charismes des autres ; il est celui qui sait disparaître. Il porte le secret de la personne, là où elle est unie à Dieu, mais il laisse à d'autres le soin de l'aider à trouver sa place dans la communauté.

On parlait l'autre jour au Conseil de l'Arche de la nécessité d'avoir des accompagnateurs pour les jeunes assistants. Hubert disait qu'il faut distinguer l'œil extérieur de l'oreille extérieure.

L'œil extérieur est une personne qui, de par sa fonction, regarde comment un autre assume ses responsabilités, le soutient, le guide et éventuellement le contrôle. Cet œil extérieur est nécessaire pour aider l'autre à bien assumer son rôle.

Par contre, l'oreille extérieure écoute. Mieux vaut qu'elle n'ait pas de pouvoir sur la personne ni une fonction d'autorité vis-à-vis d'elle. Sinon, elle risquerait de ne pas toujours être suffisamment objective, ou de ne pas avoir assez de recul.

Et Hubert distinguait ces deux fonctions de celle qui consiste à éveiller un cœur ou à l'ouvrir à plus de générosité pour assumer de nouvelles responsabilités. J'aime bien ces distinctions.

⁂

Il y a des moments dans la vie où tout paraît clair et paisible ; on saisit au plus profond de soi l'appel de Dieu. On se sent appelé à entrer dans une alliance avec Lui et avec les pauvres. Dans ces moments de lumière et de paix, il est important d'exprimer à un témoin ce qu'on ressent profondément : cette lumière à l'intérieur de soi qui brille, qui réchauffe et donne une certitude. Ce témoin, berger, prêtre, homme ou femme de Dieu, de par son expérience conseille sur la façon de répondre à l'appel. Il est aussi celui qui confirme : « Tu n'es pas dans l'illusion », « C'est vrai ce que tu ressens », « Tu peux suivre cet appel », « Sois fidèle ».

Pour pouvoir grandir et surtout pour pouvoir traverser les temps d'angoisse et de ténèbres, qui sont inévitables dans une vie communautaire, on a besoin d'un témoin et d'un conseiller spirituel. Celui qui a confirmé notre premier appel nous rappelle par la suite l'alliance et la lumière d'autrefois. Il nous appelle à la fidélité. Nous avons tous besoin de cette personne-mémoire qui nous porte à travers les nuits et les jours, à travers les hivers et les étés, à travers les temps de ténèbres et les temps de lumière et qui connaît le secret de notre cœur.

⁂

Je suis de plus en plus frappé aujourd'hui par la difficulté que beaucoup de personnes éprouvent à faire un véritable discernement. Autrefois, on jugeait toujours selon la loi et l'objectivité. Il s'agissait d'obéir, et c'était tout. Maintenant le discernement se fait de plus en plus à travers une écoute subjective ; on écoute ses émotions : si on est troublé, on n'est pas dans la vérité de la volonté de Dieu. De l'objectivité totale et de la loi on est passé à la subjectivité totale. On semble oublier qu'il y a une différence énorme entre la paix qui est ce don de Dieu qui surpasse toute intelligence et une paix psychologique. Si on vit dans le rêve ou l'illusion ou si on a un blocage et que quelqu'un vienne nous remettre dans la vérité en touchant au blocage ou au rêve, cette mise en cause nous trouble et nous énerve. Pour être dans la vérité il faut parfois savoir perdre la paix psychologique. La paix vraiment divine jaillit souvent de la souffrance, de l'humiliation et d'un trouble psychologique accepté. Elle vient comme un don de Dieu qui surgit de l'intérieur de nous et de nos blessures. Elle enfonce dans la présence de Dieu et dans un désir de servir ses frères et ses sœurs. Elle aide à porter sa croix.

De la même façon, des personnes qui cherchent leur appel, leur vocation, sont parfois tellement obnubilées par leur propre « petit » appel qu'elles n'entendent plus le cri de souffrance et l'appel du pauvre. On découvre souvent son propre appel à l'écoute de l'appel des autres.

***

J'ai l'impression aussi qu'à notre époque, chez beaucoup, il y a une lutte entre un désir d'indépendance et l'acceptation d'une interdépendance. Dans la psychologie moderne, certains courants semblent dire qu'il faut être libéré du père comme si chacun de nous pouvait devenir totalement indépendant dans sa pensée, son jugement et sa vie affective. Mais souvent, en se croyant libéré de la pensée du père on est influencé et donc dépendant des courants de pensée ambiants. Il n'est pas évident que l'on sache quand et comment être libre. L'important n'est pas d'être libre pour être libre mais pour servir et aimer davantage.

*
**

De plus en plus de nos jours, on a besoin de bergers qui aident les personnes à dépasser leurs propres émotions et une paix psychologique dans la recherche de leur propre identité ou liberté, pour entendre l'appel de Dieu et le cri de ceux qui sont dans la détresse et pour entrer dans une alliance avec eux.

*
**

Le prêtre-berger, le conseiller spirituel, le témoin, doit connaître le cœur humain. Mais il doit aussi et surtout connaître les voies de Dieu, savoir comment l'Esprit Saint conduit les personnes et comment il est le maître de l'Amour. La psychologie est utile à condition qu'on la dépasse. Le psychologue cherche à débloquer les personnes, à les libérer psychologiquement. L'homme de Dieu, lui, aide la personne à vivre avec ses blocages et ses difficultés psychologiques, à grandir dans la volonté du Père et dans l'amour de Jésus et de ses frères et sœurs, dans la fidélité et l'humilité, avec la certitude que c'est là une des meilleures manières de les faire disparaître. Il aidera la personne à demeurer dans la lumière de Dieu.

*
**

Le prêtre ou le témoin de la grâce de Dieu et du secret de la personne est celui qui peut aider celle-ci à faire le bon discernement aux grands tournants de sa vie. Il discerne à la lumière des dons qu'elle a reçus. C'est pour cela qu'il est important de se confier à lui non seulement aux temps de crise quand on cherche sécurité et consolation mais aussi aux temps de lumière et de grâces.

*
**

Le prêtre, l'homme ou la femme de Dieu, est celui qui nous aide à découvrir le sens de nos épreuves et surtout nous aide à les utiliser. Quand on traverse les déceptions de la vie communautaire, quand on se sent marginal et mis de côté, il nous rappelle : « Ne t'inquiète pas, c'est un moment d'épreuve. C'est une mort mais ne sais-tu pas qu'il faut mourir avec le Christ pour ressusciter avec Lui ? Attends l'aurore ; sois patient. Rappelle-toi l'alliance ». C'est dommage de ne pas profiter de nos souffrances, de nos détresses et de nos échecs pour grandir spirituellement. Si vite nous en restons à nos frustrations, à nos colères ou nos dépressions.

*
**

Le conseiller spirituel n'a pas toujours vraiment besoin de donner des conseils. Chaque personne a en elle la lumière de la vérité. Si on est assez tranquille, on découvre en soi la réponse. Mais on a toujours besoin d'une personne qui pose les bonnes questions.

*
**

Certains jeunes, qui viennent d'avoir une expérience de Dieu et qui ont entendu à l'intérieur d'eux-mêmes un appel à croître dans l'amour, ont parfois besoin d'un berger très directif. Si leur berger n'est qu'un conseiller qui pose des questions, ils ne pourront pas s'en sortir. Ils sont encore dans une trop grande confusion intérieure. Ils n'arrivent absolument pas à distinguer le rêve de la réalité. Pour faire les premiers pas dans la croissance intérieure, ils ont besoin d'un père ferme qui leur demande l'obéissance. S'ils n'ont pas cette attitude d'obéissance, ils risquent très vite de sombrer. C'est à ce père spirituel d'être vigilant, de ne pas les garder trop longtemps sous la tutelle de l'obéissance et de les aider peu à peu à s'envoler avec les ailes de leur propre jugement et de leur discernement spirituel.

*
**

Jésus a été attaqué parce qu'il avait osé dire : « Tes péchés sont pardonnés ». Les pharisiens et les scribes disaient qu'il blasphémait, et c'est pour cela qu'on l'a crucifié.

Après sa résurrection, il a dit aux apôtres : « Recevez l'Esprit Saint. Ceux à qui vous remettrez les péchés, ils leur seront remis ; ceux à qui vous les retiendrez, ils leur seront retenus ». Ce pouvoir du prêtre est étonnant. Le laïc peut être un conseiller spirituel mais il ne pourra jamais dire au nom de Dieu : « Tes péchés sont pardonnés ». Jésus est venu sur la terre pour apporter le pardon et il donne aux prêtres ce don merveilleux de pardonner en son Nom. Le prêtre est indispensable dans la vie communautaire justement pour aider les membres à découvrir ce pardon de Dieu et par là à repartir avec une espérance renouvelée. C'est encore une raison pour que le prêtre ne soit pas mêlé au pouvoir temporel.

***

Participer aux dons les uns des autres

Une communauté est comme un orchestre qui joue une symphonie. Chaque instrument pris tout seul est beau. Mais quand tous jouent ensemble, chacun laissant l'autre passer devant, au moment où il le faut, c'est encore plus beau.

Une communauté est comme un parc rempli d'une multitude de fleurs, d'arbustes et d'arbres. Chacun aide l'autre à vivre. Tous ensemble dans leur harmonie sont un témoignage de la beauté de Dieu, créateur et jardinier.

***

Quand un membre de la communauté exerce un don, il est important que d'autres prient pour qu'il soit encore plus ouvert à l'inspiration, plus instrument de Dieu et que la communauté accueille son don avec amour et reconnaissance. Il est important de prier pour l'autorité, et pour ceux qui exercent le don de la parole. Ainsi on participe aux dons des uns et des autres. On s'entraide dans la construction de la communauté.

⁂

A l'Arche, nous avons besoin de personnes compétentes et précises sur le plan de la pédagogie et dans le domaine du travail. Nous avons besoin de personnes disponibles, qui aiment la vie communautaire et surtout qui désirent vivre proches de la personne handicapée en découvrant son don. Nous avons besoin de personnes déterminées sur le plan religieux et spirituel qui passent du temps avec Dieu dans la prière. Chacune apporte aux autres un don nécessaire pour l'édification, le bien-être, le rayonnement et l'unité de la communauté. Chacune, différente de l'autre, est indispensable. Certes, il faut que chacun de nous grandissions dans l'unité afin de devenir plus compétent, plus disponible dans la vie communautaire, plus proche du pauvre et plus priant. Mais dans la communauté il faut que certains mettent plus particulièrement leurs énergies dans l'exercice de tel ou tel don.

⁂

Aimer quelqu'un, c'est reconnaître son don, l'aider à l'exercer et à l'approfondir. Une communauté est belle quand chacun exerce son don pleinement.

⁂

« Portez les fardeaux les uns des autres et accomplissez ainsi la loi du Christ » (Galates 6, 2). « Ce qui constitue en premier lieu un fardeau pour le chrétien, c'est la liberté du prochain... Par liberté du prochain nous entendons tout ce qui constitue sa nature profonde, ses qualités, ses talents, y compris les faiblesses et les bizarreries qui mettent tellement notre patience à l'épreuve, ainsi que toutes les frictions, heurts et oppositions qui surgissent entre lui et nous. Porter le fardeau du prochain signifie donc supporter sa réalité de créature, l'accepter et parvenir de ce fait à nous en réjouir... Le ministère du pardon des péchés est un service quotidien. Il s'accomplit silencieusement dans l'intercession mutuelle ; et le croyant qui y persévère peut avoir cette confiance que, de leur côté, ses frères prient pour lui dans le même sens. Celui qui porte les autres sait que les autres le portent eux aussi, et c'est ce qui lui donne la force de le faire »[3].

⁂

L'écoute

Un don important dans la communauté est celui de l'écoute. Pour pouvoir écouter, il faut être sécurisant. On ne parle à quelqu'un que si on sait qu'il respecte le secret. La « confidentialité » est un des aspects essentiels de l'écoute : savoir respecter les blessures, les souffrances d'un autre et ne les divulguer à personne.

⁂

Le discernement

Certaines personnes ont un vrai don de discernement. Elles arrivent à saisir l'essentiel dans un discours embrouillé ou une histoire perturbée. Elles saisissent vite le besoin essentiel et en même temps, si ce sont des personnes pratiques, elles arrivent à suggérer les tout premiers pas à faire pour se mettre sur le chemin de la guérison. Dans une communauté, il y a parfois une personne qui n'a pas de fonction importante mais qui a le don de la lumière pour la communauté. Il faut savoir l'écouter.

⁂

La fidélité

L'autre jour j'ai vu le père Abbé d'un monastère bénédictin. Il me parlait de son émerveillement devant la fidélité de ses

---

3. Dietrich Bonhoeffer. De la vie communautaire, pp. 102-104, Foi Vivante, nº 83.

moines. Mais, ajouta-t-il, « ils ont besoin occasionnellement d'être rafraîchis et rajeunis ».

A notre époque, nombre de communautés nouvelles sont en train de naître qui sont parfois bruyantes de par leurs chants, leur jeunesse et leur excitation. On risque d'oublier ces communautés anciennes qui travaillent la terre, vivant paisiblement de prière, de silence, de louange, de travail manuel et de pardon, et dont la tradition dure depuis des siècles. Les jeunes communautaires auraient beaucoup à apprendre de la sagesse de ces vieilles communautés qui vivent de fidélité sans faire beaucoup de bruit.

Beaucoup de jeunes communautés mourront de leur enthousiasme et de leur émotivité, quand les autres, plus silencieuses, plus sereines, continueront leur marche à travers les générations.

Méfions-nous, nous, les jeunes communautaires, de croire que nous avons la seule réponse et allons nous mettre à l'école de ces hommes et de ces femmes de sagesse qui ont l'expérience des choses humaines et des choses divines et qui marchent avec Jésus depuis de longues années. Ils ont le don de la fidélité.

⁂

L'émerveillement

Les anciens d'une communauté ont souvent tendance à oublier ce qu'il y a de plus beau dans leur communauté. Ils sont trop pris par les besognes ou ils sont tombés dans les ornières des habitudes. Ils ont un peu perdu la grâce de l'émerveillement. Ils ont besoin d'être renouvelés par l'écoute de l'émerveillement des plus jeunes qui se sentent appelés à s'engager dans la communauté.

Le plus grand scandale est qu'un ancien accuse un jeune de naïveté et condamne son enthousiasme et sa générosité. L'ardeur, l'enthousiasme et l'émerveillement des jeunes, harmonisé avec la fidélité, la sagesse et l'écoute des anciens, font qu'une communauté est vraiment belle.

Une grand-mère est toujours renouvelée par ses petits-enfants. Il faut des « grands-mères » dans les communautés, qui, parce qu'elles ne portent pas de responsabilité, ont plus de temps pour s'émerveiller.

C'est toujours bon de trouver dans une communauté un grand étalement des âges, des très jeunes jusqu'aux très âgés. C'est comme dans unc famille : il y a une complémentarité qui est apaisante. Quand tout le monde est du même âge, c'est peut-être excitant pendant un temps mais très vite on s'en lasse ; on a besoin de retrouver le don de la jeunesse des jeunes et celui de la sagesse tranquille des anciens.

⁂

Il y a beaucoup de gens qui parlent de ce qu'ils font, mais qui font peu ce dont ils parlent. D'autres font beaucoup mais ils n'en parlent pas. Ce sont eux qui font vivre la communauté.

⁂

Il n'y a rien de pire que l'adulation. C'est une façon terrible d'étouffer les plantes de l'amour. Elle tue ceux qui veulent une vie réelle de don, de présence aimante. L'adulation est un poison qui, s'il s'insère trop dans la chair, rend tout le corps malade et, pour le purifier, il faut bien des épreuves. Pour vous qui faites ce triste métier, sachez que chacune de vos paroles de flatterie devra être contrebalancée par une parole d'humiliation. Alors évitez de faire souffrir ceux qui vivent en communauté !

Mais confirmer quelqu'un dans ses dons n'est pas l'aduler ; reconnaître quelqu'un, ce n'est pas flatter. Il est bon de reconnaître, encourager et confirmer les dons.

⁂

Les gens qui se croient prophètes ou qu'on nomme prophètes sont dangereux. Les personnes les plus prophétiques sont les personnes qui vivent et qui agissent sans savoir qu'elles le sont.

*
**

Dans une vie communautaire on trouve des tempéraments de types très différents. Il y a des personnes organisées, rapides, précises, efficaces, plutôt rigoristes et légalistes. Et il y a des personnes disponibles, souples, aimant beaucoup les contacts personnels, moins efficaces, et à la limite un peu farfelues.

Il y a aussi ceux qui sont timides, plutôt dépressifs et pessimistes, et ceux qui sont extravertis, optimistes, « un peu exaltés sur les bords ».

Pour la richesse de la communauté, Dieu appelle ces opposés à vivre ensemble. Si, au début, ce n'est pas très facile, peu à peu on découvre la richesse de ces gens si différents.

*
**

Les communautés mixtes

Les communautés de l'Arche sont des communautés mixtes – hommes et femmes, célibataires et gens mariés. Cette mixité est précieuse et je dirais vitale. Les hommes et les femmes handicapés que nous accueillons sont parfois profondément blessés au plan de leur vie affective. Ils ont besoin d'images ou de références maternelles et paternelles.

Cette mixité qu'on trouve de plus en plus dans les communautés peut amener un véritable épanouissement mais aussi des difficultés, en particulier quand toutes les personnes ne se sont pas encore déterminées en ce qui concerne leur célibat. C'est toute la question des personnes qui tombent amoureuses l'une de l'autre dans une communauté, comme projetées l'une vers l'autre, sans avoir le recul nécessaire pour savoir si c'est un amour vrai qui conduit au mariage ou si c'est un amour déclenché par leurs solitudes respectives. A notre époque, on trouve également quantité de gens qui ont dans leur vie affective des difficultés dues à une carence d'amour durant leur enfance. Ils peuvent confondre leur recherche d'une mère qui sécurise avec la recherche d'une épouse. La communauté peut les aider à intégrer leur sexualité et à trouver une véritable stabilité sur le plan affectif, surtout si cette communauté a des buts très clairs, exigeants même, s'il y a beaucoup de gaieté et si les règles ou les traditions concernant les rapports hommes-femmes sont bien établies.

On a tendance aujourd'hui à être obnubilé par la question : « Qu'est-ce qui est permis et qu'est-ce qui ne l'est pas ? » et on oublie la question fondamentale : quelle est la finalité de l'homme, quelles sont les activités primordiales qu'il lui faut exercer, quel est le sens de la croissance humaine ? Qu'est-ce que la véritable croissance de l'amour ?

⁂

De nos jours, on tend à supprimer la différence entre l'homme et la femme. On voudrait qu'ils soient égaux en tout, que des femmes soient prêtres et des hommes nourrices. C'est vrai qu'aujourd'hui encore, des hommes dans le monde veulent se croire supérieurs, tout-puissants, plus forts, plus intelligents et cherchent à reléguer la femme dans un rôle subalterne. Il y a quelque chose de choquant à voir des hommes passer leur temps à boire au café, y dépensant tout leur salaire, et à voir leurs femmes élever tous les gosses qu'ils leur ont donnés. Si on regarde de près, on s'aperçoit de cette déchéance de l'homme qui veut se croire viril et met toutes ses énergies dans l'extériorité — les beaux muscles, le commandement âpre et dominateur. La femme est souvent plus intériorisée et, du fait de sa maternité, bien plus proche de la réalité de l'amour et d'un monde relationnel.

Le danger pour l'homme est de fuir la vulnérabilité de son cœur et ses puissances de tendresse (il réclame une femme-mère puis très vite, comme un petit garçon, il la refuse, voulant sa propre liberté). Il se jette alors dans le monde de l'efficacité et de l'organisation, niant la tendresse. Mais par le fait même il se mutile et se sépare de ce qui en lui est essentiel. A ce moment-là il idéalise la femme — elle est la vierge toute pure — ou il la plonge dans la déchéance — elle est la grande séductrice, l'instrument du diable, la prostituée. Il est en train de rejeter sa propre sexualité, soit qu'il la considère comme mauvaise, soit qu'il la nie. De toute façon, il refuse toute relation vraie avec la femme comme personne et ne la voit plus que comme symbole de péché ou de pureté.

Toute la croissance de l'homme est dans la maturation de ses rapports avec la femme. Tant qu'il demeure au stade des rapports mère-enfant, ou au stade de la femme séduction-répulsion, il ne peut vraiment grandir, même spirituellement.

Mais pour pouvoir grandir ainsi, il lui faut découvrir son identité d'homme et les dangers qui y sont inhérents. Il a souvent besoin d'une femme bien dans sa peau qui l'aide à retrouver ses propres puissances de tendresse, son cœur vulnérable, sans se sentir mis en danger par une sexualité désordonnée. C'est alors qu'il trouve un équilibre entre la virilité de l'action efficace, le rayonnement du pouvoir, et son cœur d'homme.

De la même façon, la femme, elle aussi, doit trouver son équilibre. Elle ne doit pas, par refus de sa féminité, chercher le pouvoir de l'homme ni loucher jalousement sur ses capacités d'organisation, mais elle doit découvrir les richesses de sa propre féminité ; si elle n'a pas toujours un pouvoir extérieur, elle a, de par sa faiblesse, un pouvoir d'attraction et parfois de séduction sur le cœur de l'homme. Et dans sa faiblesse, par le fait même qu'elle est parfois séparée du pouvoir, elle a une intuition plus limpide et plus vraie, moins mêlée aux passions d'orgueil et de puissance qui colorent souvent l'intelligence de l'homme.

***

Il arrive que, dans certaines communautés, le responsable-homme qui a le pouvoir soit jaloux de sa vision. Il arrive aussi que dans la communauté il y ait une femme ou des femmes plus intelligentes que lui, plus fines dans le discernement et surtout ayant davantage le sens de la finalité. Ce responsable rejette parfois ces femmes comme si c'était une faiblesse de sa part de les écouter, comme s'il devait, parce qu'il a le pouvoir, avoir également la vision et le discernement.

Ce qui se passe dans une communauté arrive aussi entre mari et femme. Dans notre civilisation où l'homme doit être viril, puissant, il y a parfois une curieuse lutte entre les sexes : l'homme a peur de perdre quelque chose si la femme a raison.

C'est dommage que chacun ne puisse pas reconnaître le don de l'autre. Il arrive que Dieu donne à l'homme le pouvoir sans lui donner le discernement et à la femme le discernement, mais il lui manque le pouvoir. Quand ils refusent de travailler ensemble, c'est « la pagaille ». Quand ils travaillent ensemble, c'est la communauté.

⁂

Il est évident qu'on ne peut pas trop généraliser. Il est vrai aussi que dans chaque homme il y a des principes féminins, comme en chaque femme, des principes masculins, et que nous sommes tous un mélange de passivité et d'activité. Mais il reste que, de par leurs constitutions physiologiques, l'homme et la femme ont des tendances qui leur reviennent en propre : l'homme est plus tourné vers l'extériorité et la femme vers la relation. Au niveau du cœur profond et du secret de Dieu, aucun n'est privilégié. Mais la femme est davantage sensible aux réalités de la vie communautaire alors que l'homme est plus sensible aux activités de la raison et de l'efficacité. Je dis bien plus sensible : cela ne veut pas dire que l'un soit radicalement incompétent dans le domaine de l'autre. C'est là qu'une coopération et une reconnaissance des dons mutuels sont nécessaires.

⁂

L'anti-don

Une communauté se fonde sur la confiance mutuelle des membres entre eux. Or la confiance est une réalité bien fragile et bien faible. Dans le cœur de chacun il y a toujours un petit coin particulièrement fragile où réside, ou peut résider, le doute. La personne qui sème la zizanie a un flair pour toucher et mettre le feu à cette capacité de doute. C'est ainsi qu'elle est destructrice de la communauté. C'est un anti-don !

*
**

Je suis frappé par les gens qui viennent dans nos communautés pour y rester un certain temps et qui très vite mettent le doigt sur une faille, (et mon Dieu il y en a !) sans être capables, semble-t-il, de voir le bien qui existe. Ils viennent alors me voir pour critiquer les autres et me proposer leurs solutions, leur projet (qui est généralement une thérapie quelconque) en m'expliquant que celui-ci résoudra les difficultés et remettra la communauté ou les personnes handicapées sur le bon chemin. Ils croient qu'ils ont le don d'être sauveurs.

Les « sauveurs » des communautés sont excellents à saisir (et parfois exploiter) les défauts d'une communauté ; ils sont séducteurs, beaux-parleurs et dangereux, car ils veulent faire leur œuvre. Ils manquent de confiance en eux-mêmes et sont profondément malheureux. Ils ont besoin de prouver par leurs projets qu'ils existent et ils ont ainsi tendance à être agressifs.

Si on entre dans une communauté avec cet état d'esprit, tout est perdu. On y entre parce qu'on s'y sent bien et à l'aise, prêt à servir, respectueux des traditions de la communauté. Un projet doit résulter de la collaboration avec les autres et non pas être dirigé contre eux pour prouver qu'ils sont des incapables.

*
**

Le don de la parole

Dans une communauté il est toujours important d'avoir des personnes qui aient le don de la parole ou celui d'animer une réunion ou une fête. Guy me disait l'autre jour que la meilleure façon de se préparer à donner la parole ou à animer, c'est de se recueillir et de se mettre pendant un certain temps avant l'événement à l'écoute de la musique intérieure et des besoins de ceux qui vont être là. Il ne faut jamais venir avec un texte tout préparé. Même une fois l'événement commencé, il faut continuer à être à l'écoute de la musique des personnes pour répondre à leur attente secrète et silencieuse. La parole comme la fête doivent toujours être un dialogue entre celui qui parle et anime et ceux qui attendent la parole comme une terre attend l'eau. Cela ne veut pas dire qu'il faille tout laisser à l'intuition spontanée. Mieux vaut que celui qui donne la parole ait bien vu ce que les gens attendent et sache ce qu'il va donner, mais il doit en même temps, au cours de la rencontre, être réceptif et prêt à modifier ce qu'il avait préparé pour répondre aux appels secrets qu'il perçoit.

⁂

La disponibilité

Un des dons les plus merveilleux qu'on trouve chez certains qui vivent en communauté, c'est la disponibilité à servir. Ils font confiance aux responsables et à la communauté et assument les responsabilités qu'on leur propose. S'ils ne savent pas comment le faire, ils demandent l'aide de l'Esprit Saint et de leurs frères.

De nos jours, on a tendance à décrier l'obéissance. Peut-être parce qu'autrefois il y avait des abus d'autorité. Celle-ci se souciait davantage de la fonction à remplir que de la croissance humaine et spirituelle des personnes. Il faut dire aussi qu'il y a une façon servile et morose d'obéir.

C'est merveilleux pour une communauté d'avoir parmi ses membres des personnes avec cet esprit d'enfance, prêtes à assumer ce qu'on leur demande, convaincues que si on le leur demande, c'est qu'elles sont capables de le faire, avec la grâce de l'Esprit et la confiance des frères et des sœurs.

⁂

Le don des pauvres

Souvent les personnes qui ont le plus le sens de l'essentiel pour la communauté – ce qui donne et maintient son esprit – se cachent derrière des tâches manuelles très humbles. Elles ne sont pas préoccupées par de grandes responsabilités, des choses « importantes » ; elles ont l'esprit plus libre pour l'essentiel. C'est souvent le plus petit (qui peut être aussi le malade ou le vieillard) qui est le plus prophétique. Ces personnes ne doivent pas être impliquées dans les structures ; cela les détournerait de leur don essentiel qui est d'aimer et de servir. Mais il faut que les responsables sachent ce qu'elles pensent car souvent ce sont elles qui voient avec le plus de lucidité.

⁂

Dans un hôpital psychiatrique, ce sont souvent les malades qui sont les plus prophétiques. Eux, plus que quiconque, peuvent dire ce qui va mal et quels sont les bons médecins.

Il n'y a pas longtemps, dans un pays africain, un ordre religieux a fait un sondage pour savoir ce que le peuple souhaitait des missionnaires, s'ils devaient s'habiller à l'africaine, manger à l'africaine, etc. La réponse fut unanime : « Nous savons, disaient-ils, quels sont les missionnaires qui aiment et respectent notre culture et notre façon de vivre et ceux qui ne nous aiment pas. Peu importe ce qu'ils mangent ou comment ils s'habillent ».

Pour savoir si une communauté est fidèle à sa vision originelle il faut demander aux pauvres, à ceux qui sont dans le besoin. Le pauvre et le petit de la communauté sentent si l'autorité est en train d'être bien exercée, si la communauté est fidèle ou non. C'est pour cela qu'il faut être attentif à eux ; ils ont presque toujours la réponse la meilleure aux questions que la communauté pose.

⁂

Un des dons les plus précieux dans une communauté se trouve chez des personnes qui ne peuvent peut-être pas assumer de responsabilités importantes. Elles ne sont pas faites pour organiser, animer, prévoir et commander. Mais elles ont des cœurs très aimants et très délicats. Elles savent reconnaître tout de suite la personne en difficulté et par un sourire, un regard, une fleur ou un mot, elles lui font sentir : « Je suis proche de toi. Je porte la croix avec toi. Ne t'inquiète pas ». Ces personnes sont au cœur de la communauté et elles portent en elles les « extrêmes » de la communauté : les gens qui ne s'entendent pas, qui sont bloqués les uns par rapport aux autres, qui se jalousent ou qui ont des idées radicalement différentes. C'est l'amour de ces personnes cachées qui garde vitalement unis les membres opposés dans la communauté, les « ennemis ». Le chef unifie dans la justice mais ces personnes aimantes sont dans leur être des facteurs d'unité ; dans leur tendresse elles sont unifiantes, artisans de paix.

⁂

Dans une communauté, il faut aussi le don de la grand-mère, et si possible une grand-mère un peu paysanne, pleine de bon sens.

Trop souvent on risque de dramatiser les fatigues et les angoisses. On pleure et on a oublié pourquoi. On identifie nos angoisses aux agonies du Christ ou on s'identifie aux plus méprisés du monde. La grand-mère qui a de l'expérience, qui est bien dans son corps, sait qu'on a parfois besoin de se détendre au bord de la mer. Sainte Thérèèse d'Avila conseillait à certaines sœurs de manger un bon beefsteak plutôt que de s'efforcer de prier.

Il faut qu'on se rappelle qu'on a des corps et que nos corps ont des lois ; que le spirituel est parfois très influencé par le physique. Il faut être très respectueux de ce corps et de ses besoins ; il est un merveilleux instrument d'amour. Il faut le soigner avec beaucoup de respect, encore plus qu'un artisan qui veille sur ses outils car il est plus qu'un outil. Il ressuscitera au dernier jour. Il est partie intégrante de notre être, de notre personne.

Il y a des choses que la grand-mère sent. Et il y a des choses qu'on ne confie qu'à elle. Oui les grands-mères sont importantes dans la communauté.

*
**

Le don le plus précieux dans la communauté s'enracine dans la faiblesse. C'est quand on est faible et pauvre qu'on a besoin des autres, qu'on les appelle à la vie et à l'exercice de leurs dons. Au cœur de la communauté il y a toujours le petit, le pauvre, le faible.

Celui qui se sent inutile, le malade, le mourant, celui qui est malade dans ses émotions et son esprit, entre dans le mystère du sacrifice. Par ses humiliations et l'offrande de ses souffrances, il devient source de vie pour les autres. « C'est par ses blessures que nous avons été guéris » (Isaïe 53, 5). C'est un mystère de foi.

A la racine de toutes les belles œuvres d'une communauté, il y a toujours un agneau immolé uni à l'agneau de Dieu.

*
**

Dans ce chapitre sur les dons j'ai surtout parlé de l'autorité. Les autres dons sont traités dans les autres chapitres. Ceux qui édifient et bâtissent la communauté sont ceux qui aiment, qui pardonnent, qui écoutent, qui sont pleins de délicatesse, qui servent les autres, les nourrissent, prient pour eux. Et chacun par la grâce qui lui a été donnée exerce ses dons selon les modalités uniques de son amour et de sa tendresse. Une communauté n'est vraiment une communauté que quand chacun réalise qu'il a terriblement besoin du don des autres, et cherche lui-même à devenir plus limpide, plus lucide et plus fidèle dans l'exercice de son propre don. Ainsi chacun, à sa place, bâtit la communauté.

*
**

Chapitre 6

L'ACCUEIL

L'accueil

Une des merveilles de la communauté, c'est qu'elle permet d'accueillir et d'aider des gens, ce qu'on ne pourrait pas faire tout seul. Quand on met ses forces ensemble, qu'on partage les tâches et la prise en charge, on peut accueillir beaucoup de monde et même des personnes dans une profonde détresse, on peut les aider à découvrir qu'elles sont aimées et aimables et par là à trouver les voies vers la guérison intérieure et une confiance en elles-mêmes, en des frères et sœurs et en Dieu.

***

L'accueil est un des premiers signes qu'une communauté est vivante. Permettre à d'autres, étrangers, visiteurs, de vivre dans la communauté, est signe qu'on n'a pas peur, qu'on a un trésor de vérité à partager. Quand une communauté commence à fermer ses portes, c'est un signe de fermeture des cœurs.

Mais il faut bien comprendre ce qu'est l'accueil. Pour pouvoir accueillir, il faut exister, c'est-à-dire « être » une communauté qui ait une vie réelle.

Au début, une communauté doit être un peu plus fermée. Il faut un temps où les gens apprennent à se connaître. C'est comme dans le mariage : si les époux passent leur temps à accueillir leurs amis, ils n'auront pas le temps de forger leur unité.

Il y a un temps pour toutes choses, un temps pour faire communauté et un temps pour ouvrir les portes. Ces deux temps ne sont pas nécessairement consécutifs ; ils sont imbriqués l'un dans l'autre. Il faut toujours des moments d'intimité comme il faut des moments d'ouverture. Si l'un ou l'autre des moments disparaît, il y aura mort à plus ou moins brève échéance.

Si une communauté ne fait qu'accueillir, elle tombera très vite dans la dispersion et ne sera bientôt plus une communauté qui accueille mais une masse de gens qui se rencontrent comme dans une gare. Si on reste figé sur soi et sur le groupe, c'est l'étouffement : les dissensions et les jalousies naissent ; la vie ne circule plus.

Si une communauté est aimante, elle est attirante et parce qu'elle est attirante, elle est nécessairement accueillante. La vie appelle la vie. Il y a une gratuité extraordinaire dans son pouvoir de procréation et de créativité ; la façon dont un être vivant engendre d'autres êtres vivants est merveilleuse. Il en va de même pour ce corps vivant qu'est une communauté.

L'amour est constamment en mouvance ; il ne peut jamais rester statique. Si le cœur humain ne progresse pas, il régresse. S'il ne s'ouvre pas toujours plus, il se ferme et entre dans le processus de la mort spirituelle. Une communauté qui commence à dire « non » à l'accueil, par peur, par lassitude ou pour des raisons d'insécurité ou de confort, (« Ça nous dérange »), entre également dans le processus de la mort spirituelle.

Mais il y a un temps pour chaque chose ; un temps pour « être » et un temps pour « accueillir ».

Parfois on frappe à ma porte ; je laisse la personne entrer et nous parlons, mais je lui fais sentir par mille petits détails que je suis occupé, que j'ai des choses à terminer. J'ouvre la porte de mon bureau mais celle de mon cœur reste fermée. J'ai encore beaucoup à apprendre, et à grandir. Accueillir quelqu'un c'est lui ouvrir la porte de son cœur, lui donner de l'espace. Si, bien sûr, j'ai des choses à faire qui ne peuvent pas attendre, il faut le lui dire, mais en lui ouvrant quand même mon cœur.

*
**

Accueillir veut dire laisser des personnes pénétrer à l'intérieur de la communauté ; mais celles-ci doivent en accepter et respecter les buts, l'esprit, les traditions et le règlement. Accueillir, ce n'est pas recevoir dans la communauté n'importe qui ni le laisser faire n'importe quoi. Certaines communautés démarrent avec l'idée d'accueillir tout le monde, sans refuser personne. C'est impossible. C'est ne pas connaître la réalité de la vie communautaire.

Quand j'ai commencé l'Arche, j'ai accueilli Raphaël et Philippe, deux personnes handicapées mentales. Quelques mois plus tard, j'ai accueilli Gabriel, un homme sans travail, vagabond, un pauvre. Il est resté quelques mois. Mais assez vite sa présence est devenue incompatible avec la vie de la communauté. Il commençait à terroriser Raphaël, par jalousie peut-être. Il fallait qu'il parte sinon il y avait un risque grave pour Raphaël. Quand on a accueilli une personne faible et destructurée et qu'on s'est engagé à son égard, on ne peut pas ensuite en accueillir une autre qui risque de nuire sérieusement à sa croissance. On n'a pas le droit de recevoir quelqu'un qui refuse de respecter les autres et la vie communautaire avec tout ce que cela implique.

Chaque communauté a ses faiblesses, ses limites qui sont aussi ses richesses. Il est important de les reconnaître ; il faut savoir qui on peut accueillir et quelles sont les normes de l'accueil.

Bien sûr, avec le temps, on peut espérer qu'une communauté s'approfondisse et puisse accueillir de plus en plus de gens difficiles. Mais curieusement, ce n'est pas toujours le cas.

Au début de l'Arche, on accueillait parfois des personnes difficiles, instables et violentes ; avec le temps, celles qui étaient difficiles sont devenues plus paisibles ; elles ont trouvé une certaine harmonie intérieure. Il serait imprudent maintenant d'accueillir quelqu'un qui pourrait réveiller toutes les angoisses et les ténèbres qui demeurent latents dans leurs êtres. Il faut respecter le rythme des personnes fragiles qui sont en voie d'apaisement et de guérison intérieure.

Si on ne peut pas accueillir à l'intérieur de la maison chaque personne qui frappe à la porte, il y a une manière d'accueillir la souffrance de ceux qui frappent ; il y a une façon de dire « non » avec vérité et tendresse.

*
**

Qui accueille ?

Un chef de communauté qui accueille, sans vivre le quotidien avec ceux qui sont accueillis, impose son idéal d'accueil à ceux qui le vivent ; cela n'est pas toujours juste. C'est la communauté toute entière qui doit accueillir, accepter les inconvénients inhérents à l'accueil, en découvrir aussi les joies.

*
**

De plus en plus dans les communautés de l'Arche et surtout dans celles qui existent depuis un certain temps, il y a des personnes handicapées qui ont atteint une certaine maturité. Elles vivent dans la communauté depuis longtemps, depuis parfois plus longtemps que les assistants et même le responsable. Il est important qu'on les consulte avant d'accueillir une nouvelle personne en détresse ; il faut que ce soit la communauté toute entière – là où c'est possible – qui accueille et pas seulement les assistants ou le responsable.

*
**

Le risque

Accueillir c'est toujours risquer, c'est toujours dérangeant. Mais Jésus ne vient-il pas nous déranger dans nos habitudes, nos conforts, nos lassitudes ? Il faut que nous soyons constamment stimulés pour ne pas tomber dans un besoin de sécurité et de confort et continuer à marcher de l'esclavage du péché et de l'égoïsme vers la terre promise de la libération.

Accueillir n'est pas d'abord ouvrir les portes de sa maison mais ouvrir les portes de son cœur et par là devenir vulnérable. C'est un esprit, une attitude intérieure. C'est prendre l'autre à l'intérieur de soi, même si c'est dérangeant et insécurisant ; c'est se soucier de lui, être attentif à son égard, l'aider à trouver sa place dans la communauté ou ailleurs. Accueillir c'est encore plus qu'écouter.

*
**

Vrai et faux accueils

L'accueil des visiteurs est le prolongement de l'accueil que les personnes vivant dans la communauté ont les unes pour les autres. Si on a le cœur ouvert pour tous les frères et sœurs, on l'aura aussi pour le visiteur. Mais si on se replie sur soi et qu'on se ferme par rapport à d'autres dans la communauté, on risque de se fermer par rapport aux visiteurs. A moins — et cela arrive de temps en temps — qu'on ne soit ravi d'accueillir les visiteurs pour fuir les membres de la communauté. Quelquefois quand on est entre soi, on s'embête et les agressivités naissent ; les visiteurs sont alors une distraction. Ces formes de distractions peuvent être valables et constituer une étape vers l'unité de la communauté. Mais ce n'est pas un accueil vrai. Il est parfois plus facile d'accueillir un visiteur que d'accueillir le frère ou la sœur avec qui on vit tout le temps. C'est comme certains maris ou femmes qui sont toujours en dehors de leur famille, « faisant du bien aux pauvres », engagés dans des mouvements chrétiens de bienfaisance. Il vaudrait peut-être mieux qu'ils passent un peu plus de temps chez eux pour y être plus accueillants.

*
**

Une communauté divisée ne doit pas accueillir. C'est faire du mal à ceux qui viennent. « Mets de l'ordre dans ta propre maison avant d'inviter d'autres à y venir. »

*
**

Quelquefois je m'inquiète sur notre façon d'accueillir à l'Arche. Est-ce que nous accueillons quelqu'un parce qu'on a besoin de lui pour une tâche spécifique, ou est-ce qu'on l'accueille pour lui, parce que Jésus nous l'envoie : « J'étais étranger et tu m'as accueilli » ?

Certes, si on l'accueille, il faut qu'il puisse trouver sa place, ce qui implique un rôle et une fonction. Il faut qu'il puisse exercer son don. Mais parfois, on risque de ne plus voir sa personne et d'être seulement heureux que la fonction soit remplie.

C'est difficile de trouver l'équilibre entre « utiliser » des personnes aux fins de la communauté et leur laisser trop d'espace pour grandir sans les appeler à un rôle où elles se sentent utiles.

L'accueil de la Providence

Plus on vit en communauté, plus on réalise le rôle capital que joue la Providence ; chaque jour on découvre combien on est pauvre devant elle, combien on a besoin d'elle. Une communauté ne vit et ne continue à vivre que parce que de nouvelles personnes viennent et s'y engagent. Comment expliquer qu'une personne soit touchée par la communauté et une autre pas ? On réalise très vite qu'elle est attirée par une puissance et une force plus grandes que la communauté elle-même. C'est un appel et un don de Dieu.

Et chaque personne nouvelle qui vient se joindre à la communauté apporte avec elle ses qualités, ses dons, ses défauts aussi, qui, avec le temps, viendront modifier le cours de la communauté dans sa croissance et son développement.

Les personnes qu'on accueille aujourd'hui s'engageront demain et porteront la communauté après-demain. L'accueil est vital pour une communauté : c'est une question de vie et de mort.

Le premier geste

C'est très souvent le premier geste d'accueil qui est important. Il y a des gens qui fuient parce que ce premier geste a été désagréable. D'autres restent à cause d'un sourire ou d'un geste initial de gentillesse. Il faut que ceux qu'on accueille sentent non pas qu'ils dérangent mais qu'on est heureux de partager avec eux. Il faut savoir répondre à une lettre ou à un coup de téléphone avec sympathie, avec une note personnelle de gratuité.

Si on accueillait chaque nouvelle personne comme un don de Dieu, comme son messager, on serait plus aimant et plus ouvert.

*
**

L'accueil des marginaux

Quand une communauté accueille des marginaux, au début, en général, cela ne va pas trop mal. Puis pour des raisons multiples, les marginaux recommencent à devenir marginaux et font des crises qui peuvent aller jusqu'à des tentatives de suicide. Ces crises peuvent être très pénibles pour les membres de la communauté et les plonger dans le plus grand des désarrois, car ils sentent leur impuissance. La communauté est prise dans une sorte de guet-apens dont il lui est parfois difficile de sortir. Si, à ce moment-là, les membres de la communauté prennent conscience de leur pauvreté, cette crise peut devenir un moment de grâce. La personne marginale et difficile a en elle un élément prophétique. Elle bouscule la communauté car elle crie pour l'authenticité. Trop de communautés sont fondées sur des rêves et de belles paroles, on y parle tout le temps d'amour, de vérité et de paix... Le marginal qui entre là-dedans devient exigeant. Ses cris sont des cris de vérité car derrière le verbalisme il sent le mensonge. Il saisit un décalage entre ce qui est dit et ce qui est réellement vécu. A ce moment-là la communauté est presque obligée de renvoyer le marginal avec perte et fracas, il est insupportable, impossible, paresseux, bon à rien. Il faut le dévaloriser au maximum car il a révélé à la communauté toute son hypocrisie.

Cela ne veut pas dire que toute les communautés puissent accueillir n'importe quel marginal et qu'il ne faille pas dans certains cas renvoyer un marginal. Il faut saisir ses propres limites et voir objectivement ce qui peut être fait. Parfois la présence du marginal peut devenir source d'unité et de vérité car le marginal mène toujours à l'absolu et l'absolu mène à la conversion. Il oblige la communauté à se ressaisir.

***

Le marginal dans une communauté a des besoins très particuliers. C'est un être blessé, souvent sans espérance, qui manque de confiance en lui. Il subit parfois des bouffées terribles d'angoisse qui le poussent à des gestes imprévisibles et involontaires contre d'autres ou contre lui-même ; intérieurement, il est souvent sans structure, vivant dans une confusion profonde et passant facilement d'un état où il est sans désir à une anarchie totale de désirs. Il y a en lui une lutte terrible entre les ténèbres et la lumière, la mort et la vie. C'est un être sans référence, ni à une personne, ni à une loi. Et c'est cette prise de conscience de sa solitude et de sa pauvreté qui fait son désespoir.

Pour retrouver l'espérance, le marginal a besoin de se sentir aimé et approuvé. Ce n'est qu'à travers le regard accueillant d'un autre qu'il va peu à peu se redécouvrir comme une personne valable, capable d'une action positive. Il a besoin de quelqu'un qui l'écoute, qui écoute ses blessures et ses besoins, et sente ses désirs réels. Cette écoute demande du temps et de la patience, car il a peur de se livrer, et il ne se livre pas à n'importe qui. Il a besoin de sentir quelqu'un qui non seulement ne le juge pas, mais qui le comprenne profondément.

Cette personne pleine d'attention et d'écoute doit devenir peu à peu une référence solide qui le guide, le soutienne, le sécurise, l'encourage, et l'aide à découvrir ses capacités et à assumer des responsabilités. A cause de la confusion de son être, le marginal doit, pour grandir, avoir confiance en cette référence quasi paternelle faite de tendresse et de bonté, mais aussi de fermeté.

La communauté qui accueille un marginal doit lui expliquer dès son arrivée ce qu'est la communauté et ce qu'on attend de lui. Il faut qu'il accepte le règlement de la communauté même si ce règlement est très souple et fait en quelque sorte pour des marginaux ! Il doit sentir qu'on ne le laisse pas livré à ses instincts, mais qu'on exige de lui ce minimum. S'il le refuse, c'est sa manière de dire qu'il ne veut pas rester dans la communauté.

Et c'est à la personne qui est la référence de faire l'intermédiaire entre la loi ou le règlement et le marginal. Elle doit lui expliquer la raison d'être de ce règlement. Elle doit savoir être ferme, comme elle doit souvent aussi pardonner et encourager.

La personne-référence ne doit surtout pas être en opposition avec la communauté. Cela arrive parfois chez certaines personnes généreuses qui veulent être « sauveurs » et montrer à la communauté qu'elle n'est ni ouverte ni évangélique. Elles profitent du marginal pour révéler à la communauté ses défaillances. Il est indispensable que la personne soit référence au nom de tous et travaille en harmonie avec tous. Elle doit aider ainsi peu à peu le marginal à faire le passage d'une relation unique à des relations communautaires, le passage vers la communauté avec ses exigences. Le marginal aura certes ses crises de jalousies pour voir s'il est toujours accepté. Mais peu à peu, à travers ces explosions, il commencera à s'intégrer et à s'y sentir à l'aise. Pour pouvoir accueillir un marginal, une communauté doit donc pouvoir lui offrir une référence solide, accueillante, compréhensive, mais également ferme : si elle ne peut lui offrir cette personne disponible et prête à assumer des claques et des crises, mieux vaut qu'elle ne l'accepte pas. Sa force doit être dans l'amour et le respect les uns des autres. Si cette unité n'existe pas, le marginal risque d'accentuer les tensions et le processus de dislocation de la communauté.

*
**

Le marginal vit dans les ténèbres, sans motivation ni espérance. Il est obligé de compenser son angoisse qui, souvent, l'empêche de dormir ou de manger, par l'alcool, la drogue, ou des attitudes de « folie ».

Pour qu'il renaisse à l'espérance et que son angoisse se transforme en paix, il faut du temps. Ce passage ou cette renaissance peuvent être très douloureux pour lui et pour l'entourage. Il doit parfois éprouver la communauté pour voir si vraiment elle est concernée par lui jusqu'au bout. Il doit parfois se libérer de sa propre angoisse sur la communauté et l'angoisse peut se propager comme un feu si elle trouve un matériau combustible, comme elle peut s'éteindre si elle rencontre des personnes capables de l'assumer dans leur être.

Le marginal est le fruit d'injustices et de violences du passé. Le drame de son être s'identifie aux rejets qu'il a subis. S'il est très sensible et vulnérable, ses blessures sont profondes et se manifestent par une confusion de son être, un manque de confiance en lui et un sentiment de culpabilité jusqu'à se sentir coupable de vivre.

La lumière qui chasse les ténèbres ne peut venir que d'un autre. Et il peut y avoir chez le marginal une lutte terrible contre les ténèbres qui désirent à tout prix demeurer. Le marginal est toujours ambivalent ; il vacille entre l'amour de la lumière et le désir de demeurer dans le chaos et le tragique. Son ambivalence lui fait aimer et haïr en même temps la communauté et surtout la référence. Son insécurité le pousse à la fois à s'attacher à elles et à les repousser.

La libération du marginal de ce monde de ténèbres risque de se faire à travers maintes épreuves. La référence ou la communauté doivent savoir accueillir l'hostilité et l'agressivité nées de son angoisse, sachant qu'elles ne sont que la conséquence des hostilités qu'il a subies. Il leur faut accueillir dans leur chair la violence pour pouvoir la transformer en tendresse, libérant ainsi peu à peu le marginal de ses angoisses. C'est bien le rôle d'une communauté de réconciliation de briser le cycle de la violence pour amener la personne à la paix.

⁂

La détresse de beaucoup de marginaux vient de ce qu'ils n'ont pas vécu une relation vitale avec leur mère. Cela a laissé en eux une sorte de blessure. Ils sont assoiffés d'une relation de tendresse qui les accueille pleinement à tout moment. Au plus profond de leur être, il y a ce cri constant pour un amour privilégié. N'ayant pas reçu cet amour durant leur petite enfance, ils n'ont pas vécu non plus les premières frustrations de l'enfant, quand la mère se tourne vers un autre enfant qui vient de naître. Ils n'ont pas vécu ces jalousies qui s'intègrent par la suite. C'est pourquoi le marginal a une soif insatiable. Il veut posséder totalement la référence et refuse qu'elle se tourne vers un autre.

C'est pour cela que la personne qui veut aider un marginal ne doit jamais être toute seule. C'est déjà dangereux qu'un enfant capte toute l'affectivité de sa mère qui devient polarisée par lui. C'est le cas quand la mère est célibataire ou qu'elle s'est coupée affectivement de son mari. A ce moment-là, il y a une sorte de dépendance affective : l'enfant et la mère se possèdent mutuellement. Ce n'est plus une relation de libération. J'ai vu parfois ce type de relation dangereuse dans nos communautés quand une assistante se polarise totalement sur un enfant handicapé.

C'est pour cela que la référence, si elle est unique, doit être dépendante de la communauté. Et l'enfant handicapé sans famille ou le marginal doivent savoir clairement qu'ils ne pourront jamais posséder cette référence, qu'elle a sa force et ses liens dans la communauté.

⁂

Bruno Bettelheim a écrit un livre qui s'intitule *L'amour ne suffit pas* [1]. Ce qu'il dit est juste, même s'il accentue peut-être un peu trop l'aspect analytique. Ce qu'on peut retenir c'est que pour aider une personne angoissée, en détresse, et marginale, dans les ténèbres de la confusion, il faut une compétence. Il faut savoir accueillir les crises, les violences, les dépressions, il faut savoir comprendre ce qui est en train d'être dit à travers les régressions et les fugues ; il faut savoir décoder les messages à travers les actes bizarres et les vols et répondre avec vérité aux cris et aux besoins. Il faut connaître certaines lois sur les troubles humains et la croissance humaine à travers la relation et le travail, et la façon d'amener à une guérison intérieure ; il faut savoir surtout entrer en relation vraie avec la personne.

Cela ne nécessite pas d'être psychiatre, ni d'avoir fait une analyse, mais d'être sensible aux besoins profonds des autres, d'avoir de l'expérience et de ne pas craindre de recourir à des professionnels : médecins, psychiatres et différents thérapeutes. Il n'y a pas en effet d'opposition entre la foi et la psychiatrie ; il n'y a d'opposition qu'entre des personnes qui nient l'une ou l'autre de ces dimensions. Cela ne veut pas dire qu'il soit facile de délimiter ce qui relève de la spiritualité et du prêtre et ce qui relève du psychiatre. Les domaines souvent se mélangent.

A l'Arche, nous sommes en train de découvrir notre thérapie propre, très différente de la thérapie des hôpitaux, différente aussi d'une thérapie fondée uniquement sur des médicaments ou sur l'analyse. C'est une thérapie basée sur une relation ou des relations authentiques vécues dans une communauté, qui apportent à la personne un dynamisme, une acceptation d'elle-même et une motivation nouvelle. La personne en détresse découvre peu à peu qu'elle fait partie d'une famille, d'une communauté. Cela la sécurise et lui donne la paix.

⁂

1. Editions Fleurus, Paris, 1970.

Une communauté chrétienne qui accueille des marginaux et des personnes en détresse a besoin de professionnels : psychologues, psychiatres, etc. Mais elle a besoin surtout d'approfondir sa thérapie propre. Les professionnels doivent reconnaître cette thérapie et y collaborer.

Une communauté chrétienne se fonde sur le pardon et les signes du pardon. Le rôle du prêtre dans la confession, le secret qu'il garde et la découverte à travers lui du pardon de Jésus peuvent être capitaux pour amener la personne en détresse à la guérison intérieure, en retirant le joug de la culpabilité.

La découverte dans la foi que Jésus aime tous les hommes et spécialement les plus rejetés aide la personne à découvrir sa propre dignité d'enfant de Dieu. La façon dont une communauté accueille la mort d'un frère aide certains à dépasser leur peur de la mort. De même l'Eucharistie et la prière en commun aident à découvrir que nous sommes tous frères et sœurs en Jésus ; qu'en fin de compte il n'y a pas de séparation entre bien portants et malades. Devant Dieu, nous sommes tous handicapés de cœur, prisonniers de nos égoïsmes. Mais Jésus est venu nous guérir intérieurement, nous sauver, et nous libérer par le don de son Esprit. C'est la bonne nouvelle qu'il apporte aux pauvres : nous ne sommes pas seuls dans notre tristesse, dans les ténèbres de notre solitude, dans nos peurs, dans notre affectivité et notre sexualité troublées. Il nous aime et il est avec nous. « Ne crains pas, je suis avec toi ».

***

Quand on accueille une personne vraiment blessée, il faut être conscient de la gravité de ce geste. Il implique qu'on accepte la personne telle qu'elle est, qu'on ne lui impose pas un idéal, qu'on comprenne ce qu'elle recherche au niveau de la relation, et qu'on soit prêt à « croire tout, espérer tout, supporter tout » (1 Corinthiens 13). Mais en même temps il faut que la personne sache les limites de la communauté.

Il arrive qu'après un accueil vrai, on découvre qu'on ne peut plus garder la personne, qui est en train de se faire du mal à elle-même et de faire du mal aux autres. Il faut apprendre à être vrais et fermes, et, en même temps, tendres et compatissants. Si la personne doit partir, il faut essayer de lui trouver le lieu de sa renaissance.

⁂

Les marginaux à l'intérieur de la communauté

Beaucoup de communautés que je connais portent dans leur sein une ou deux personnes marginales, des personnes qui, arrivées à un certain âge, semblent se fermer dans une sorte de maladie mentale. Elles sont dépressives, acariâtres, elles boudent. Il semble qu'il n'y ait rien à faire ; toutes les démarches d'écoute ou de délicatesse sont repoussées. Souvent ce n'est pas de leur faute. Tant qu'elles étaient jeunes, ces personnes avaient la force de cacher ces failles de leur personnalité. Et puis, à un certain âge, des forces inconscientes éclatent. Elles vivent alors dans l'ambivalence ; elles voudraient quitter la communauté et en même temps elles savent qu'elles ne peuvent aller ailleurs. Elles se sentent inutiles et mal aimées car elles refusent toute relation. Elles portent une croix terrible de solitude.

La communauté doit parfois chercher pour elles une autre solution, un lieu plus adapté, peut-être aussi des soins professionnels. Mais surtout elle doit les accueillir comme un don de Dieu. Les personnes marginales au cœur de la communauté sont souvent plus difficiles que celles qui sont en dehors. Elles dérangent beaucoup mais elles aident les autres membres de la communauté à être constamment aux aguets pour aimer davantage, être à l'écoute, saisir les petites choses qui peuvent apaiser. Il faut aider la personne marginale à ne pas se culpabiliser, à ne pas s'enfermer dans la maladie ni se replier totalement sur elle-même. La communauté ou les responsables peuvent aussi être en partie fautifs quand éclatent ces crises. Ils ont peut-être confié des responsabilités trop lourdes à ces personnes dans leur jeunesse ; ils ne sont pas suffisamment préoccupés d'elles ; ils ne les ont pas affrontées quand elles ont fait de « petites crises ». Si on avait été soucieux de ces failles plus tôt, si on n'avait pas laissé ces personnes dans une certaine solitude, on aurait peut-être pu éviter des souffrances par la suite.

⁂

Certaines personnes cachent leur faille de personnalité derrière une capacité d'efficacité. Quand on sent une telle situation, il faut faire attention. Le danger est d'accentuer toujours plus la fonction et l'efficacité pour que la personne puisse continuer à cacher ses failles. Mais un temps viendra où la personne ne pourra plus les cacher. Le décalage sera d'autant plus grand entre la fonction et la fragilité de la personne. C'est alors qu'elle risque d'entrer dans une dépression grave ou une forme d'agressivité violente. Mieux vaut parfois laisser la crise venir plus tôt, quand il y a encore du temps, pour aider vraiment la personne. Le plus important est toujours d'essayer d'être vrai et de dire à la personne comment on se situe face à elle.

⁂

Accueil et lutte

Parfois des gens se regroupent pour mener une lutte. Ce type de regroupement ne peut jamais constituer une communauté. C'est un rassemblement de militants. Une communauté implique une attitude non pas d'agressivité mais d'accueil, de confiance, d'ouverture. Cela ne veut pas dire que des communautés ne doivent pas lutter et parfois exercer leur agressivité. Mais il faut que cette agressivité soit pour la défense des valeurs premières que sont l'accueil et la confiance entre les personnes.

⁂

Accueillir pour servir

Ceux qui font partie de communautés d'accueil doivent veiller à accueillir non pour eux-mêmes, pour leur bonne conscience, avec un sentiment d'être sauveurs mais pour ceux qu'ils accueillent. Ils doivent être à leur service ; la communauté doit s'organiser en vue de leur libération intérieure.

*
**

Beaucoup de communautés aujourd'hui veulent être des communautés d'accueil en même temps que des communautés chrétiennes et par le fait même des communautés de prière.

Quand on est une communauté chrétienne, il faut bien savoir ce qu'on veut faire et qui on va accueillir. Est-ce qu'on accueille d'abord des gens en détresse, des personnes handicapées ou sans famille, pour leur donner une famille, les aider à trouver une paix et une sécurité plus grandes et, par la suite peut-être, à se réinsérer dans la société d'une façon réelle et heureuse ? Ou est-ce qu'on cherche d'abord à former une communauté de prière, à accueillir des personnes dans la mesure où elles sont chrétiennes ou pour les convertir ?

A l'Arche nous avons pris l'optique d'accueillir des personnes handicapées parce qu'elles étaient dans le besoin, sans regarder si elles étaient chrétiennes ou non. Notre désir est de tout faire pour qu'elles puissent grandir humainement et spirituellement selon leur rythme et leur don.

Si on accueille des personnes parce qu'elles sont dans la détresse et pour leur donner une sécurité, une famille, cela implique que tous les membres ne sont pas nécessairement chrétiens et ne participent pas tous à la prière ; et pourtant, ils font partie de la même famille.

L'important dans l'accueil, c'est de savoir exactement ce qu'on fait, puis d'être vulnérable dans cet accueil pour montrer qu'on se soucie vraiment des personnes et qu'on les aime.

Cette façon d'accueillir est terriblement dérangeante car on n'a pas de cadre ni de règlement bien fixe. C'est toujours plus facile et confortable de n'accueillir que des personnes qui suivent tous les offices et viennent à la messe. Le danger est qu'elles prétendent avoir la foi pour pouvoir rester. Il me semble qu'il est parfois préférable de les laisser peu à peu découvrir leur voie et la personne de Jésus Christ pour qu'elles y adhèrent plus librement. C'est sûrement plus lent mais parce qu'on respecte la personne dans ses options les plus personnelles et dans sa croissance, les résultats sont plus profonds. Il y a bien sûr toujours le danger de tomber dans l'indifférence mais il faut prier l'Esprit de nous garder éveillés.

***

Nécessité de communautés d'accueil

Je suis frappé du nombre de personnes qui vivent seules, écrasées par leur solitude. Elles sombrent dans la dépression ou l'alcoolisme. Il est évident que la solitude peut détraquer. On découvre de plus en plus de personnes qui manquent d'équilibre parce que leur vie familiale a été malheureuse. Il y a tous les paumés, les drogués, les délinquants, tous ces gens à la recherche d'une famille et d'un sens à la vie. Il est certain que, dans les années à venir, il faudra que naissent quantité de petites communautés d'accueil, où ces personnes perdues, seules, pourront trouver une famille et un sentiment d'appartenance. Autrefois les chrétiens qui voulaient suivre Jésus ouvraient des hôpitaux et des écoles. Aujourd'hui où il y a de plus en plus d'infirmières et d'instituteurs, il faudrait que les chrétiens s'engagent dans ces nouvelles communautés d'accueil pour vivre avec celui qui est sans famille et lui révéler qu'il est aimé.

Chapitre 7

LES RÉUNIONS

Se réunir pour partager

Pour qu'une communauté se forge vraiment, il faut que ses membres puissent se retrouver. Quand une communauté est toute petite c'est facile pour tout le monde de se retrouver pour partager. Les rencontres se font spontanément à divers moments de la journée. Mais les communautés grandissent, le travail augmente, les visiteurs se font de plus en plus nombreux et il y a un risque que les membres ne se retrouvent que pour organiser et programmer. Il est indispensable alors qu'il y ait une heure fixe, un jour, une soirée par semaine où il n'y ait pas de visiteurs, où on ait un temps « entre nous ». S'il n'y a pas ces temps où les membres de la communauté ont des contacts personnels et se dévoilent un peu, ils s'éloignent progressivement les uns des autres et deviennent des étrangers. Il n'y a plus alors de vie commune, il n'y a plus « une âme, un cœur, un esprit ».

*
**

La vie communautaire implique un engagement personnel qui se réalise dans des rencontres entre personnes. Mais très vite on fuit ces rencontres ; on a peur, car elles engagent. On fuit dans l'organisation, la loi, le règlement, la vérité « objective », le travail et l'activisme ; on fuit la rencontre avec les personnes en faisant tout le temps des choses pour elles. Mais pour aimer il faut se rencontrer.

La création d'une communauté est autre chose que la rencontre de personnes individuelles. Il faut que de temps à autre les membres d'une communauté se retrouvent entre eux pour se connaître communautairement.

*
**

Il y a souvent une difficulté à partager personnellement sur sa vie en communauté. Très vite on fuit dans le fonctionnel en fixant des programmes, ou, « par hasard », on ne trouve jamais le temps de faire de partage.

Le vrai partage communautaire est plus qu'un travail en équipe. Il implique une certaine révélation de soi-même. Il ne s'agit pas d'une transparence totale où on révèle « tout », jusqu'au secret de notre être. On a toujours un secret qui n'est que pour Dieu, pour les amis les plus intimes, ou pour le prêtre. Les époux entre eux ont leur secret qui n'est pas à partager avec les enfants ni avec les autres membres de la famille. Dans les réunions de partage communautaire, il s'agit de dire ce qu'on vit personnellement dans la communauté. Mais cette ligne qui sépare le secret personnel de ce qui est à dire aux frères et sœurs est très fine. C'est pour cela que certains n'arrivent pas à partager : ou ils dévoilent tout et se confessent plus ou moins communautairement et c'est gênant (ils se « déshabillent » verbalement devant les autres), ou ils se ferment, incapables de parler par peur de se dévoiler. Ils veulent demeurer dans l'extériorité mais c'est normal et bon de dire où on en est dans la communauté, ce qu'on vit, comment on réagit face aux autres et aux diverses activités ; c'est normal de s'impliquer personnellement par la parole ; c'est bon de livrer un peu de sa personne aux autres afin de se faire connaître dans ses intentions profondes et ses difficultés sur le plan communautaire. Le danger pour certains est de trop parler d'eux-mêmes et de se complaire dans la parole devant un auditoire bienveillant.

C'est en se connaissant ainsi, avec nos difficultés et nos faiblesses, qu'on peut vraiment s'entraider, s'encourager à une fidélité plus grande. Si on cherche uniquement à montrer notre force, nos qualités, nos succès, on suscite plus l'admiration que l'amour et on garde les autres à distance. Le partage des faiblesses et des difficultés où on demande l'aide et la prière est comme un ciment pour la communauté ; elle est un appel qui lie les uns aux autres et crée l'unité. On découvre qu'on a besoin les uns des autres pour être fidèles et exercer nos dons.

Quand on se rencontre personnellement, en vérité, dans notre faiblesse, la parole s'achève spontanément en un silence qui est prière. Et du fond de ce silence peut jaillir une autre prière, prière de demande ou d'action de grâces. C'est ainsi qu'on chemine vers la communauté : une âme, un cœur, un esprit, un corps.

⁂

Jésus dit : « Quand deux ou trois sont réunis en mon nom, je suis là au milieu d'eux ». « Réunis », cela implique une union, une rencontre. Jésus ne peut être présent si les personnes ne se retrouvent qu'au plan matériel ou refusent de se rencontrer.

⁂

La réunion sacrée

Quelqu'un me disait il n'y a pas longtemps : « C'est merveilleux de découvrir que nos faiblesses nous aident à nous rencontrer avec plus de vérité ».

Dans certaines des communautés de l'Arche, il existe ce qu'on appelle des réunions « sacrées ». Celles-ci peuvent avoir lieu dans la chapelle ou ailleurs. Elles commencent par une prière et un temps de silence. Puis, chacun parle mais sur le mode d'une conversation discontinue, en annonçant ce qu'il vit, en disant comment il perçoit la vie communautaire. La parole demeure subjective. Il ne s'agit pas de discuter et de rechercher la vérité « objective » mais de partager avec les autres la réalité vécue. Le but de la réunion est de permettre à chacun de savoir où en sont les autres, de permettre une rencontre personnelle. L'essentiel est une écoute pleine de compréhension ; il ne s'agit pas d'attaquer, de faire des reproches ou de se défendre. Il s'agit seulement de dire ce qu'on vit. Beaucoup de blocages dans les communautés viennent du fait qu'on n'ose pas dire certaines réalités. On n'ose pas dire ce qu'on sent. On a peur de s'exprimer, peur d'être jugés. Il y a une libération à exprimer certaines choses. On n'arrive peut-être pas à des solutions mais au moins, sachant ce que l'autre vit, on peut tenter de modifier sa propre conduite, sa propre façon d'agir. Le simple fait d'annoncer les difficultés ou les joies qu'on est en train de vivre peut rapprocher beaucoup de personnes et augmenter la compréhension mutuelle. Cela tisse des liens. Une fois que tout a été dit, on prie ensemble. Et, la réunion terminée, on n'y revient plus : ce qui a été dit reste caché dans le cœur de Dieu.

***

Le don de la réunion

Dans une réunion il ne s'agit ni d'imposer son idée, ni de la défendre. On ne peut vivre longtemps en communauté avec cet état d'esprit. Il faut, au contraire, y venir pour écouter les idées des autres. La réunion a pour but de découvrir « ensemble » ce qu'il faut faire. Et cela implique qu'on soit convaincu que « on est plus intelligent tous ensemble que chacun seul ». C'est pourquoi il faut permettre à chacun et surtout à la personne la plus timide et la moins loquace de s'exprimer. Le fondement de toute réunion est l'écoute des idées des autres.

***

Il faut du temps pour qu'une communauté découvre le don des réunions, leur efficacité pour la vie communautaire et la façon dont elles peuvent nourrir les intelligences et les cœurs de chacun. Il faut savoir souffrir dans les réunions, passer par des moments de discussions pénibles, parfois même de luttes. Tout cela est normal, ce n'est pas en un jour qu'on apprend à lâcher ses petites idées, ses projets à soi, pour adhérer aux idées, aux projets de la communauté. Il faut du temps pour avoir confiance dans les autres et dans la communauté.

Il s'agit de bien distinguer les types de réunions. Il ne faut pas trop s'attendre à ce qu'une réunion d'organisation, de préparation d'une fête soit très nourrissante. La vie d'une communauté implique le service et ces réunions sont des services qu'on rend pour le bien de tous. Mais si on cherche paisiblement à écouter l'opinion et les idées de chacun, si on cherche à découvrir la façon la meilleure d'organiser quelque chose pour le bien de tous, il y a souvent une joie et une paix qui sont données.

*
**

Il faut bien spécifier le but de chaque réunion ; chacune selon ses buts doit être vécue d'une façon différente. Et pour chaque réunion il y a une discipline à avoir et une façon différente d'y participer.

Dans la vie communautaire – suivant les différents types de communautés – il y a divers types de réunions : des réunions d'organisation, des réunions d'information, des réunions de partage, des réunions où on discerne les questions importantes, des réunions d'approfondissement, etc.

Dans une communauté il y a des gens qui aiment bien les réunions. C'est pour eux un moment de détente et parfois cela leur permet d'échapper aux exigences du travail ! Et puis il y a ceux qui ne les aiment pas, qui les considèrent comme des pertes de temps ; ils crient à la « réunionite ».

Certains viennent aux réunions en consommateurs ou en bavards qui aiment s'entendre parler. D'autres n'aiment pas les réunions parce qu'elles les obligent à cesser leur activité, et que l'écoute les met en cause. La locomotive de leur être est tellement en mouvement qu'ils n'arrivent plus à s'asseoir et à se détendre.

Participer à une réunion, ce n'est pas simplement prendre la parole ; c'est un état d'esprit bien plus profond ; c'est une façon d'écouter pour vraiment comprendre ce que dit l'autre ; c'est savoir prendre la parole à son tour, sans interrompre l'autre ni l'attaquer ; c'est ne pas faire des apartés avec son voisin, ne pas lire le courrier qui vient d'arriver ; c'est une façon de s'asseoir (le regard, la façon de tenir la tête, toute la position du corps peuvent dire « tu m'embêtes », ou au contraire « je suis à toi »).

La qualité d'attention avec laquelle on vit une réunion et la gentillesse avec laquelle on écoute quelqu'un qui balbutie et dit même des sottises parce qu'il est craintif montrent notre degré de participation à une réunion. Les timides, ceux qui manquent de confiance, s'expriment parfois avec agressivité ou d'une façon maladroite. L'écoute agressive de leurs paroles peut les enfoncer encore plus dans leur timidité et leurs craintes, comme à l'inverse un accueil vrai peut les aider à trouver confiance en eux et à découvrir qu'ils ont quelque chose à dire.

Si on ne vient pas à une réunion avec cet état d'esprit, elles deviennent vite lourdes ; une personne les mène avec difficulté, et les autres vacillent entre une écoute béate ou servile et une agressivité manifestée par la colère ou l'ennui.

*
**

Un des rôles d'une communauté est d'aider chaque personne à s'exprimer. Il est grave que quelqu'un ne puisse pas dire ses frustrations et soit obligé de les ressasser indéfiniment à l'intérieur de lui-même. Pouvoir s'exprimer est une libération. Une communauté doit avoir suffisamment d'écoute pour que chaque personne puisse trouver cette libération.

*
**

Il ne faut pas s'étonner que dans des réunions il y ait des éclats et que des gens s'expriment avec violence. Ces cris jaillissent d'une angoisse qui doit être respectée. Une personne qui crie n'est pas nécessairement marginale, révolutionnaire, contestataire, ni quelqu'un qui fait du mauvais esprit ; c'est une personne qui se sent lésée, qui est en train de faire un passage personnel important ou qui, de toute façon, souffre. Certaines guérisons et certains engagements impliquent des moments d'angoisse. Si on répond trop brutalement à ses cris, la personne ne pourra pas se libérer ni faire le passage vers une paix intérieure plus grande, une vie plus unifiée et harmonisée avec la communauté, ses structures et ses responsables.

*
**

Mener une réunion

Il est important de commencer et de finir une réunion à l'heure. Cela implique une discipline. Il est toujours bon de commencer une réunion par un temps de silence, de prière même, si tous le veulent. Quand on a des choses importantes à décider, il est important de se remettre devant Dieu, dépassant nos propres idées, désirs et passions.

Il faut bien fixer l'ordre du jour, donnant le maximum de temps aux choses essentielles et évitant de se laisser noyer dans de longues discussions sur des détails sans importance.

Il est important de suivre fidèlement l'ordre du jour et d'être parfois ferme pour éviter des digressions inutiles et inciter les personnes à s'en tenir au sujet. Mais c'est bon aussi d'être souple car parfois, dans un moment de digression, de nouvelles idées jaillissent et on sent une plus grande participation sur un point intéressant. Il faut savoir saisir ces moments en laissant courir la discussion, comme il est bon parfois de susciter ou de permettre des moments de détente et de rire. C'est tout un art de savoir mener une réunion pour qu'elle soit nourrissante et intéressante. Cela vient avec l'expérience et nécessite une certaine créativité, la confiance et l'humilité.

Pour pouvoir mener une réunion, il faut savoir laisser chacun s'exprimer, et essayer d'éviter de pousser ses propres idées. Si soi-même on a une idée précise, mieux vaut attendre pour voir si quelqu'un d'autre va l'exprimer et l'encourager à l'expliciter.

Le danger dans les réunions est que ce soit toujours les mêmes qui parlent – ceux qui ont le verbe facile. Ils ne sont pas nécessairement les plus intelligents, ni ceux qui disent les choses les plus importantes ou intéressantes. Ce sont souvent des personnes angoissées ou qui manquent de confiance en elles-mêmes. Elles ont besoin de parler et de s'affirmer. Leurs interventions peuvent cependant paraître utiles car elles comblent « les vides » et stimulent les autres – parfois d'une façon agressive.

Il faut chercher, à l'intérieur de chaque réunion, les structures qui encouragent chacun et surtout les plus timides à participer. En effet, ceux qui ont le plus de lumière n'osent souvent pas s'exprimer ; ils ont peur de dire des « bêtises ». Au fond ils ne reconnaissent pas le don qui est en eux (peut-être parce que les autres ne l'ont pas reconnu). Et il faut aider ceux qui parlent trop à se contrôler et surtout à écouter. Un des moyens, c'est de faire un arrêt à un moment dans la réunion pour demander à chacun, à tour de rôle, de dire son opinion. Si le nombre de ceux qui sont présents est trop grand pour le faire, on peut les mettre par petits groupes, pour qu'ils partagent entre eux ; l'important, c'est que chacun s'exprime.

*
**

Une réunion meurt quand quelqu'un veut avoir raison ou lâche des pétards d'agressivité parce qu'il se sent seul ou angoissé. Une réunion vit quand les personnes recherchent ensemble la vérité et la volonté de Dieu.

*
**

Il ne faut pas se décourager quand les réunions vont mal, quand il y a des tensions. Chacun doit grandir, chacun a le droit de passer à travers de mauvais moments, chacun a droit à ses lassitudes, à ses moments de doute et de confusion. Il faut savoir tenir durant les moments difficiles et attendre les moments plus joyeux.

Et il faut découvrir à travers les réunions difficiles comment détendre la situation, comment arriver à se rencontrer d'une façon plus calme et joyeuse. Un responsable doit savoir profiter d'un moment propice pour sortir une bonne bouteille et des gâteaux ; cela ramène parfois l'unité !

Si les réunions sont bien menées, si tous les reconnaissent comme nécessaires à la vie communautaire et y participent vraiment selon une certaine discipline, elles peuvent être des moments de vie où on prend conscience de l'unité de la communauté. Tous se rencontrent, se reconnaissent comme frères et sœurs, et deviennent pain les uns pour les autres. La réunion est alors une célébration où chacun s'offre en nourriture aux autres, une manifestation que nous sommes membres d'un même corps.

***

Le discernement communautaire

Dans le discernement communautaire l'essentiel est de trouver un moyen pour que les personnes dépassent leurs passions et leurs idées personnelles, pour saisir le plus clairement les avantages ou désavantages de tel projet ou réalité. Un des moyens est de laisser chaque personne à tour de rôle s'exprimer sur les avantages puis les désavantages de ce dont on discute et, après seulement, dire son opinion.

***

A la rencontre du Conseil International des Communautés de l'Arche, en février 1977, nous avions décidé d'avoir en avril 1978 une grande rencontre de toutes nos communautés qui aurait lieu en deux temps. Il y aurait d'abord la rencontre des directeurs et des délégués puis une rencontre plus large à laquelle participeraient des personnes handicapées.

A la rencontre suivante de ce même Conseil en septembre 1977, certains ont mis en cause cette décision de faire une grande rencontre et de la faire en deux temps. Au lieu de dire : « Ce qui a été décidé est décidé », nous avons écouté les inquiétudes des uns et des autres – inquiétudes qui paraissaient sérieuses. Nous avons alors mis en route un processus de discernement, essayant de voir clairement les avantages et les désavantages d'unc telle rencontre en deux temps.

Ce processus a pris plusieurs heures pour aboutir à la même décision : la grande rencontre aurait lieu en deux temps. De l'extérieur et vu sous l'angle de l'efficacité, ce moment de dialogue et de discernement pourrait apparaître comme une perte totale de temps. Mais, de l'intérieur, nous avons découvert que ce temps apparemment perdu était important. Il avait permis à chacun de clarifier ses options, de comprendre les difficultés, voire même les risques ; il avait créé une cohésion intérieure dans le groupe, qui avait accepté la décision initiale plutôt de l'extérieur. Ainsi chacun a pris davantage confiance en lui-même et dans les autres, ce qui a donné au groupe une créativité plus grande. Au fond, quand tous adhèrent de l'intérieur à un projet parce qu'ils sont convaincus que c'est la volonté de Dieu (et non le projet d'une personne), cela donne une force, une paix et une créativité toutes nouvelles.

Cela prend toujours du temps dans un groupe pour que tous, et surtout les plus lents et les « moins au courant », adhèrent réellement de l'intérieur à une décision.

« Toute perte de temps pour le dialogue — en réalité perte de temps seulement apparente, dit Paolo Freire, veut dire temps gagné en certitude, confiance en soi et dans les autres ; ce que le refus de dialogue ne peut jamais offrir » [1].

*
**

On m'a dit que dans les villages de Papouasie-Nouvelle Guinée, on ne décidait une chose que lorsque tous étaient

1. *Education for Critical Consciousness,* New York, Seabury Press, 1973, p. 123, notre traduction.

d'accord. Et cela peut prendre des heures de discussions ! Dans une réunion il est important que chacun ait le temps de s'exprimer, de dire son opinion ; et s'il y a désaccord, qu'on en découvre les raisons profondes.

Il ne faut pas s'arrêter aux raisons superficielles, mais il faut creuser, discerner les avantages et les désavantages jusqu'à ce qu'on clarifie la situation et qu'on arrive si possible à un consensus.

J'ai entendu parler de certaines communautés qui ne prennent des décisions qu'à l'unanimité. S'il y a désaccord, on jeûne jusqu'à ce qu'on y arrive. Le principe est bon, mais ce peut être difficile pour ceux qui ont du mal à jeûner ! Il faut accepter qu'il y ait des désaccords et qu'on n'arrive pas toujours à cette unanimité souhaitée. Il faut alors voter. Pour les choses importantes il faut voter non pas à la majorité simple mais à une majorité beaucoup plus forte (75 %). Si on n'arrive pas à une majorité substantielle, mieux vaut peut-être attendre et laisser le temps clarifier les choses.

Il faut toujours être attentif à la minorité qui n'est pas d'accord avec une décision ou qui se sent gênée par elle. Cette minorité est parfois prophétique, elle pressent que quelque chose ne va pas bien. Elle l'exprime peut-être mal et avec agressivité ; elle s'oppose peut-être à une décision non pas à cause de la réalité discutée mais à cause d'une opposition bien plus profonde, d'un refus des structures ou de l'autorité, ou à cause de problèmes personnels. Si c'est possible il faut alors faire surgir à la surface cette opposition profonde. De toute façon et en toutes occasions, il faut être attentif à ces désaccords et laisser ceux qui les vivent les exprimer avec le plus de clarté et de paix possible, en leur donnant le temps et l'écoute nécessaires.

*
**

La communauté est essentiellement le lieu de la présence. La parole, certes, est nécessaire mais les gestes et les regards signifient, bien plus encore, une présence aimante. C'est pour cela que les réunions doivent être à leur place. Elles sont importantes mais ce n'est pas l'essentiel.

Les intellectuels donnent trop de place à la parole. Ils croient que tout passe à travers elle, ils veulent tout le temps discuter et analyser, même dans les réunions ; il faut savoir donner une place au silence et aux gestes symboliques. La parole est là pour confirmer le geste et le non-verbal. Elle l'explicite et le prolonge.

Chapitre 8

LE QUOTIDIEN

Vivre le quotidien

Un des signes qu'une communauté est vivante se lit dans la qualité de l'environnement matériel : la propreté, l'aménagement, la façon dont les fleurs sont placées, les repas et tant d'autres réalités qui reflètent la qualité de cœur des personnes. A certains, ce travail matériel peut paraître fastidieux. Ils aiment mieux avoir du temps pour parler et avoir des relations. Ils n'ont pas encore réalisé que les mille petites choses qui doivent être faites chaque jour, ce cycle qui consiste à salir et nettoyer, ont été données par Dieu pour permettre aux hommes de communier à travers la matière. Faire la cuisine et laver le plancher peuvent devenir une manière de manifester aux autres son amour. Si on regarde le travail matériel le plus humble de cette façon, tout devient don et moyen de communion, tout devient fête car c'est une fête de pouvoir donner.

Il est important aussi de reconnaître ces dons humbles et concrets des autres, et de savoir les remercier. La reconnaissance du don des autres est un acte essentiel de la vie communautaire et elle se réalise par le sourire et le petit mot « merci ».

Quand on met de l'amour dans une activité, elle devient belle, et le fruit de cette activité est beau. Une communauté où il y a de la laideur manque d'amour. Mais la beauté la plus grande est une beauté dépouillée et simple où tout est orienté vers la rencontre des personnes entre elles et avec Dieu.

La façon dont on s'occupe de la maison et du jardin montre si on se sent « chez soi », si on est bien dans son corps et son être. D'une certaine manière, la maison est le nid. Elle est comme un prolongement du corps. Parfois on oublie le rôle de l'environnement dans la croissance et la libération intérieure.

*
**

L'amour, ce n'est pas de faire des choses extraordinaires, héroïques, mais de faire des choses ordinaires avec tendresse.

Je trouve merveilleux que Jésus ait vécu pendant 30 ans une vie cachée à Nazareth avec Marie sa mère et Joseph. Personne ne le reconnaissait encore comme le Christ, le Fils de Dieu. Il a vécu humblement les béatitudes, il a vécu la famille et la vie communautaire, il a travaillé le bois, il a vécu le petit quotidien de chaque jour au sein de la communauté juive de Nazareth dans l'amour de son Père. C'est seulement après avoir vécu la bonne nouvelle qu'il est allé la prêcher. Le deuxième temps de la vie de Jésus est alors une lutte où il cherche à faire passer son message et utiliser des signes pour confirmer son autorité.

Est-ce qu'il n'y a pas un danger pour certains chrétiens à trop parler de ce qu'ils ne vivent pas, ou d'avoir des théories sans les avoir vécues ? La vie cachée de Jésus est le modèle de toute vie communautaire.

Le troisième temps de la vie de Jésus est le temps de l'abandon de ses amis et de la persécution par des gens extérieurs à sa communauté. Ce troisième temps arrive parfois pour des gens engagés dans une communauté.

*
**

Une communauté qui a le sens du travail bien fait, accompli discrètement et silencieusement dans l'humilité et par amour des autres, peut devenir une communauté où la présence de Dieu est profondément vécue. Chacun est alors à sa place, faisant les petits gestes quotidiens avec tendresse et compétence, heureux de rendre service et considérant les autres supérieurs à lui, communiant paisiblement avec Dieu, les autres et la nature, demeurant en Dieu et Dieu en lui. La communauté prend alors toute une dimension contemplative.

***

Spiritualité du mouvement et spiritualité du cercle

Dans la communauté, certaines personnes ont une spiritualité du mouvement et de l'espérance. On sent en elles un dynamisme. Elles sont appelées à voyager pour porter la bonne nouvelle et à faire de grandes choses pour le Royaume. La spiritualité de Saint Paul et des apôtres était de ce type. Ils étaient épris d'un désir de faire connaître Jésus et de créer de nouvelles communautés chrétiennes. Pour d'autres, la spiritualité est de demeurer. C'est ce que j'appellerai la « spiritualité du cercle ». Elles ont davantage besoin d'un rythme régulier que de ce dynamisme du mouvement. Leurs énergies sont utilisées à demeurer dans la présence de Dieu et dans une présence attentive aux frères dans une vie régulière, dans un accueil de l'environnement et de la réalité du moment présent. C'est une spiritualité de délicatesse et de compassion dans le quotidien plus que de rayonnement à travers l'action et le mouvement.

Parfois celles qui ont une spiritualité de mouvement sont tellement prises par l'avenir qu'elles ont du mal à vivre la rencontre dans le présent ; leurs têtes et leurs cœurs sont aveuglés par les projets.

Dans une vie trop régulière, les premières deviennent impatientes ; elles ont besoin d'aventure et d'inattendu. Les autres par contre ont peur devant trop d'inattendus ; elles ont besoin de régularité. Dans une communauté il faut des gens dynamiques qui construisent et font de grandes choses. Mais il faut surtout des personnes qui s'enracinent dans la spiritualité du quotidien.

*
**

Il est difficile pour l'homme épris de grandeur de saisir la vraie condition humaine :

« On t'a fait savoir, homme, ce qui est bien, ce que Yahvé réclame de toi : rien d'autre que d'accomplir la justice, d'aimer avec tendresse et de marcher humblement avec ton Dieu. » (Michée 6, 8)

*
**

Beaucoup de gens croient que la vie communautaire est faite de problèmes à résoudre : tensions, conflits, problèmes suscités par une personne marginale, par les structures, etc. Et consciemment ou inconsciemment, ils attendent le jour où il n'y aura plus de problème !

Plus on avance dans la vie communautaire, plus on découvre qu'il ne s'agit pas tant de résoudre des problèmes que d'apprendre patiemment à vivre avec eux. En réalité, la plupart du temps on ne résoud pas les problèmes. Avec le temps, une certaine perspicacité et une fidélité à l'écoute, les problèmes s'atténuent au moment où l'on s'y attendait le moins.

Et il y en aura toujours d'autres qui apparaîtront.

Très souvent, dans la vie communautaire, on cherche des « moments forts », de belles fêtes extatiques et on oublie que la meilleure nourriture de la vie communautaire, celle qui renouvelle et ouvre les cœurs, c'est les tout petits gestes de fidélité, de tendresse, d'humilité, de pardon, de délicatesse et d'accueil du quotidien. Ils sont au cœur de la vie communautaire et nous plongent dans la réalité de l'amour ; ils touchent les cœurs et révèlent le don.

*
**

Les lois de la matière

Il y a des lois matérielles absolument fondamentales dans une communauté. Il faut respecter l'économie, la façon de gérer les finances et de trouver des ressources pour vivre, que ce soit le travail ou d'autres moyens. Une communauté a besoin de structures, d'une discipline, d'un règlement, ne serait-ce que l'heure des repas pris ensemble. Il faut savoir qui décide quoi et comment. Tout cela est comme l'ossature et la chair du corps qu'est la communauté. Si ce n'est pas respecté, la communauté mourra ; mais bien sûr, l'administration des biens, l'économie et les structures communautaires ne sont là que pour permettre à l'esprit et aux buts de la communauté de se développer et de s'approfondir.

On rencontre parfois des personnes qui refusent l'aspect physique du corps, que ce soit le leur ou celui de la communauté, comme si celui-ci avait quelque chose de malsain, était fait d'instincts mauvais. Elles tendent à planer vers le spirituel. Elles ne veulent pas de structures ; elles en ont peur. Elles rejettent tout règlement, toute discipline, toute autorité. Elles ne respectent même pas les murs. Elles gaspillent nourriture, électricité et essence. Elles n'ont pas conscience de la valeur de l'argent et ne savent pas ce que c'est qu'être responsable des choses matérielles. Elles voudraient une communauté toute spirituelle, faite d'amour, de relations chaudes, de spontanéité, mais elles planent : une communauté est toujours l'union du corps et de l'esprit.

Si des communautés se désagrègent parce que certains refusent les lois de la vie matérielle, elles peuvent aussi être étouffées par ceux qui ne croient qu'au règlement, à la loi, à une économie efficace, à la gestion ; qui ne cherchent qu'une bonne administration et l'obéissance au règlement. Ils tuent le cœur et l'esprit.

Stephen Verney dit : « Nous sommes plus de la terre et plus du ciel que nous n'osons l'admettre. » Pour une communauté, c'est la même chose. Le corps est important ; il est beau ; il faut le soigner mais il est pour la vie, pour l'esprit, le cœur et l'espérance, pour la croissance de ceux pour qui la communauté existe.

*
**

Amour et pauvreté

Comme la question de la pauvreté est difficile à résoudre ! Si vitc une communauté s'enrichit, avec toutes les bonnes raisons du monde ! Il faut un frigidaire pour pouvoir acheter la viande moins cher et mieux garder les restes, puis il faut un congélateur. Souvent pour dépenser moins il faut faire des investissements assez onéreux. On achète une voiture parce que c'est absolument nécessaire pour le rayonnement de la communauté, pour faire le marché au meilleur prix ; on abandonne la bicyclette et à fortiori la marche à pied. Il y a des machines qui permettent de faire les choses plus vite et plus efficacement mais qui suppriment certaines activités communautaires. Je serais désolé qu'au foyer de l'Arche à Trosly, on achète un jour une machine à laver la vaisselle : la vaisselle constitue un des très bons moments que nous passons ensemble dans la détente et le rire. D'autres communautés pourraient dire la même chose pour la préparation des légumes : c'est un temps de partage. Et puis, certaines machines mettent en chômage des personnes plus faibles auxquelles de petits travaux ménagers ou culinaires donnaient une occupation ; c'était leur façon de « donner » quelque chose à la communauté. C'est triste de les supprimer. Très vite on risque d'organiser la vie communautaire selon le modèle d'une usine ou plutôt de la société moderne : les personnes valides font beaucoup de choses très vite à l'aide de la machine ; elles deviennent de terribles activistes constamment affairées, commandant tout le monde ; les moins valides sont condamnées à ne rien faire et gravitent autour de la télévision.

Y a-t-il des normes dans ce domaine de la pauvreté ? Une chose est certaine : une communauté qui s'enrichit, qui n'a besoin de rien, qui est totalement autonome, s'isole — précisément parce qu'elle a besoin d'aucune aide. Elle s'enferme sur elle-même et ses propres ressources. Son rayonnement en est diminué. Elle peut faire des choses pour les voisins, mais eux ne peuvent rien faire pour elle. Il n'y a plus d'échange ni de partage. La communauté devient le voisin riche. De quoi témoigne-t-elle ?

Une communauté qui a tout ce dont elle a besoin et au-delà, risque très vite de ne plus faire d'effort pour réduire ses dépenses : elle gaspille ou elle utilise ce qu'elle a à tort et à travers ; elle ne respecte plus la matière. Elle perd toute créativité dans ce domaine. Un certain laisser-aller s'installe. Pour un bien-être physique et moral, elle devient incapable de discerner entre le luxe ou le souhaitable et le nécessaire. Une communauté riche perd très vite le dynamisme de l'amour.

Je me souviens de Frère André, des Missionnaires de la Charité, parlant de Calcutta où il a vécu quatorze ans. « C'est la plus terrible de toutes les villes à cause de l'immensité de la misère qui s'y trouve, me disait-il, mais c'est aussi la plus belle parce que c'est la ville où il y a le plus d'amour. » En effet, quand on devient riche, on met des barrières autour de soi et parfois un chien méchant pour défendre sa propriété ; les pauvres, eux, n'ont rien à défendre et souvent même ils partagent le peu qu'ils ont.

Dans une communauté pauvre, il y a beaucoup d'entraide et de soutien matériel, sans parler de l'aide extérieure. La pauvreté devient alors comme un ciment d'unité. Ceci est très frappant à l'Arche : quand on fait un pèlerinage ensemble, tout le monde met la main à la pâte et partage avec allégresse, se contentant parfois de très peu. Quand on est riche, au contraire, on devient plus exigeant, plus difficile, et chacun tend à rester de son côté, seul, isolé.

Dans les villages pauvres d'Afrique il y a un partage, un soutien mutuel, des fêtes ; dans les villes modernes, chacun se ferme dans son appartement où il a tout le nécessaire. Les personnes n'ont apparemment pas besoin les unes des autres. Chacune se suffit à elle-même ; il n'y a aucune interdépendance. Il n'y a plus d'amour.

⁂

Une communauté qui regarde beaucoup la télévision perd très vite le sens de la créativité, du partage et de la fête. On ne se rencontre plus. Chacun se ferme sur l'écran.

De fait, quand on s'aime beaucoup, on se contente de très peu. Quand on a la joie et la lumière dans le cœur, on n'a pas besoin de richesses extérieures. Les communautés les plus aimantes sont souvent les communautés les plus pauvres. On ne peut, en effet, être proche du pauvre si on mène une vie de luxe et si on gaspille. Aimer quelqu'un incite à s'identifier à lui, à partager avec lui.

L'important est les communautés sachent bien ce dont elles veulent témoigner. La pauvreté n'est qu'un moyen au service d'un témoignage d'amour et d'un style de vie.

J'ai beaucoup apprécié ce que me disait Nadine dans la communauté de l'Arche à Tegucigalpa (Honduras). A Casa Nazareth, c'est le nom de la communauté, elle a accueilli Lita et Marcia, qui portent en elles des handicaps visibles. Elles sont toutes les deux issues de familles très pauvres et c'est important que leur nouvelle maison soit, comme toutes les maisons du quartier, constamment ouverte aux voisins. C'est ainsi qu'on vit là-bas. Et il ne faut pas que Lita et Marcia soient à part, comme dans une institution : il faut qu'elles aient plein d'amis, qu'elles vivent comme tout le monde. Les enfants des voisins sont constamment dans la maison, jouant, riant, parlant, chantant. J'ai demandé à Nadine si un magnétophone pourrait lui rendre service. « Non », m'a-t-elle dit, « car les enfants joueront avec et très vite il sera cassé, ou bien il faudra le mettre sous clef. » Et l'armoire ou la chambre fermées à clef deviennent un lieu secret où on cache les choses ! Mais, bien plus, elles constituent un mur dans l'accueil. Nadine ajoutait qu'il ne fallait pas que dans notre maison il y ait des choses que les voisins n'aient pas dans les leurs. Ils seraient attirés et intrigués par ces choses ; ils voudraient jouer avec, ou en avoir autant. Les richesses deviennent très vite des barrières qui font naître la jalousie ou un sentiment d'infériorité : ceux qui les possèdent sont des « puissants », des « grands ». La pauvreté doit toujours être en fonction de l'amour et de l'accueil. La question est toujours la même : veux-tu vivre pour témoigner de l'amour et de l'accueil, ou veux-tu te protéger derrière le confort et la sécurité ?

*
**

Les communautés qui, de fait, sont plus grandes et plus riches matériellement ne doivent cependant pas désespérer ! Elles doivent témoigner d'une autre forme de pauvreté et d'une confiance à l'intérieur de celle-ci. Et elles peuvent, de maintes façons, rechercher à ne pas vivre dans le luxe, ni gaspiller ; elles peuvent, par exemple, utiliser leurs bâtiments pour accueillir davantage de personnes. Leurs richesses sont un don de Dieu dont la communauté n'est pas propriétaire mais intendante. Elle doit les utiliser pour répandre la bonne nouvelle de l'amour et du partage.

*
**

Le rythme du quotidien

Quand j'étais chez Chris, dans une de nos communautés au Kérala en Inde, je regardais avec joie et émerveillement des maçons indiens qui construisaient la maison. Ces hommes travaillaient dur mais dans un grand esprit de liberté et de détente. On sentait qu'ils avaient du plaisir à travailler ensemble et à accomplir une œuvre qui fût belle (en plus d'être rémunérative). Les femmes portaient des piles de briques sur la tête et elles riaient. Le soir, ils étaient sûrement fatigués, mais ils devaient se coucher le cœur en paix.

Il y a quelque chose de très beau dans le travail précis et bien fait. C'est comme une participation à l'activité de Dieu, lui qui fait toute chose avec ordre et sagesse, belle dans le moindre détail.

A notre époque, qui est celle de l'automatisme, on oublie la grandeur du travail manuel bien fait. Il y a chez l'artisan un aspect contemplatif. Le vrai menuisier, qui aime le bois et qui connaît ses outils, ne se presse ni ne s'énerve. Il sait faire et chaque geste est accompli avec précision. L'œuvre réalisée est belle.

Il y a quelque chose de particulièrement unifiant dans une communauté où on travaille dur, avec précision, chacun à sa place. les communautés où il y a trop de luxe et de loisirs, trop de temps perdu, trop d'imprécision, deviennent vite des communautés tièdes où le cancer de l'égoïsme se répand.

***

Dans cette même communauté au Kérala il faut prendre le temps de puiser l'eau pour la cuisine, pour se laver, boire, laver le linge, arroser le jardin. Une activité naturelle comme celle-là nous garde proches de la nature et proches les uns des autres.

***

J'aime ce texte du Deutéronome : « Car cette loi que je te prescris aujourd'hui n'est pas au-delà de tes moyens ni hors de ton atteinte. Elle n'est pas dans les cieux, qu'il te faille dire : « Qui montera pour nous aux cieux nous la chercher, que nous l'entendions pour la mettre en pratique ? ». Elle n'est pas au-delà des mers, qu'il te faille dire : « Qui ira pour nous au-delà des mers pour la chercher, que nous l'entendions pour la mettre en pratique ? ». Car la parole est tout près de toi, elle est dans ta bouche et dans ton cœur pour que tu la mettes en pratique. » (Deutéronome 30, 11 à 14)

La vie communautaire dans son quotidien n'est pas au-dessus de nos forces.

***

Dans les pays industrialisés, on a développé une vie éloignée de la nature, une vie artificielle : les maisons sont remplies de gadgets électriques ; les loisirs se limitent souvent à la télévision et au cinéma ; les villes sont bruyantes, étouffantes, polluées ; les hommes et les femmes sont accablés de longues heures de métro, de train, de voiture, d'embouteillages. Les films qu'ils regardent et les nouvelles qu'ils écoutent ne sont que drames et violence. Et il faut ajouter à cela toutes les informations du monde qu'ils n'arrivent pas à intégrer : le tremblement de terre au Guatemala, la faim au Sahel, la guerre civile au Liban, les attentats en Irlande du Nord, les nouvelles sur des pays où il n'y a pas de liberté de presse, où il y a la tyrannie, des tortures, des personnes enfermées arbitrairement en prison, en hôpital psychiatrique. Il y a tout pour inquiéter, énerver. Et les hommes et les femmes de notre époque se sentent incapables de faire une synthèse de tout cela. Ils sont trop petits pour accueillir toutes ces informations plus ou moins dramatiques dans leur chair fragile. C'est pourquoi ils s'attachent facilement à de nouveaux mythes qui prônent le salut du monde, à des sectes rigides qui disent détenir la vérité. Plus l'homme est angoissé, plus il s'attache à de nouveaux sauveurs, des fanatiques, qu'ils soient d'ordre politique, psychanalytique, religieux ou mystique. Ou ils veulent tout oublier dans la course aux stimulations momentanées, aux richesses, au prestige.

Les communautés doivent être signe qu'il est possible de vivre humainement, que même dans nos structures actuelles, on n'a pas besoin d'être esclaves de formes de travail, d'économies inhumaines, de loisirs artificiels ou excitants.

Une communauté est essentiellement un lieu où l'on apprend à vivre au rythme de l'homme, aux dimensions du cœur humain, au rythme de la nature. Nous sommes faits de la terre et nous avons besoin de la chaleur du soleil, de l'eau de la mer, et de l'air qu'on respire, nous sommes des êtres de la nature, et les lois de cette nature font partie de notre chair. Cela ne veut pas dire que les découvertes scientifiques ne soient pas utiles, mais elles doivent être au service de la vie pour créer un environnement et un milieu où la personne humaine puisse vraiment grandir dans toutes les dimensions de son être, que ce soit à la ville ou à la campagne, dans les villages abandonnés ou dans les bidonvilles, dans des quartiers luxueux ou dans les ghettos.

Une communauté ne doit pas être d'abord un rassemblement de troupes de choc, de commandos, de héros, mais une assemblée de personnes qui veulent être signe qu'il est possible pour des hommes de vivre ensemble, de s'aimer, de célébrer, d'œuvrer pour un monde meilleur, de fraternité et de paix. Elles doivent, dans ce monde matérialiste où les hommes souvent s'ignorent ou s'entretuent, être signe que l'amour est possible, et que pour être dans la joie on n'a pas besoin de beaucoup d'argent — au contraire. Le livre de Schumacher, *Small is Beautiful* [1] m'a ouvert bien des pistes de réflexion à ce sujet. Il faut que dans nos communautés de l'Arche, on accentue encore plus la qualité de la vie. Il faut que chaque jour nous apprenions à vivre, et que nous trouvions notre rythme de vie intérieur et extérieur.

⁂

Dimension politique de la communauté

Des communautés chrétiennes ne peuvent être à l'écart de la société. Elles ne sont surtout pas des lieux d'émotion, comme une drogue devant la tristesse du quotidien, des lieux où on calme sa conscience, où on fuit le présent dans un rêve de l'au-delà. Elles sont, au contraire, des lieux de ressourcement pour aider chaque personne à croître vers la libération intérieure afin d'aimer tous les hommes comme Jésus les aime : « Il n'y a pas de plus grand amour que de donner sa vie pour ses frères ». Le message de Jésus est clair. Il réprimande les riches et les orgueilleux ; il exalte les humbles. Les communautés chrétiennes doivent être au cœur de la société, visibles aux yeux de tous : « il ne faut pas cacher la lampe sous le boisseau ». Elles doivent être un signe qu'avec très peu de ressour-

1. Small is Beautiful. Une société à la mesure de l'homme, coéd Seuil/Contretemps, 1978.

ces matérielles et sans excitants artificiels, on peut avoir le cœur en fête et s'émerveiller devant la beauté de la personne qui est proche de nous, la beauté de l'univers qui est notre demeure, signe aussi qu'il est possible d'œuvrer ensemble pour que notre quartier, notre village ou notre ville soient le lieu de plus de justice, de paix et d'amitié, de créativité et de croissance humaine.

Les communautés chrétiennes ont alors toute une dimension politique.

*
**

Je trouve que certains chrétiens en France sont obnubilés par la politique. Ils sont parfois terriblement anticommunistes : le communisme devient le grand diable qu'il faut abattre ; ces chrétiens tendent quelquefois à former des regroupements politiques un peu facistes. Ou, à l'inverse, ils sont anti-capitalistes, marxistes, et luttent pour des structures nouvelles qui favoriseraient, selon eux, l'égalité des ressources. Ces deux tendances préconisent souvent une forme de centralisation nationale que ce soit pour protéger l'économie libérale, ou pour tout nationaliser et planifier.

Je me demande quelquefois si les chrétiens ne devraient pas mettre davantage leurs énergies à créer des communautés chrétiennes vivant le plus possible selon la Charte des Béatitudes. Ces communautés vivant selon d'autres valeurs que celles du seul progrès matériel, du succès, de l'acquisition des richesses ou de la lutte politique pourraient devenir le levain dans la pâte de la société. Elles ne changeraient pas d'abord les structures politiques, mais les cœurs et l'esprit des personnes dans la société en leur faisant entrevoir une dimension nouvelle de l'être humain, celle de l'intériorisation, de l'amour, de la contemplation, de l'émerveillement et du partage, celle où le faible et le pauvre, loin d'être écartés, sont au cœur de la société.

Mon espérance, c'est que si cet esprit communautaire se propage réellement, les structures changeront. Les structures sont le miroir des cœurs, sauf, bien sûr, dans le cas des tyrannies.

Cela implique que certains dès maintenant travaillent pour améliorer ou changer les structures économiques et politiques afin de faciliter la création d'une société où il y ait davantage de justice, de vrai partage et où des communautés puissent s'enraciner et rayonner.

*
**

Ces communautés qui vivent dans la simplicité, pauvrement, sans gaspiller, font découvrir tout un nouveau style de vie exigeant moins de ressources financières, mais plus de capacités de relations. N'est-ce pas un des meilleurs moyens pour briser ce fossé qui grandit chaque jour davantage entre les pays riches et les pays pauvres ? Il ne s'agit pas uniquement pour les hommes épris d'amour universel d'aider les pays pauvres à se développer. Il faut aussi révéler aux pays riches que le bonheur n'est pas dans cette recherche éperdue de biens matériels, mais dans des relations simples et aimantes, vécues et célébrées dans une vie communautaire dépouillée de richesse.

*
**

En Afrique et dans d'autres pays pauvres, je remarque que les gens des villages ont une certaine qualité de vie. Ils savent vivre en famille et dans le village, entre eux, même s'ils ne savent pas toujours « faire » avec efficacité. Les missionnaires que je rencontre savent souvent faire toutes sortes de choses : construire des écoles, des hôpitaux, enseigner, soigner, etc., parfois même s'engager efficacement dans la lutte politique. Mais ils ne savent souvent pas vivre entre eux, on ne sent pas chez eux une maison joyeuse, vivante, une communauté où tous soient à l'aise, détendus, et où sont tissés des liens profonds de fraternité. C'est un peu triste car les chrétiens doivent surtout donner un témoignage de vie. C'est d'autant plus important aujourd'hui où les pays d'Afrique sont tiraillés entre les traditions du village et le goût de l'argent et du progrès. Et souvent hélas, les missionnaires donnent l'image de personnes utilisant des machines et des techniques coûteuses pour vivre et réussir, cela allant de la voiture au frigidaire. Je suis toujours émerveillé devant les petites sœurs de Jésus, les sœurs de Mère Térèsa et bien d'autres communautés qui vivent au milieu du peuple et donnent un témoignage de vie.

*
**

Dans notre communauté de Calcutta, nous nous demandons parfois ce que nous faisons là. Nous sommes une quinzaine de personnes, dont un certain nombre auparavant vivaient dans la rue, inactives et misérables à cause d'un handicap mental – au cœur d'un quartier surpeuplé de pauvres, collés contre la gare Sealdah, la gare la plus active du monde. Nous vivons heureux à travers bien sûr les hauts et les bas du quotidien. Nous avons suffisamment à manger et l'usine Philips nous donne du travail. Nous cheminons lentement vers une certaine autonomie financière que nous ne sommes pas sûrs d'atteindre. Dans la rue, il y a la multitude des pauvres, des hommes sans travail ; et un peu plus loin dans la ville il y a les riches inconscients de leur responsabilité. Nous nous demandons alors ce que nous sommes en train de faire : une petite goutte d'eau dans ce vaste océan de souffrances et de misère. Il faut que nous nous rappelions constamment que nous ne sommes pas les sauveurs du monde, mais un petit signe, parmi des milliers d'autres, que l'amour est possible ; que le monde n'est pas condamné à une dialectique entre opprimés et oppresseurs ; que la lutte des classes et des races n'est pas inévitable ; qu'il y a une espérance. Et ceci parce que nous croyons que le Père nous aime et nous envoie son Esprit pour transformer nos cœurs et nous conduire dans ce passage de l'égoïsme à l'amour, pour que nous puissions tous vivre dans le quotidien en frères et sœurs.

Sartre a tort : l'autre n'est pas l'enfer ; il est le ciel. Il ne devient l'enfer que si déjà j'y suis, c'est-à-dire si je suis enfermé dans mes ténèbres et mes égoïsmes. Pour qu'il devienne ciel il me faut faire lentement ce passage de l'égoïsme à l'amour. Mes yeux et mon cœur doivent changer.

Chapitre 9

LA FÊTE

Au cœur de la communauté, la fête

Au cœur de la communauté, il y a le pardon et la fête. Ce sont les deux faces d'une même réalité, celle de l'amour. La fête est une expérience commune de joie, un chant d'action de grâces. On célèbre le fait d'être ensemble et on rend grâces du don qui nous a été fait. La fête nourrit les cœurs, redonne l'espérance et une force pour vivre les souffrances et les difficultés de la vie quotidienne.

Plus un peuple est pauvre, plus il aime fêter. Je suis toujours sidéré de voir comment, en Inde ou en Afrique, les gens les plus pauvres célèbrent les fêtes parfois durant plusieurs jours. Ils mettent toutes leurs économies pour faire des repas grandioses et confectionner ou acheter de beaux habits. Ils font des guirlandes de fleurs et des feux d'artifice (les effets de lumière et les explosions font partie intégrale de la fête). Ces fêtes sont presque toujours liées à l'anniversaire d'un événement divin ou religieux ; elles ont alors un caractère sacré. Elles ont certainement un rôle par rapport à l'acceptation des souffrances quotidiennes ; c'est un moment de défoulement ; mais les regarder uniquement comme une échappatoire ou une drogue n'est pas aller suffisamment loin dans la réalité humaine. Chaque personne et surtout les pauvres, vit le quotidien avec tout ce que cela implique de fastidieux : les jours se ressemblent, on salit, on nettoie, on tourne la terre, on sème et on récolte et toujours dans l'insécurité. Mais la personne humaine a besoin d'autre chose. Son cœur est plus grand que les limites du quotidien. Il est assoiffé d'un bonheur qui semble inaccessible sur la terre ; il a le goût de l'infini, de l'universel, de l'éternel, de quelque chose qui donne un sens à la vie humaine et à ce quotidien fastidieux. La fête est comme un signe de cet au-delà qu'est le ciel. Elle est le symbole de ce à quoi l'humanité aspire : une expérience de communion.

La fête exprime et rend présent d'une façon tangible la finalité de la communauté. Elle est par là un élément essentiel de la vie communautaire. Dans la fête, les irritations nées du quotidien sont balayées ; on oublie les petites querelles. L'aspect extatique (l'extase c'est « sortir de soi-même ») de la fête unifie les cœurs ; un courant de vie passe. C'est un moment d'émerveillement où la joie du corps et des sens est liée à la joie de l'esprit. C'est le moment le plus humain et aussi le plus divin de la vie communautaire. La liturgie de la fête harmonisant la musique, la danse, les chants, avec la lumière, les fruits et fleurs de la terre, est un moment où on communie avec Dieu et entre nous à travers la prière, l'action de grâces, mais aussi à travers la bonne nourriture. Le repas de fête est important.

Et plus le quotidien est dur, fastidieux, plus les cœurs ont besoin de ces moments de célébration et d'émerveillement. Ils ont besoin de ces temps où tous se rassemblent, rendent grâces, chantent, dansent et où il y a des repas spéciaux. Chaque communauté, comme chaque peuple a sa liturgie de fête.

*
**

La fête est nourriture, ressourcement. Elle rend présent symboliquement la finalité de la communauté et comme telle, stimule l'espérance et donne une force nouvelle pour reprendre avec plus d'amour la vie quotidienne. La fête est un signe de la résurrection qui nous donne la force de porter la croix de chaque jour. Il y a un lien intime entre la célébration et la croix.

***

Je suis frappé, à l'inverse, de l'aspect triste des anniversaires de libération politiques. Il n'y a pas de danse ni de fête, mais des défilés militaires survolés par des avions à réaction. C'est une manifestation de puissance que les gens regardent avec une certaine émotion mais ce n'est pas la fête. En France, même dans les milieux non-chrétiens, il y a une grande différence entre la douceur et la tendresse de Noël, où les gens se disent comme naturellement « bon Noël » dans la rue et la fête nationale du 14 juillet, où il y a un moment triste près du monument aux morts où on salue la République puis on boit un coup au café. Autrefois, on dansait dans les cafés mais on le fait de moins en moins.

***

La fête est un temps d'actions de grâces où on remercie Dieu pour un événement historique où sa puissance aimante s'est manifestée à l'égard de l'humanité, du peuple ou de la communauté ; elle est aussi le rappel qu'il est toujours là, présent, veillant sur son peuple et sur la communauté comme un Père qui aime ses enfants. La fête est la célébration non seulement d'une action passée mais d'une réalité présente.

Pour le peuple juif, la Pâque est la grande fête qui rappelle le moment où l'ange de Yahweh est passé et où Dieu a libéré son peuple. Ce peuple rend grâces à Yahweh qui continue à être son guide, son pasteur, son protecteur et son Père qui l'aime.

Chaque communauté doit savoir célébrer ses anniversaires selon son histoire et ses traditions, l'anniversaire du moment où Dieu a suscité la fondation de la communauté ou d'un événement particulier où la main de Dieu l'a protégée avec évidence. On remercie Dieu, on fête ses bienfaits. C'est un moment d'histoire qui nous fait redécouvrir que c'est Lui qui nous a appelés à vivre ensemble, qu'Il nous guide et nous conduit pour œuvrer pour le Royaume.

*
**

L'évangile est jalonné de fêtes. Le premier miracle de Jésus a lieu aux noces de Cana ; il change l'eau en vin pour que la fête soit plus belle ; c'est souvent au moment des fêtes que Jésus apparaît au temple et annonce d'une façon spectaculaire la bonne nouvelle. Et il est mort à la fête de la Pâque.

*
**

Au cœur de la fête, il y a le pauvre. Si on exclut les plus petits, ce n'est plus la fête. Il s'agit de trouver des danses et des jeux où les plus pauvres dans la communauté, les enfants et les vieillards, tous les plus faibles, puissent participer. La fête doit toujours être la fête des pauvres.

*
**

Je suis toujours surpris de voir les visiteurs étonnés de la joie qui règne à l'Arche. Je suis surpris, car je sais la quantité de souffrances que portent certains hommes et femmes dans nos communautés. C'est à se demander si toute joie ne jaillit pas quelque part de la souffrance et du sacrifice. Ceux qui vivent dans le confort et la sécurité, qui ont apparemment tout ce dont ils ont besoin, peuvent-ils avoir la joie ? C'est à se le demander. Je suis certain que les pauvres peuvent être joyeux — au moment de la fête, ils éclatent de joie. C'est comme si à ces moments-là leurs souffrances et frustrations étaient dépassées. Ils vivent un moment de libération ; le poids du quotidien est soudainement levé et leurs cœurs bondissent de joie.

*
**

Une des grandes fêtes humaines est justement celle des noces. C'est un temps où le religieux et l'humain s'entremêlent dans la joie, où le plus divin semble rencontrer le plus humain : « Le royaume des cieux est comme un repas de noces... » La fête est signe de la fête éternelle et chaque petite fête dans nos communautés doit être comme un signe de cette fête du ciel.

La fête est très différente du spectacle, où quelques acteurs ou musiciens amusent et détendent les spectateurs. Dans cette fête, tout le monde est acteur et tout le monde spectateur. Chacun doit jouer et participer, sinon ce n'est pas une vraie fête.

Sur terre, il y a toujours un élément mélancolique à la fête ; on ne peut pas faire la fête sans y faire une allusion. C'est que sur la terre il y a des gens qui ne fêtent pas, qui sont dans le désespoir, la détresse, l'agonie, la faim et le deuil. C'est pour cela que toute fête, si elle est comme un grand alleluia et un chant d'action de grâces, doit toujours s'achever par un silence dans lequel on porte à Dieu tous ceux qui ne fêtent pas.

***

Il y a les grandes fêtes que toute la communauté célèbre non seulement pour elle-même mais pour toute l'humanité. On rend grâce ensemble à Noël pour la naissance de Jésus ; à Pâques pour sa résurrection et à la Pentecôte pour la manifestation de l'Esprit Saint. Il y a les fêtes propres à la communauté : l'anniversaire de la fondation, le saint patron, ou une fête de fin d'année où la communauté rend grâce et se réjouit de tout ce qu'elle a reçu. Et puis il y a les petites fêtes, les anniversaires de tel ou tel, les mariages, les naissances ; c'est alors la fête de chacun, à tour de rôle : on reconnaît son unicité, sa place particulière et son don. Et chaque communauté célèbre les différentes fêtes selon sa tradition ; chacune a sa liturgie propre, une célébration eucharistique spéciale, la façon d'arranger la chapelle, le repas, la façon de servir à table, de décorer la salle à manger, les bougies, les guirlandes, les fleurs, les vêtements, les chants, parfois même des déguisements, des farandoles et des danses.

Il y a aussi les petites fêtes de chaque jour qui se font autour du repas ou qui naissent spontanément des rencontres. Quand le père retrouve son fils prodigue, il dit à ses serviteurs : « Vite apportez la plus belle robe et l'en revêtez, mettez-lui un anneau au doigt et des chaussures aux pieds. Amenez le veau gras, tuez-le, mangeons et festoyons car mon fils que voilà était mort et il est revenu à la vie ; il était perdu et il est retrouvé ! » (Luc 15, 22, 24).

***

Les sociétés devenues riches ont perdu le sens de la fête en perdant le sens de la tradition. La fête se rattache à une tradition familiale et religieuse. Dès que la fête s'éloigne de la tradition, elle tend à devenir artificielle et il faut des stimulants comme l'alcool pour l'activer. Ce n'est plus la fête.

Notre époque a le sens de la « party », c'est-à-dire la rencontre où on boit et on mange ; on organise des danses mais c'est souvent une affaire de couple et parfois même une affaire très individuelle. Notre époque aime le spectacle, le théâtre, le cinéma, la télévision, mais elle a perdu le sens de la fête.

Bien souvent aujourd'hui nous avons la joie sans Dieu ou Dieu sans la joie. C'est la conséquence d'années de jansénisme où Dieu apparaissait comme le Tout-Puissant sévère ; la joie s'est détachée du divin.

La fête, au contraire, c'est la joie avec Dieu. Chaque culture et chaque tradition exprime cette joie d'une façon différente — plus ou moins éclatante, plus ou moins recueillie.

A l'Arche, nous pouvons fêter avec un éclat de rire et de joie, et puis tout de suite après entrer dans le silence et la prière. Toute fête ne doit-elle pas s'achever dans la prière silencieuse, la fête de la rencontre personnelle avec Dieu ?

***

Dans nos communautés, comme en Afrique, où les membres viennent de cultures différentes, chacun a des loisirs et des détentes selon sa culture. Un canadien aime boire une bière ; un voltaïque aime rendre visite à quelqu'un du quartier ; pour un autre c'est s'enfermer dans sa chambre et lire un livre. Alors les loisirs divisent : chacun va de son côté. La fête ce n'est pas simplement un moment de détente dans une culture donnée, un moment où les tensions se relâchent, un moment « pour soi » — mais c'est une rencontre bien préparée dans la joie et l'émerveillement, au-delà des divisions des cultures.

*
**

C'est merveilleux comme l'Eglise a gardé le sens de la fête. Chaque jour est une fête ; il y a les grandes fêtes liturgiques et la fête des amis du ciel, l'anniversaire des différents saints. Et puis au cœur de la journée on « célèbre » la messe. Je suis toujours frappé par les mots qu'on utilise à la messe : célébration et fête, présence, communion, repas et sacrifice, pardon, eucharistie et action de grâces.

Ces mots résument bien la vie communautaire. Il faut que nous soyons réellement présents les uns aux autres, communiant les uns avec les autres parce que communiant à Jésus. C'est alors la fête et la célébration. Cette communion, cette célébration sont un temps de nourriture ; on devient pain les uns pour les autres parce que Dieu s'est fait pain pour nous ; c'est un repas au cœur de la communauté. Le sacrifice est toujours au centre de la vie communautaire, car il s'agit de sacrifier ses intérêts propres aux intérêts des autres, comme Jésus a sacrifié sa vie pour que nous recevions l'Esprit. La fête commence par une demande de pardon, et s'achève dans l'action de grâces.

La messe n'est pas seulement là pour alimenter notre piété personnelle. Elle est célébration et action de toute la communauté, pour toute l'Eglise et toute l'humanité. La célébration de l'Eucharistie est un des sommets de la vie communautaire où on est le plus unis ensemble ; tout est offert au Père en Jésus.

*
**

Le repas

Le repas est la petite fête quotidienne où l'on se retrouve tous autour de la même table pour se nourrir et se rencontrer dans le partage et la joie. Il apporte une jouissance particulière au corps et à la sensibilité. Il ne faut donc pas l'expédier le plus vite possible sous prétexte de faire des choses plus importantes ou plus spirituelles. C'est un événement communautaire important qui doit être bien préparé et pleinement vécu. Le repas est le temps où on mêle la joie de bien manger et boire avec la joie de la rencontre. C'est une réalité merveilleusement humaine. Le lien entre le repas et l'amour trouve ses origines dans les premiers repas de l'enfant. Pour une mère, nourrir son enfant est un geste d'amour qui se réalise dans la présence mutuelle, la joie et le jeu ; un enfant qui n'est pas nourri avec amour, et qui reçoit mécaniquement le biberon connaît des troubles digestifs. La personne humaine ne mange pas comme les animaux, chacun dans leur coin. L'amitié et l'amour viennent humaniser cette réalité si matérielle.

C'est bien pour cette raison qu'il faut éviter à tout prix les discussions agressives et les attitudes trop sérieuses ou pédagogiques à table ; les repas d'affaires ne sont pas non plus à encourager. Le repas est le lieu de la détente du corps et de l'esprit. Le rire est excellent pour la digestion. Les choses sérieuses, les discussions, etc., risquent de causer des ulcères et des troubles intestinaux. Certains enfants ont de gros troubles si leur repas ne se déroule pas dans une atmosphère de détente. Je sais pour ma part que les tensions à table me coupent l'appétit et que mon foie « en prend un coup » !

***

Au cours d'un repas chaque personne de la table devrait rencontrer toutes les autres, ne serait-ce que par un simple geste : « Veux-tu encore des pommes de terre ? » Cela devient un moment naturel de communication qui fait sortir certaines personnes de leur isolement. Elles ne peuvent pas rester derrière les barrières de leur dépression quand elles ont besoin de quelque chose : « Veux-tu me passer le sel ? » Les besoins de nourriture incitent à la communication.

La pire des inventions, c'est le self-service : chacun avec son petit plateau, sa petite bouteille de vin, son sachet de sucre et parfois même de sel et de poivre comme dans les avions. C'est affreux d'obliger chacun à manger et à boire la même quantité et à le faire tout seul. C'est tellement plus humain d'avoir une grande bouteille et que chacun se serve selon ses besoins, attentif à ce que l'autre ait ce qu'il lui faut, prêt à laisser la meilleure part pour le voisin. Le repas n'est plus alors un acte solitaire, égoïste et triste, mais devient un temps où chacun donne, partage et aime.

*
**

Une maîtresse de maison sait qu'un bon repas nécessite une soigneuse préparation qui va de l'élaboration du menu à l'achat de la nourriture, à la cuisson, à la préparation des plats, à la façon de mettre la table. Il faut penser à tout : la qualité du vin, les fleurs, qui met-on à côté de qui...

Il faudrait aussi savoir préparer un peu l'animation de la table, les conversations à aborder. Il est bon que durant un repas il puisse y avoir des apartés où les voisins parlent entre eux. Mais il faut aussi des moments d'unité où tous puissent participer à une conversation d'intérêt général et surtout rire ensemble.

*
**

Si la préparation d'un repas nécessite autant de soins, il en va de même pour une fête ou une activité communautaires. Il ne faut pas croire que tout puisse être laissé à l'improvisation. Il faut qu'un petit groupe de personnes la prépare avec soin en discernant d'abord le but recherché. Il ne faut pas laisser les choses au hasard ; c'est dans le cadre d'une activité bien préparée qu'on peut laisser de la place à la spontanéité, au changement, à l'évolution. Il faut toujours savoir capter et prolonger, durant une fête ou un repas, le moment peut-être inattendu qui sera un moment particulier d'unité, un temps de grâce et de recueillement, un temps d'émerveillement où un courant de vie passe à travers la joie.

Si une fête n'est pas bien préparée, on peut être sûr que quelqu'un va en profiter pour en faire « son » projet, imposer « son » point de vue, être au cœur du spectacle, être applaudi ; ou bien tout se disloquera dans l'ennui, il n'y aura pas d'unité dans l'activité, pas de fête.

Et après toute activité communautaire (de quelque ordre que ce soit) il faudrait un temps d'évaluation, où on se demande si on a atteint le but recherché. Il faut reconnaître ses lacunes, ses erreurs, pour faire mieux la prochaine fois.

Dieu nous a donné une intelligence, une mémoire et une imagination pour cela. Les Américains aiment beaucoup évaluer, et souvent un peu trop matériellement, c'est pourquoi ils sont en avance dans le domaine commercial. Les Français n'aiment pas trop évaluer. Il faut toujours essayer d'évaluer qualitativement nos activités.

***

Il y a un saint, saint Louis de Gonzague je crois, qui préparait tous les jours des histoires drôles pour faire rire ses frères durant la récréation. Il n'était pas très doué naturellement pour ce genre de choses et peut-être, par goût, aurait-il aimé rester dans l'ombre ; mais, par amour de ses frères, il cherchait à mettre de la gaieté dans ces temps libres. Il ne faut pas toujours laisser les choses à la spontanéité parce que la spontanéité est souvent une question de sensibilité ou d'émotion du moment.

C'est un vrai devoir pour certains d'apprendre à animer des fêtes avec une créativité renouvelée : apprendre de nouveaux chants, plus gais, plus drôles, plus adéquats, des histoires ou des connaissances intéressantes à partager. Si on les prépare bien, les repas et les activités communautaires peuvent devenir des moments étonnants de partage, de fête, de transmission de connaissances nouvelles, avec l'ouverture d'esprit que cela implique. Trop de gens viennent aux repas uniquement en consommateurs. Ils ne réalisent pas le rôle que ces repas pourraient jouer dans la construction de la communauté.

***

Dans nos communautés de l'Arche, à la fin du repas, quand il y a eu des oranges pour dessert, on commence parfois à se jeter les pelures. Tout le monde s'en mêle. Un jour, après une telle soirée, un Anglais en visite a demandé si c'était une tradition en France ; je ne pense pas que ce soit une tradition mais je sais que c'est un moment pour certaines personnes de sortir de leur isolement et de s'exprimer dans la joie, surtout si elles ne peuvent pas communiquer par la parole. Certaines personnes pauvres ne peuvent pas participer à des conversations intéressantes, mais elles peuvent participer à des jeux, par des gestes. Quand elles reçoivent une pelure d'orange sur le bout du nez, elles sont ravies de la rendre.

J'avais expliqué cette façon de célébrer lors d'une retraite que je donnais en Nouvelle Zélande à des supérieures majeures d'ordres religieux. Le dernier soir, nous avons eu un repas-célébration en présence de l'évêque. Et par hasard, nous avions des oranges pour le dessert ! C'était quelque chose de voir les mères provinciales très sérieuses et jusqu'alors un peu guindées s'en donnant à cœur joie avec les pelures d'oranges, sous le regard plutôt étonné de l'évêque... qui n'avait pas assisté à la retraite. Il a fallu que je lui donne quelques explications !

***

La façon de mettre la table est importante comme la façon de placer les gens. Quand on sait que quelqu'un est un peu énervé, il ne faut pas mettre certaines personnes à côté de lui. Il y a tout un discernement d'amour à faire dans ce domaine. De même quand quelqu'un est triste, on lui prépare un plat qu'il aime spécialement. Le repas peut être le lieu de mille délicatesses et gestes de tendresse.

*
**

Bien manger ne veut pas dire dépenser beaucoup d'argent. On peut faire de très bonnes choses avec très peu d'argent. C'est une question de créativité, d'astuce, d'un certain savoir culinaire. Les sauces aussi sont importantes ! Les spaghettis sans sauce, c'est bien lourd ! La sauce est comme un geste de gratuité. Une communauté qui ne mange que des féculents parce que « c'est moins cher, ça s'achète en gros » ne sera jamais une communauté très gaie.

Certains repas pris en silence, à la lumière des bougies et avec un fond de musique harmonieuse, peuvent aussi créer une ambiance très humaine et communautaire. Dans les monastères il est normal que les repas soient pris en silence ; il n'y aurait d'ailleurs pas beaucoup d'événements nouveaux pour nourrir la conversation et, de toute façon, le silence favorise le recueillement et l'intériorité. Ce silence n'exclut cependant pas une certaine communication et des délicatesses non-verbales qui forgent, parfois plus que la parole, l'unité communautaire.

*
**

Bâtir la fête

Certaines personnes refusent parfois d'animer les fêtes pour laisser la place aux autres et ne pas avoir une réputation d'animateur. Mais si c'est leur don, pourquoi le refuser à la communauté ? Peut-être pourront-elles apprendre à d'autres comment animer ? On pourrait dire la même chose de tous les arts, le théâtre, la danse, le mime. Toute activité artistique peut devenir porteuse d'un message capable de toucher les personnes et de faire battre les cœurs à l'unisson. Il ne faut pas mépriser l'art, et chaque communauté doit trouver ses modes d'expression particuliers. Tout ce qui est humain peut être mis au service du divin et de l'amour. Et chacun doit exercer son don pour bâtir la communauté.

*
**

Les chants dans une communauté sont d'une importance primordiale. Des membres de la communauté Bundeena en Australie m'ont dit qu'un certain nombre de personnes de leur communauté n'arrivaient pas à lire l'Ecriture Sainte. Alors ils en ont mis certains passages en chants, pour que la parole de Dieu puisse pénétrer plus profondément dans l'esprit des personnes. Saint Louis-Marie Grignon de Montfort prenait des musiques populaires pour y mettre des paroles de prières et de louanges. Actuellement, à l'Arche, j'ai l'impression que nous allons de plus en plus vers des chants mélancoliques, peut-être par souci de recueillement. Il y aurait un effort à faire pour trouver des chants de prière un peu plus gais. Il y a tout un art pour discerner quel chant chanter à tel moment. Il y a des chants qui incitent à la prière et au recueillement. D'autres sont plus stimulants et incitent à aller de l'avant. Davantage de personnes dans nos communautés devraient réfléchir et se spécialiser dans ce domaine. On s'en remet souvent trop à la spontanéité et à l'émotion du moment. On ne doit pas choisir un chant parce qu'il plaît à l'animateur ou qu'il correspond à son état d'âme, mais parce qu'il est le chant adéquat pour l'occasion.

Wol Wolfensberger m'a dit l'autre jour qu'on devrait inventer des danses universelles, faciles à apprendre et à réaliser, et y joindre des paroles. Dans nos fêtes nous faisons toujours des farandoles, mais parce qu'on n'a rien appris d'autre. Il y a sûrement des danses auxquelles des personnes handicapées pourraient participer.

*
**

Très souvent par peur de se mettre en avant, on dit qu'on n'a pas tel don. Mais on peut demander à Dieu de nous donner certains dons, surtout si ceux-ci sont pour l'amour fraternel, pour créer communauté. Chaque réalité de la vie communautaire est importante, et il faut quelquefois travailler et faire des efforts pour y participer du mieux possible et créer l'ambiance de joie et de recueillement la plus propice à cette activité.

***

Dans les fêtes comme dans les conversations et les prières communautaires, ceux qui parlent doivent toujours faire en sorte que tous entendent et comprennent. Cela veut dire qu'ils parlent à voix haute et distinctement. Certaines rencontres où les gens, par timidité, murmurent dans leur barbe, ne permettant qu'à quelques voisins d'entendre, sont mortelles. Quand on parle dans une réunion communautaire, il faut penser à la personne la plus éloignée, et si nécessaire, se mettre debout. Il ne faut pas chercher à mettre trop d'idées dans une même phrase, mais se mettre toujours à la place de l'ensemble de l'auditoire. Il vaut mieux qu'il reçoive une ou deux idées facilement compréhensibles qu'un mélange d'idées. Et il faut se rappeler aussi que ce n'est souvent pas tant ce qu'on dit que la foi et l'enthousiasme avec lequel on le dit qui fait que le message touche le cœur. Il est important que les gens sachent communiquer par la parole le message qu'ils veulent transmettre.

***

Les nourritures communautaires sont ces moments où la communauté toute entière prend conscience du courant de vie qui l'unit. Ce sont des temps de grâce et de don où elle vit la joie d'être ensemble : célébrant, fêtant, priant.

Je me souviens d'une soirée dans une de nos communautés qui venait de débuter. J'étais allé manger avec eux : le repas avait été plutôt triste, chacun parlant avec son voisin ; il n'y avait pas d'unité à table. Après le repas, nous étions assis tous ensemble dans le salon. Quelqu'un a pris une guitare et on s'est mis à chanter. Et puis, l'un après l'autre, tous ont commencé à taper dans leurs mains et à battre le rythme avec une cuiller et un verre, chacun avec son instrument improvisé. On sentait un courant de vie passer. Les visages commençaient à s'illuminer, il y avait comme un moment de grâce. Nous étions vraiment ensemble, nos cœurs, nos mains et nos voix commencèrent à battre à l'unisson. Mais cela n'a pas duré longtemps. Il y avait des personnes blessées qui n'avaient pas envie de se sentir trop à l'aise et heureuses. Elles avaient encore en elles trop de colères due au rejet de leur famille. Il faut parfois attendre longtemps pour avoir une fête à laquelle tous participent pleinement.

*
**

« Conviés aux noces »

J'ai toujours aimé cette parole du Roi à ses serviteurs quand il leur demande d'aller chercher les pauvres, les estropiés : « Conviez-les, conviez l'humanité entière à la fête ! » Nous ne sommes pas faits pour être tristes, pour travailler tout le temps, pour obéir sérieusement à la loi ou pour lutter. Nous sommes tous conviés aux noces. Et nos communautés doivent être signes de joie et de fête. Si elles le sont, il y aura toujours des personnes pour s'y engager. Les communautés tristes sont stériles ; elles sont des mouroirs. Certes, nous n'avons pas sur la terre la joie en plénitude, mais nos fêtes sont de petits signes de la fête éternelle, de ces noces auxquelles nous sommes tous invités.

CONCLUSION

Nous avons beaucoup parlé de la communauté : la communauté lieu du pardon et de la fête, la communauté lieu de croissance et de libération. Mais quand tout a été fait et que tout a été dit, il reste que chacun, dans le fond de son être, doit apprendre tous les jours à assumer sa propre solitude.

Il y a en effet au cœur du cœur de chacun de nous une blessure, la plaie de notre propre solitude qui se révèle particulièrement aux moments des échecs, mais surtout à celui de la mort. On ne fait jamais ce passage en communauté ; on le fait tout seul. Et toute souffrance, toute tristesse, toute forme de dépression est un avant-goût de cette mort, une manifestation de cette plaie au fond de nos êtres, qui fait partie de la condition humaine. Car notre cœur assoiffé d'infini ne peut jamais se satisfaire des limites qui sont toujours signe de mort. C'est pour cela qu'il est constamment insatisfait. Il y a de temps en temps des touches d'infini dans l'art, la musique, la poésie ; il y a des moments de communion et d'amour, des moments de prière et d'extase, mais ces moments sont toujours de courte durée. On retombe vite dans les insatisfactions causées par nos propres limites et celles des autres.

Ce n'est que lorsqu'on a découvert que l'échec, les dépressions, nos péchés même peuvent devenir offrande, matière de sacrifice et par là porte vers l'éternel, qu'on retrouve une certaine paix. C'est seulement quand on a accepté la condition humaine avec toutes ses limites, ses contradictions, sa recherche éperdue de bonheur et qu'on a découvert que les noces éternelles viendront comme un don après notre mort que l'on retrouve confiance.

La communauté, même la plus belle et la plus merveilleuse, ne pourra jamais guérir cette plaie de solitude que nous portons. Ce n'est que quand on a découvert que la solitude peut devenir sacrement qu'on entre dans la sagesse, car le sacrement est le lieu de la purification et de la présence de Dieu. Si nous ne fuyons plus cette solitude, si nous acceptons cette plaie, nous découvrons que c'est à travers elle que nous rencontrons Jésus-Christ. C'est quand nous cessons de fuir dans l'hyperactivité, le bruit et les rêves et que nous nous arrêtons avec et dans cette blessure que nous rencontrons Dieu. Car il est le Paraclet, celui qui répond à notre cri, jailli du fond des ténèbres de notre solitude.

Ceux qui entrent dans le mariage croyant que leur soif de communion sera ainsi désaltérée et leur plaie guérie ne seront pas heureux. De même, ceux qui entrent en communauté espérant combler leur vide, guérir, seront déçus. Ce n'est que si nous avons compris et assumé cette plaie et si nous y avons découvert la présence de l'Esprit Saint, que nous trouverons le vrai sens du mariage et le vrai sens de la communauté. Ce n'est que quand je reste debout avec toutes mes pauvretés et mes souffrances et que je cherche plus à soutenir les autres qu'à me replier sur moi-même, que je peux vivre pleinement la vie communautaire et la vie du mariage. Ce n'est que quand j'arrête de croire que les autres sont pour moi un refuge que je deviens, malgré toutes mes blessures, source de réconfort et de vie, que je découvre la paix.

Jésus est le maître de la communauté et son enseignement conduit à la création de communautés chrétiennes fondées sur le pardon et qui s'achèvent dans la célébration. Mais il est mort, abandonné de ses amis, crucifié sur une croix, rejeté par la société humaine, par les chefs religieux et par son propre peuple. Seule une personne le comprenait et vivait la réalité : Marie, sa mère qui se tenait au pied de la croix. Ce n'était plus une réalité communautaire ; c'était une communion qui dépassait toute communauté. Le maître de la communauté a même crié : « Mon Dieu, mon Dieu, pourquoi m'as-tu abandonné ? » et « J'ai soif ».

La vie communautaire est là pour m'aider à ne pas fuir la plaie profonde de ma solitude mais à rester dans la réalité de l'amour, à croire peu à peu à la guérison de mes illusions et de mes égoïsmes en devenant moi-même pain pour les autres. Dans la vie communautaire, on est là les uns pour les autres, pour grandir ensemble et ouvrir nos plaies à l'infini afin qu'à travers elles se manifeste la présence de Jésus.

Mais on ne peut assumer ses propres plaies profondes que si on a découvert que la communauté est une terre, un lieu d'enracinement pour le cœur, un « chez soi ». Cet enracinement n'est pas pour le confort ni un repli sur soi. Au contraire, il est pour que chacun puisse grandir et donner du fruit pour les hommes et pour Dieu. L'enracinement est la découverte d'une alliance entre des personnes appelées à vivre ensemble. Mais elle est aussi la découverte de l'alliance avec Dieu et avec les pauvres. La communauté n'est pas pour elle-même mais pour les autres, pour les pauvres, pour l'Eglise et pour la société. Elle est essentiellement missionnaire. Elle a un message d'espérance à donner et un amour à communiquer aux personnes et surtout celles qui sont dans la pauvreté et la détresse. Par là, la communauté a une portée politique.

La communauté ne peut exister vraiment que s'il y a ce va et vient vital et aimant entre elle et les pauvres, que si elle est source pour les pauvres et les pauvres, source pour elle.

La vie communautaire prend alors un sens plus large. Elle est vécue entre les membres de la communauté mais elle est aussi vécue dans la communauté plus large du quartier, avec les pauvres et tous ceux qui veulent partager son espérance. Elle devient alors un lieu de réconciliation et de pardon où chacun se sent porté par les autres et les porte. Elle est le lieu d'amitié de ceux qui se savent faibles mais qui savent aussi qu'ils sont aimés et pardonnés. Ainsi la communauté est le lieu de la célébration.

Ces célébrations sont le signe qu'au-delà de toutes les souffrances, les purifications et les morts il y a les noces éternelles, la grande célébration de la vie avec Dieu ; il y a une rencontre personnelle qui nous comblera, nos soifs d'infini seront rassasiées, la plaie de notre solitude guérie.

Cela vaut la peine de continuer à marcher ensemble, de poursuivre le pèlerinage. Il y a une espérance.

TABLE DES MATIÈRES

Achevé d'imprimer le 2 mars 1979
par l'Imprimerie Aubin, Ligugé
N° d'édition F 79023 — N° d'impression L 11275
Dépôt légal, 1er trimestre 1979